U0104352

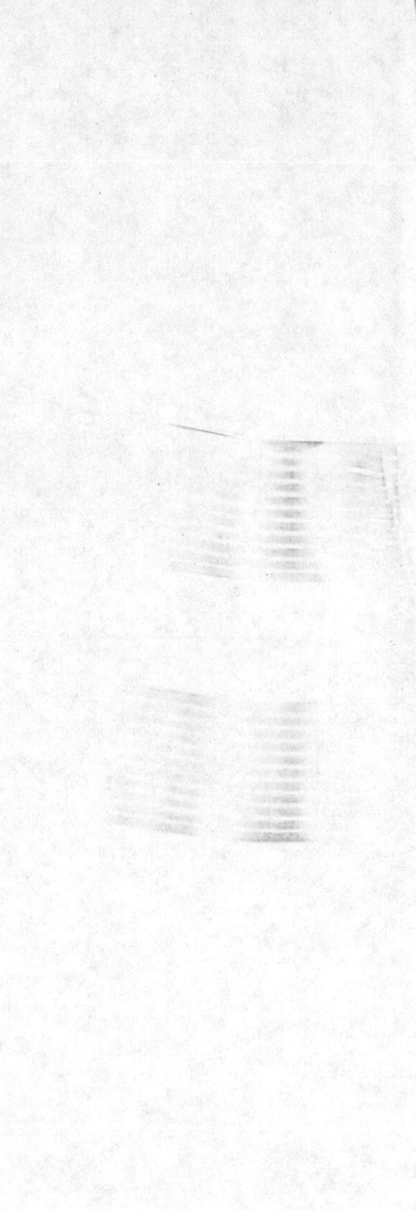

淡江大學中國文學研究所主編

文學與美學

第二集

文史哲出版社印行

國立中央圖書館出版品預行編目資料

文學與美學　第二集／淡江大學中國文學研究所主編.--初版.--臺北市: 文史哲, 民 80
面;　　公分
ISBN 957-547-061-3(平裝)

1.文學--論文, 講詞等　2.美學-論文, 講詞等

810.7　　80003716

文學與美學　第二集

主編者：淡江大學中國文學研究所
出版者：文史哲出版社
登記證字號：行政院新聞局局版臺業字〇七五五號
發行所：文史哲出版社
印刷者：文史哲出版社
台北市羅斯福路一段七十二巷四號
郵撥〇五一二八八一二彭正雄帳戶
電話：三五一一〇二八

平裝定價新台幣五二〇元

中華民國八十年十月初版

ISBN 957-547-061-3 (平裝)

序

我曾在一篇名爲〈美學研究在中國的發展及其蘊含之問題〉的論文中，呼籲籌辦一份美學年報，定期譯述報導世界美學研究新知，以便參與世界美學的討論，進而對世界美學的整體發展有所貢獻。文章發表迄今，悠悠又已三四個年頭，時事多故，而美學的研究依然並無太大的進展，倡議辦刊的所謂美學年報亦仍處於倡議階段，看不出有實現的可能。幸而有這一份《文學與美學》的出版，使得我們對美學研究的前景還不致太過悲觀。斯亦編輯《文學與美學》諸先生的聊可安慰者。

據我所知，大陸目前美學研究專業，依其國務院學位委員會辦公室所編《全國授予博士和碩士學位的高等學校及機構名册》載，只有兩個博士點，卽朱光潛與李澤厚所負責者。其餘能指導美學博士者固不乏人，但此二公才是「欽定」的。現在朱先生已故，李先生爲政治風潮所牽連，亦久無美學論著問世。自去年起，大陸原擬舉辦的討論朱光潛，討論宗白華美學思想之會議，亦皆因大氣候之動盪而告流產。因此，從某個意義說，這本《文學與美學》也是現階段仍然能體現美學研究尙在發展的唯一刊物。斯又編輯此書諸先生所聊可告慰者也。

本輯共收錄論文十七篇，作者包括海峽兩岸以及旅居海外的華人學者。可以局部顯示這個時代中國人對文學與美學的看法。在編輯過程中，我們曾針對每篇論文詳予討論，辨難析疑，駁詰萬端。因此每篇論文固然仍爲作者個人心血所鑄注，其間卻含有衆人之智慧在。對此，編輯者應感謝所有參與討論及寫作的先生，中國美學研究倘若尚能持續開展，自是因爲有如許心力灌注於其間的緣故。是爲序。中華民國七十九年七月。

文學與美學 第二集 目次

作者簡介

曾昭旭 臺灣師範大學國文研究所博士，現任中央大學中文系副教授。

蔣孔陽 大陸學者，現任復旦大學教授。

蕭振邦 文化大學哲學研究所博士，現任中央大學哲學系講師。

高輝陽 現任文化大學藝術系副教授。

王仁鈞 淡江大學中文系學士，現任淡江大學中文系專任教授。

黃景進 政治大學中文研究所碩士，現任政治大學中文系專任教授。

劉瀚平 政治大學中文研究所博士，現任淡江大學中文系兼任副教授。

呂正惠 臺灣大學中文研究所博士，現任中山大學中文系專任副教授。

陳慶煌 政治大學中文研究所博士，現任淡江大學中文系專任副教授。

曹淑娟 臺灣大學中文研究所博士，現任淡江大學中文系所專任副教授。

黃美序 美國佛羅里達戲劇學院博士，現任淡江大學英文系教授。

李瑞騰　文化大學中文研究所博士，現任中央大學中研所專任副教授。

馬　森　加拿大哥倫比亞大學社會學博士，現任成功大學中文系教授。

李正治　臺灣大學中文研究所博士，現任淡江大學中文系所專任副教授。

張炳陽　臺灣大學哲學研究所博士班。

王念恩　江蘇無錫人，英國沃力克大學比較文學研究生院博士。

蔡英俊　英國沃力克大學比較文學研究生院博士候選人，現任清華大學中語系副教授。

論中國文學的「眞」精神

——兼論西方文學的「假」精神

曾昭旭

引論：我們自家的文學理論在那裏？

自從接受了西方學術的刺激，長期以來，我國文學界在究研自家的文學與美學的時候，便一直迫切地感到理論的匱乏。因爲理論是解釋文學現象的工具，理論不足，便無法淸晰地指示出作品的優美，抉發出內蘊的奧意。而文學研究便將類同於瞎摸。建立與有效地運用文學理論，當然是研究文學的首要之圖。

但屬於自己的文學理論之建立，並不是一件咄嗟可辦的事。於是在從無到有的過渡期，暫時借用西方現成的文學理論乃至文學概念以應急，便是一種無可奈何的權宜之計。問題是借用日久，卻恐久假不歸。因爲西方的文學概念與理論，畢竟是從他們自己的文學現象中歸納抽象而得，回用到自家作品上當然處處相扣，借用到別人身上便不免有削足適履之弊。所以，對西方的概念與理論，我們暫借以「格義」則可，眞以爲這些文學理論是如自然科學的理論一般放之四海而皆準，便是嚴重的誣枉。

但這種久假不歸的情形，已經是今天普遍存在的事實了。

且舉一例來說：當我們提到文學的體裁之時，腦中很自然會浮起詩歌、散文、小說、戲劇的四分說，而事實上中國傳統上從來不是如此區分。然後，更嚴重的是，當我們使用別人的分類，便也自然襲用了別人的概念內容、形構標準與價值取向。據此較量，便會顯得我們的作品似乎都不夠標準，更不夠偉大。而不免發出種種疑問，諸如：為什麼中國沒有長篇敍事詩？沒有結構嚴謹的小說，磅礴撼人的戲劇？為什麼沒有足以洗滌靈魂的悲劇而只有庸俗的大團圓等等。事實上西方文學，大成於小說戲劇，而中國文學的菁華則在詩文，而且此所謂詩、文，甚至不宜用西方的詩歌、散文的概念來理解而別有其內涵。體製既已不同，其實精神面貌各異。勉強地以彼律此，才會有這樣不相干的疑問發生。

那麼為什麼不用自己的分類與標準來考究自己的作品呢？這就顯得建立自家理論的迫切需要了。問題是什麼樣的理論才算是自家理論？既然「建構理論」、「概念思維」根本是跟西方學來的玩意兒，則要如何才能避免掉落入別人的既成框框，而建立起獨立的、充分相應於中國文學現象的理論？便當是中國的文學理論工作者的一大難題。

於此，我們必須追溯到整個文學活動的源頭，看在特殊的文化環境中，一個特殊的民族生命，他的文學活動是緣何發生的。然後依據這特殊的文化或文學精神，獨立衍申建構成可以規範自家文學現象理論，那才可以絕去依傍，表顯出自家的面貌。

對這溯源的工作，本文暫時廻避了繁瑣的歸納實證部分，而先以獨斷的、假說的方式提出一己的體會心得。於是，我們首先會感到，研究中國文學，是不宜將作品視爲客觀孤立於吾人生命之外的現象來考察的，那只是順着西方文化主客對立傳統思路而有的成見。而應改從「吾人生命與文學作品的相互關係如何？」這個角度去考察，才算相應。乃因中國的文化精神，根本是重用的（卽用見體）、重關係的（通人我、古今、天地）、重動態歷程的（唯變所適）之故。

我們如果可以接受這樣的觀點，那麼便可以問。傳統上中國人認爲人與文學作品的關係是如何呢？對此問的簡單回答是：中國文學的根本精神是以人爲本，文爲末的。亦卽：文學的功能與意義，是爲了彰顯人的存在價値。或者說：文學的存在卽直接通連於人生命的存在，文學不能離開人而有獨立的意義與價値。

相對於中國文學精神之以人爲本，西方文學的根本精神乃是以文爲本、人爲末的。亦卽：文學作品比較具有它客觀的獨立性。它的語言結構比較具有穩定而普遍的意義。人反而是比較依附於作品而存在，包括接受作品所給予的訊息與奉獻自己以成全作品等等。

——當然，以上所作的區分是比較的，若使用不當，會有過度簡化與極端化的毛病。但若僅用來當作討論問題的起點，仍當有在設計意義上的方便。

在生命與文學的關係中，「眞」與「假」的基本意涵

於是，我們便可以開始來進行一項有關文學與生命的存在性相的討論。首先仍當對上述的區分作更進一步的界定。

關於中國文學（乃至文化）的根本精神，我們可以用一個「眞」字來指點；至於西方文學則主在表顯一種「假」的精神。

在此，眞假並沒有價值的意義（說眞是好的，假是不好的），而純然是在區分兩種不同的文學精神。雖然這區分主要是爲說明中國傳統或中國式的文學活動而設計，它依然不涉及價值的論斷。

那麼所謂「眞的」是什麼意思呢？相應於以生命主體作爲最優先的關懷，「眞」意味著對眞實、整全、具體存在的生命的肯定與凸顯。於是眞便具有眞實義、整全義、具體義、存在義、終極義、理想義。而分析性的語言（卽使是文學語言也無法完全排除語言的分解本質）便永只能是眞實生命的影子，可以作爲顯發生命本眞的助緣，而無法取代乃至等同於生命的眞實存在。

——也許，所謂「文以載道」要在這樣的基礎上去理解，才旣合生命之理又不委屈了文學之義罷！

但這樣說有一個前提，就是生命必是眞實完整而不破裂的，然後文（乃至一切外物）才可能從屬於人而爲生命光華的顯發。如果生命自已先受傷破裂而不存在，則文也將無所附麗，而會游離出去成爲無根的幻相或者獨立的結構。這時破裂受傷軟弱的生命也許反而要去攀援、認同外物以暫寄此身，以圖眼前的執約與貞定。這時，對生命的終極之眞亦卽應然的狀態而言當然是一種假（這是有價值意義的假），但若不剋就生命的存在狀態而別就文學、語言的結構對此狀態下的生命的關係而言，則是另一種意義的假(這是非價值意義的假)。這假就被當作是客觀獨立的語言結構而言有人爲義、虛構義、分解義、抽象義、非存在義，就其對受傷生命的關係而言，由於它提供了一種暫時的依止休憩以待傷病痊癒復元的服務，而具有假借義、暫時義、歷程義。

我們可以說，西方文學重在凸顯語言結構的本身(乃至西方文化中的知識結構、制度結構亦然)，乃是因他預設的人生存在狀態是幽闇的、具有厚罪的非理想狀態，所以特別富於假的精神。而中國文學則重在顯發生命的本眞，乃是因他根本是面對眞實、理想的生命情狀說話，所以才特富於眞的精神。

以上先就眞假兩端在概念上略作規定，然後再據此爲工具，先對中國傳統的文學活動，試作大體上的考察與詮釋。

文學活動是眞實生命的自然流露

基於表顯生命本眞的精神，我們對中國傳統的文學活動，也許可以建立如此一個意向性的陳述：中國人大體上都肯定、都嚮願，文學活動應該是眞實生命的自然流露。

這陳述包涵了三個要點：其一是它的活動主體是一個眞實整合而不破裂的生命。其二是它的活動形態或者活動過程是自然而不刻意的水到渠成。其三是雖然事實上許多文學活動並非如此，但我們總永恒地相信或者肯定只有符合這要旨，才是眞實的文學活動。

以上這三點意見，我們其實都可以從儒家或者道家的義理得到充分的支持。尤其是第三點，更凸顯了中國文化傳統的一大特色，就是：我們根本就是以生命主體的眞誠意向爲生活之本、爲文化之體的。此之謂價値之源，此之謂道德創造，此之謂人文化成，所以，無論現實上有多少黑暗破裂，我們總肯定人性本善，無論漢魏以下文學現象已有多少蕪雜淫邪，我們總肯定風騷之雅正。這不能簡單用好在的心理固結來解釋，而說這種精神或意境事實上已不存。其實我們若換一個角度看，也可以說這種精神仍然深深滲透在後代文學現象的底層，存在於人的意向層面；使人們在從事文學活動時，內心無論如何仍是要上追國風，仍是要以淸眞雅正、氣韻生動爲最高標準。事實上是這一點堅持，保證了墮落之終會回頭，歧出畢竟只是暫時的迂迴。而它所堅持的標準並不是什麼道德敎條，根本只是生命之在其自己。所以，不宜妄詆講論「如何才是內心眞誠的意向」之談爲不切實際的淸談，事實上它是貞定人的危疑生命的最後力量。

然後，從「文學活動是眞實生命的自然流露」這句話，我們可以引申出以下幾點意思。

第一自然就是眞誠的生命是文學活動之本。如孔子說：「弟子入則孝，出則弟，謹而信，汎愛衆，而親仁，行有餘力，則以學文。」（論語學而）後人也有謂「士之致遠，先器識，後文藝。」（唐書裴行儉傳）這造成中國人選才之先，先看人品的風氣，訓練藝事，也常要先從灑掃應對進退做起。固然，所謂德行器識，事實上常會變質爲敎條框框，結果反而限死了人的文采風流；但那是扭曲，不是本意。若依本意，其中當然實有一種精神流露。

其次就是人品常與文品合一。一般所謂文如其人、字如其人。孟子也說：「頌其詩，讀其書，不知其人可乎！」（孟子・萬章下）而我們通常用來品評作品的觀念、詞語，也常可以用來品評人物，如精神、風骨、氣韻、格調、沉鬱、疏朗、澹泊、遒勁等等。卽因作品的存在是直接通達於人的存在。兩者都同是生命的表現，因此也都可以用「氣」的動變來寫狀。尤其自唐張懷瓘以神、妙、能三品區分書法的高下以來，人格與藝事相卽更成爲論藝的通義。而能品最下，明示對只擅長結構層面的技術的貶抑。總當以言象意，得意忘言，透顯出生命的靈妙，才算夠格。當然最好是人文合一、言意相卽，融會於己而不知其然的道，聖而不可知的神，才是最高格。雖然現實上能當此高格的極少甚至沒有，（連孔子都說：若聖與仁，則吾豈敢。）所謂神妙多屬妄稱，這樣的區分與講論都依然極具意義。

再次則是文藝活動本質上是一種非必須的餘事，如前文所引：行有餘力，則以學文。所以總是生命人品的涵養功深，而後自然發露以成文的；至少也是適値天機，妙手天成。總不稱許苦探力索的寒苦，更反對爲文造情的勉強。所以如果生命未靈，天機不露，是應該擱筆無爲的。由此便顯出中國文學活動中一種永恒的業餘精神。中國文壇藝壇上的大家，極少是專業的作者，便因要防止藝事因生活必須的壓力而游離出生命之本以孤行，那樣便會熟極而流，成爲生意索然的專業工匠。

總之，文學藝術活動是眞實生命的自然流露，這一點「眞」的精神，總是主導中國人的藝事的無上圭臬。

以作品之虛涵生命之實

由是，當生命在受傷生病軟弱之時，便當然是不應該去從事文藝活動的了。這時該作什麼呢？乃是當直接面對自己生命人格的傷痛，去反省改過，涵養療傷。待得生命復原，又重新有生機活潑，水淨沙明的意境浮現之時，才該再提筆爲文。這是中國文化重實踐的要旨，也是使文藝活動不流於邪僻淫靡、虛無妄誕的大關節所在。這關節若守不住，也就是在生命傷病時若不能勇敢面對，而逃於文藝之中，借藝事以宣洩苦愁，便極易流於激越絞急、誇張扭曲、躲閃文飾，遮掩了生命的黑暗，徒成爲自欺欺人的陷溺。這對生命是無益的，對文學藝術也是一種誤用與傷害。所以孔子據說有刪詩之舉，我們以此知國風尤其是二南何以爲雅正。也可以知如李商隱、李賀者流，在今天的文學史研究中號爲顯學的，何以在古時的風評總是不高。乃因在認「眞」的文學觀念下，文學永遠是只當表現生命之正，而不當與生命的無明相牽引，以助成生命的淪落。

因此，中國自老莊開始，便已對語言結構遮蔽生命的虛假本質深懷戒心，由此反省語言的限制，說「書不盡言，言不盡意」（易繫辭），而要釐淸語言的正用，探討言與意（卽生命主體）的合理關係。這合理關係簡言之，便是語言結構要守住它從屬於生命的本分，永遠要在逼近生命之處適時止步讓開，讓生命的神妙自己呈露，而不擅加解說，以致適成遮蔽。換言之，合理的文學語言的結構，一定是一個開放系統，那開口處便稱爲「虛」或者留白。當然，虛位與留白的本身並不就等於靈動的生命，它畢竟仍只是結構中的空隙。其意義只在虛其位以待神之來舍，卽如莊子所謂「虛室生白，吉祥止止」（人間世）。至於價值之源，仍在那自結構空隙中漾生的生命精神。這精神可以從作者的生命主體來，這時語言結構就成爲作者經營來呈顯他自己的憑藉；這精神也可以從欣賞者來，這時語言結構便成爲欣賞者以心印道的機緣。然後作者讀者之心，更可以通過作品的媒介，以相往來。因此，在中國歷史上的文學批評，每多用書信之體，而用意實在是向作者致意通情，而不是如西方的文評，是以專家身分向讀者羣解說。乃因主體不在作品結構而在人的生命心靈。至於作品則永遠只是一虛廓，必須在有人藉此虛廓以交通眞實的生命之情，此虛廓才有光采與價值。此卽所謂「道不虛行，待人以行」，亦卽所謂含蓄、藏鋒、餘韻。這不是說作者明明有一意，卻故意不表露，藏起來讓讀者猜，若然，便只是故弄玄虛。而是作者深深體會到這不可言說的生命精神、普遍之道，因此只好經營一玲瓏的語言結構以涵之，且以待解人以同會此天地之道的意思。

當然話說回來，價值之源雖不在語言結構而在生命之神，但就呈現精神的發生意義來說，一個巧妙恰當的語言結構仍不可少。乃因結構若過緊，則精神將悶藏封閉，無從流露；結構過鬆，精神又將無從憑依而流散無餘。必須恰如其度，才能讓精神翩然依止，這卽稱爲「涵」，這當然是中國式的結構經營中，最須自得而難以言傳的奧秘。

中國文學何以曲高和寡？

以上，我們撮述了中國文學「眞」的精神的諸端要旨，而無非是從生命與作品的互動關係以立言。似乎，這確是一種圓滿高妙的文學觀。然而弔詭的是，這樣深富於理想性的文學觀卻涵有極深重的缺憾與危機，這就是玄遠幽深，曲高和寡。

我們都知道，漢魏之後，雅正之音不傳，六朝金粉，八代華靡，令韓退之厭不欲觀而志切復古。在音樂上也一樣，雅樂總不敵繁手淫聲的俗樂，連崑曲也難擋西皮二黃。何以故？表面看來，是正音太過疏澹，實則是世人生命愈來愈傾欹失正，無法與生命在明暢和平時所自然流露的意境相應。而表顯那種意境的語言結構又因守分退讓之故，泱乎澹而不煽情。遂令失正的生命無從攀附，而轉覺淡乎寡味了。的確，如「池塘生春草」、「明月照積雪」、「微雨從東來」等等詩句，畢竟感人者在何處？陶淵明在當代，也名列詩品的中品罷了！

但問題在：是什麼因素使世人與眞的文學的內在關聯日益疏離？而使文藝活動不是扭曲爲敎忠敎孝的工具（這是俗儒），便是陷落爲遣興抒愁的糟粕（這是僞道），甚至是無謂的雕章琢句，附庸風雅，那就更只是無意義的播弄了。宋明理學家之多鄙薄文人，雖云過激，並非全無理由。然而癥結畢竟何在？

如果順着上文所述「文學以表顯生命本眞爲主」的思路去分析，我們或許可以這樣說：這種文學觀之所以能成立、能落實推行，是因它有一個基本預設，就是預設每個人當生命才有微過的時候，便立刻內省，那麼，反身而誠，樂莫大焉，當然能才過便覺，才覺便化，生命霎時便又復歸太和，可以再作月白風清的呈露。原因乃在這時的生命問題，僅在念頭初動的幾微之處。（陽明云：無善無惡心之體，有善有惡意之動。）既然尚未浮現到情緒、行爲以及羣體制度的運作等層面而僅在生命的內部，自然也尚未固着爲有客觀實存意義的慣性情結、行爲習氣與羣體風潮，這時過錯的消除是純在一心的（陳明云：知善知惡是良知，爲善去惡是格物），換言之，心的自覺便是改過的充分條件，所以孟子才說：思則得之。這基本上是一種純屬自主的愼獨之學，其過若有不改，不是由於不能，而完全是由於不爲。所以，一個人如果夠眞誠，是必然可以做到不二過如顏淵，學不厭如孔子的。「在心念初動時立刻警覺而眞誠面對」，這便是孔孟立敎最簡易明白的本質工夫，下及明道的識仁、象山的復本心、陽明的致良知，皆無不是如此「我欲仁斯仁至矣」的模型。

但問題在，如若這第一幾錯過了，於是「過而不改，是謂過矣。」這時心念之失便開始浮到情緒層面，具有機體運轉的慣性力量，積漸而爲習氣情結。發爲行爲，更引動相關的對象；聚成風習，更是複雜龐大的力量，而非一己所能左右。這時人若要改革，便有程度不等的力不從心，即所謂「命」。這時要想改革，便須順時勢以徐行，而不能強求，有時更須知命安命，放下無求。然則對這樣受傷較嚴重的生命，如若還一味勉勵他勇敢面對自已的過失，便很可能只是一再逼他面臨完全無能的挫敗，而益增他生命的傷痛。亂世弱質之人，所以每每厭聽孔孟之言，其情實乃如此。所以孔子危邦不入，亂邦不居，便是自知到此際，純以自覺的力量以行的儒家義理，已不足爲改革的充分條件，反而會因它對生命在本質處的批判，帶給受傷之人以道德的壓力。同樣的，專以呈顯生命本眞的文學作品，其高遠的意境，此時也無法貼近現實人生，而令人錯生教訓嚴厲的畏懼感、玄深難懂的茫然感了。

原來，中國最優美雅正的詩文，其本旨原即不在安慰人生、指引人生、供人在傷病時之休憩，而在印證人生，供人在精神暢達時之呈露發皇。所以，你本來就得先修成此境，才看得懂它，意境不到，它便與你邈不相涉。只是，當人事實上處在傷愁深重之時，是仍當有安慰與指引的，而中國的眞文學卻力不能及。於此便看出中國這種文學精神的深重缺憾來。

西方文學的「假」精神正可彌補此缺

而相對的，西方文學的「假」精神，卻恰可以彌補此缺。原來當眞實的人生因過而不改導致業障深重到混雜無明之時，人反而只能在人爲虛構的文學世界中看到人生的一線光明。原來人有一種能力，就是以語言營造一世界以模擬眞實的人生。當然它仍非眞實的人生而是對眞實人生的諸般內容有所選擇、有所簡化、有所強調。他可以過濾掉一些無意義的蕪雜，軟化一些過度嚴重的恐怖，也可以放大某些人性中幽微的善意與愛。總之，他是稍稍調整了眞實人生的面貌，維持了一點美感的距離，以幫助人去重新認識人生。於是讀者遂亦可以處身於一安全距離之外，將生命的傷痛投射於作品中，藉作品情節的引領而設身處地地試演一遍，也藉着省察劇中人的命運而連帶審視自己的生命傷痛。這樣便可以避免直接面對自我的強大刺激，避免因承受不住這刺激而被迫引動強固的自衞反應，而比較能從容反省，找到生命在迷惘中的出路，而獲致淨化生命、提升精神、慰安情志的功效。尤其是偉大的悲劇作品，更能幫助人在照見生命普遍的卑陋本質之時，卸除了對罪惡生命的沉重負擔而令靈魂超升。當劇中人陷於悲劇命運中，以死亡還缺憾於天地之時，讀者也同時獲得了一種救贖。所以西方的小說戲劇乃至音樂繪畫，常能藉着刻劃人生從破裂掙扎到靈魂得救的過程，觸及生命最嚴肅深沉的層面，而對世人有一種類似於哲學、宗教的功能。這的確是強調眞精神的中國文學所缺乏的功能。

尤其是西方若干偉大的文學藝術作者，更常有生命陷於極度破裂痛苦之中，唯有藉迹近瘋狂的創作活動以自我救贖的。我們粗看常覺西方許多作者其人格的卑陋、生活的頹唐，與他作品的光輝極相矛盾。卻不知他正是因生命陷於強烈的罪惡感中，只好凝聚他僅餘的一點生命之熱，心靈之眞，在一點上引爆出刹那的光輝，以自證他的生命依舊屬靈。當然，在刹那之後，也就是一件作品完成之頃，他已力氣放盡，生命又委墮於泥塗。所以他必須再次凝聚心力，到力量夠時再度閃亮以自證。他們因此須不斷創作直到油盡燈枯。這使我想起安徒生童話中那個賣火柴的女孩，在寒冬的深夜，雪地中無告的女孩，確是只能藉每一枝火柴劃亮時的短暫亮光，看到一眼人生的溫馨畫面。她最後雖然凍死，但嘴角已留着笑容。這確是典型的西方作者的靈魂寫照。而這一典型的作者，確也是中國所少有的。他們雖然犧牲了自己，卻留下不朽的作品以安慰世人，則其行誼竟也和上十字架的耶穌逼似。

餘論：眞與假的迴環相生

從以上的比論中，我們也許已可看到這兩種文學精神的互補之處。誠然，人生不可能常在水淨沙明之境，人總會失去他的樂園而下凡歷刼。但人也總不能老在地獄掙扎，在苦海浮沉，只靠勉力掙扎到水面的刹那吸一口好空氣，然後又沉墮。我們須得肯認：一個更合理的人生是會合這兩段以成一大圓，因此我們也應該設計更周到的人生理論以詮釋這廻環相生的辨證人生。文學是人生最眞實而直接的表現，因此文學理論也該能顯示生命的此一辨證循環。禮記樂記說：「人生而靜以上不容說。」這不容說的部分，是生命之眞的純一境界，但以下容說的部分，則是生命裂爲無限複雜面相的歷程。合境界與歷程才是整全，合眞與假才是存在。而何止是中國人才有境界、西方人才有歷程？也只是各有輕重隱顯罷了！而本文的設計與鋪陳，也就姑止於是。

中國藝術與中國古代美學思想

蔣孔陽

在中國傳統文化中，我國古代的藝術和美學思想是非常豐富的。由於它們深受宗法禮教與小農經濟的影響，因而表現出許多有別於西方的特點。

中國從殷周時代開始，就是一個大一統的宗法社會。在這個社會中，維繫統一的，一是小農經濟，二是宗法禮教。因爲是小農經濟，一切自給自足，無假外求，因而是封閉性的。他們「日出而作，日入而息，耕田而食，鑿井而飲，帝力于我何有哉」！一切很滿足，缺乏希臘人那種向外奮鬪的精神。反映他們生活的，主要是一些訴說民間疾苦或者兒女私情的田園牧歌式的抒情小詩。中國古代的文學作品，不是波瀾壯濶的史詩和悲劇，而是《詩經》和《楚辭》，決不是偶然的。至於宗法禮教，則是把原始社會的氏族血緣關係，與奴隸主大帝國的專制統治，揉合在一道，形成了一方面是溫情脈脈、另一方面又是殘酷剝削的尊卑貴賤等級關係。說它溫情脈脈，是說它到處充滿了感情，用親族關係代替法制關係，認親不認法，認親不認賢。一直到今天，老子退休兒頂替，以至開後門等，都是它的遺傳。至於殘酷的尊卑貴賤等級關係，那在中國古代就更加明顯了。一個人的價值，不是由他的才能、貢獻和品格來決定的，而是由他的地位來決定。而這種地位又是先天的、固定的。

一

在這樣一個封閉的小農經濟和等級森嚴的專制社會中，中國古代的文學藝術向著兩個方向發展：一是民間的諷喩詩和抒情詩，以及士大夫知識分子怡情遣興的文學藝術；二是歌功頌德的朝廷宗廟的禮樂文章。馬克思說：「統治階級的思想在每一時代都是佔統治地位的思想」（註一），在中國古代的藝術中，禮樂佔有統治的地位。如果說，雕刻是希臘藝術的中心，那麼，禮樂就應當是中國古代藝術的中心。

「禮樂」是典禮化了的音樂。中國古代是一個音樂特別發達的民族。爲什麼呢？這與我們的封建社會是宗法社會這一特點分不開的。宗法社會一切活動的中心，就是祭祀祖先。祭祖的活動和儀式，通謂之「禮」。開始，禮就是指祭神之器。王國維說：「盛玉以奉神之器謂之曲，若豐」，後來推而廣之，凡「奉神人之事通謂之禮」（註二）。古人事事祭祖先，也就是祭神，所以事事講禮，打仗也要講禮。禮，包括了奴隸主貴族的一切活動，因此，劉師培有「典禮爲一切政治學術之總稱」的講法。在宗法奴隸社會中，等級森嚴，所以禮也有等級的嚴格規定。王、侯、大夫、士，各有各的祭祀，因而各有各的禮。「待年而食者」，即普通勞動人民，不能參加祭祀，因此沒有資格講禮。所謂「禮不下庶人」，就是這個意思。講禮的目的，是爲了別尊卑、別貴賤，使「尊者，事尊；卑者，事卑」（《

大戴禮記》）。

但是，祭神必須娛神，娛神必須有歌舞和樂舞。在禮的進行中，如果沒有相應的樂相配，一方面，社會失去其莊嚴肅穆的氣氛；另一方面，則禮的節奏和秩序，無法掌握。因此，行禮必須同時舉樂。古代無論舉行什麼典禮，沒有不伴隨着音樂的。《周禮・大司樂》說：

以六律、六同、五聲、八音、六舞，大合樂以致鬼神示，以和邦國，以諧萬民，以安賓客，以悅遠人，以作動物。

這說明，在古代禮和樂不僅具有同樣的目的，而且是同時舉行的。由於祭祀的對象不同，禮不同，因而所用的音樂也不同。祭祀要講禮，王、侯、大夫、士等人的生活也要講禮，因此，他們的生活也離不開音樂。朝覲、宴會、狩獵、迎送賓客等，莫不講禮，因而也莫不有音樂。《儀禮》一書，是記載古時的禮節和儀式的。在這些記載中，禮的進行處處離不開樂。鄭樵《通志》說：「禮樂相須爲用，禮非樂不行，樂非禮不舉。」禮樂二者，在當時是缺一不可的。《禮記・仲尼燕居》也說：「達于禮而不達于樂，謂之素；達于樂而不達于禮，謂之偏。」因此，禮樂並行，成了我國古代宗法社會生活中文學藝術的一個重要特點。就是由於這種禮樂制度的影響，我國古代的藝術和美學思想，就表現出下列的一些特點：

㈠**具有濃厚的政治倫理色彩。**

西方的美學思想，强調藝術的獨立地位和作用，而在中國古代宗法社會中，則强調樂必須爲禮服務，文學藝術必須服從於政治。這樣，藝術的美不美，不在於藝術本身，而在於它對政治倫理有用或無用，也就是善不善。美善兩字，不僅同形，而且古代在內容和意義上，也是相近或相似的，《說文》卽說：「美與善同意」，又說：善「與義、美同意」。孔子反對鄭聲，那就因爲「鄭聲淫」，雖美不善。他認爲《韶》樂比《武》樂美，那也因爲《武》樂雖「盡美矣，未盡善也」，而《韶》樂則不僅「盡美」，而且「盡善」。當時儒、道、墨、法諸家關於「禮樂」問題的一場大論戰，關鍵的問題，就在於藝術對於政治與經濟，有沒有用？法家、墨家認爲無用，所以堅決反對；而儒家則認爲有用，所以極力鼓吹。因此，他們的爭論，不在於藝術要不要從政治倫理中獨立出來，而在於藝術是不是能够緊密地和政治倫理聯繫在一起。不僅這樣，孔子甚至說：「誦詩三百，授之以政，不達；使于四方，不能專對；雖多，亦奚以爲？」這就直截了當把藝術當成了政治的工具。正是在這種思想的影響下，〈毛詩序〉提出了「教以化之」的理論，認爲詩歌和藝術的目的，就是「經夫婦，成孝敬，厚人倫，美教化，移風俗」。漢代的班固，之所以反對〈離騷〉，那就因爲它表現了個性的自由，「露才揚己」；同時又「非法度之政，經義所載」，不符合宗法社會政治倫理的要求。王逸爲之辯護，也只在於證明：「夫〈離騷〉之文，依托五經以立義焉。」那就是說，〈離騷〉並沒有背離社會的政治倫理標準，因此是應當肯定的。

中國古代的美學思想，偏重「詩言志」，其實也就是强調藝術與政治倫理的關係。《漢書・藝文志》：「古者諸侯卿大夫交接鄰國，以微言相感。當揖讓之時，必稱詩以諭其志，蓋以別賢不肖而觀盛衰焉。」這很明顯，稱「詩言志」的目的，就是要「別賢不肖而觀盛衰」。臣下的「獻詩以陳志」，外交上的「賦詩以言志」等等，都是具有濃厚的政治倫理色彩的。《國語・楚語上》：「左史倚相曰：昔衞武公年數九十有五矣，猶箴儆于國，曰：『自卿以下至于師長士，苟在朝者，無謂我老耄而舍我，必恭恪于朝，朝夕以交戒我；聞一二之言，必誦志而納之，以訓導我。』」那就是說，比較聰明的統治者，時時徵求臣下的意見，方法之一，就是聽取臣下誦詩，借以「觀志」、「知志」。爲此目的，古代還設有采詩官，「王者所以觀風俗，知得失，自孝正也」。這樣，「言志」就不僅僅是表達主觀的思想感情問題，而且還帶有濃厚的政治倫理目的。也正因爲這樣，所以〈毛詩序〉一方面高擧「詩言志」的美學綱領，另一方面在評價《詩經》的時候，它會不顧詩歌本身的內容，而硬要從政治倫理方面來加以解說。〈關雎〉、〈卷耳〉明明是民間的愛情詩，它却一定要把一個說成是「后妃之德也」，把另一個說成是「后妃之志也」。因此，「詩言志」和今天西方所說的「表現說」，差距是很大的。表現說，着重在自由地表現藝術家主觀的思想感情，而言志說，則强調藝術的政教風化作用。中國的這種言志教化說，到了魏晉時代方才受到了沖擊，轉變成了緣情說。但由於中國宗法社會的基礎並沒有什麼根本的改變，因此與政治倫理結合在一起的言志說，仍然長期支配中國古代的美學思想。

(二)**具有森嚴的等級差別。**

在宗法社會中，講究尊卑貴賤。禮樂本身，就是等級的表現。不同等級的人，行不同的禮，享受不同的音樂。例如舞蹈，舞隊的行列稱爲佾，舞佾的多少是按照等級來規定的。天子八八六十四，諸侯六六三十六，大夫、士四四一十六。魯國的陪臣季氏，因爲用了八八六十四的舞佾，孔子就大爲生氣，說：「季氏八佾舞于庭，是可忍也，孰不可忍也！」（《論語・八佾》）又如懸掛鐘磬的架子——樂懸，也有嚴格的規定。《周禮・小胥》說：「正樂懸之位：王宮懸，諸侯軒懸，卿大夫判懸，士特懸。辨其聲。」根據鄭玄的注：「宮懸，四面懸；軒懸，去其一面；判懸，又去其一面；特懸，又去其一面。」那就是說，王可以四面懸掛樂器；諸侯可以三面懸掛；卿大夫可以兩面懸掛；而士，只能掛一面。如果違反這個規定，就是大逆不道。音樂舞蹈如此，其他住宅、衣服、車馬等等，無不如此。總之，符合等級規定的，就符合禮，因而美；不符合等級規定的，就僭越了禮，因而不美。

在這種等級觀念的支配下，宗法社會的審美觀點，講究身份，講究氣派，講究威嚴，講究富貴。孔子並不富，却很講究：「割不正，不食；席不正，不坐。」歷代的帝王和統治階級，更是極其講究。溥儀在《我的前半生》一書中記載：慈禧太后吃飯，每頓要一百個菜。她不是爲了吃，而是爲了擺場面。在宗法社會中，場面就是美。我們參觀故宮，更無處不是在擺場面和架子。首先，它要擺出威嚴和氣勢的場面，高不可攀，令人生畏生敬。故宮的建築，都是高臺基、大紅柱、大屋頂。太和殿廣場有三萬多平方米，不僅不種樹，連一根草都不生。這樣，一走進去，就令人有莊嚴肅穆、不敢喘氣的感覺。當時的統治階級，他們所要達到的美學效果，就是這種政治上的神聖感、莊嚴感。其次，它要顯出富貴豪華的場面。故宮的一切，都是天下至富至貴至罕至寶的東西。欄杆臺階都是漢白玉，桌椅几凳、盆景盆花，都是珍珠寶玉。這些東西，旣不適用，更不舒服，但爲了顯示王家的豪富，所以窮盡奢華。本來，以富爲美，這在原始人已經如此。普列漢諾夫《沒有地址的信》就擧了很多例子。近代資本主義社會，也有以炫富爲美的。但像中國宗法社會中的統治階級那樣，把美和富貴榮華聯繫在一道的，却是並不多的。第三，它要帶有吉祥的象徵意味。宗法社會的統治階級，爲了表示出它不同於一般的老百姓，自然要編出「我命自天」的種種神話。眞命天子，就是一個著名的例子。於是，爲了渲染和烘托這一神話，他們的裝飾、審美趣味等，都環繞着這種神話打轉。凡是能够象徵這種神話的，或者對他們具有吉祥象徵意味的東西，他們就不厭其煩，百般宣揚。走進故宮去，到處是龍的雕刻，龍的裝飾，眞是成了龍的世界。人變成了龍，並借龍來統治世界。他們不僅不以此爲單調乏味，反而以此爲最高的美。他們的美學思想，不是按照美的本質，把人提高；而是相反的，將人貶値和異化。美不是人的本質在客觀現實中的表現，而是人的異化物的象徵。黑格爾把東方藝術稱爲象徵型藝術，在一定的範圍之內，不能不說有其一定的道理。

㈢強調人與自然的統一，強調「致中和」的美學思想。

《荀子‧樂論》說：「樂合同，禮別異。」《禮記‧樂記》也說：「樂者爲同，禮者爲異。」這都是說，禮是要把人區別開來，使貴賤有等，長幼有序，男女有別。但是，社會是統一的，不能只看到別和異，還要使他們和和同。音樂藝術的作用，就是要在等級森嚴的秩序中，創造出一種和同娛樂的氣氛。正因爲這樣，所以《禮記‧樂記》的音樂美學思想，從頭到尾，都貫穿了一個「和」字。所謂：「樂者，天地之和也；禮者，天地之序也。」就是這一思想的具體表現。這樣的和，從個人以至社會，從社會以至整個宇宙，無不貫通。天、地、人，三者相通。其中，人是基礎。也就是說，「人道」順應「天道」，從而天人合一，達到人與自然相統一，這就是儒家所說的「致中和」。《中庸》說：「喜怒哀樂之未發，謂之中；發而皆中節，謂之和。中也者，天下之大本也；和也者，天下之達道也。致中和，天地位焉，萬物育焉。」對於這段話，朱熹在《四書集注》中解釋說：

位者，安其所也；育者，遂其生也。自戒懼而約之，以至于至靜之中無所偏倚，而其守不失，則極其中而天地位矣。自謹獨而精之，以至于應物之處無所差謬，而無適不然，則極其和而萬物育焉。蓋天地萬物，本吾一體。吾之心正，則天地之心亦正矣；吾之氣順，則天地之氣亦順矣。

這段話，肯定了「天地萬物，本吾一體」，肯定了人與自然是統一的，因此，人只要「自戒懼」、「自謹獨」，就既可以達到個人內心的和平，又可以使天地各得其位，萬物各得其育，從而從個人的和，達到天地的和。所謂「能盡人之性，則能盡物之性；能盡物之性，則可以贊天地之化育；可以贊天地之化育，則可以與天地參矣」。這種思想，與西方明顯不同。西方也强調人，但它是以人爲本位，向外開拓，向外征服，它是在掌握自然的必然規律上獲得支配自然的權利，從而達到自由的王國。我國古代的思想，同樣以人爲本位，但它不是要向外開拓，向外征服，而是自我的盡性盡命，自我在精神上「上下與天地同流」（孟子語）。在這裏，我們不能說中國的比西方的好，也不能說西方的比中國的好，它們所表現的是兩種不同的宇宙觀，不同的人生態度。從中國的態度出發，可以達到一種天人感應、物我交融、萬象森然的氣象或意境；從西方的態度出發，他們的「智慧的最後的斷案」是：

要每天每日去開拓生活與自由，然後才能作生活與自由的享受。（註三）

正因爲這樣，所以西方的美學思想，强調文學藝術要寫鬪爭，寫反抗，寫人去對客觀世界起作用。但丁的《神曲》，在地獄的大門上寫着：「你們走進來的，把一切希望抛在後面。」那就是說，要有下地獄的決心，才能寫作。歌德的《普洛米修斯》，公開反對上帝，蔑視上帝的權威，要依照他自己的形象，去「創造人類」。這種精神，在中國古代「致中和」的美學思想中，是很少能够找到的。它們可以「怨」，但不可以「怒」；可以「刺」，但不可以「亂」；他們寧死，也不能觸犯宗法社會最高的統治者——皇上。屈原那樣傷心，要出走，但最後還是「睠局顧而不行」，自投汨羅江而死。〈毛詩序〉說：「發乎情，止乎禮義。」也就是說，文學藝術的「情」要合乎宗法社會的「禮」，這就道出了中國古代「致中和」的美學思想的精髓。

㈣宗法社會不僅強調等級和威嚴，而且重視感情，講究人情味。

上下君臣之間，有如父子夫妻一樣，一方面，有名分、輩分、身分的差別，另一方面又有骨肉天倫的血緣聯繫。這好像矛盾，但天下的事物，莫不是矛盾的統一，何況藝術與美學這樣複雜的精神現象？我國宗法禮教的美學思想，一方面强調禮樂，强調「威儀棣棣」，使民旣生畏敬之心，而不敢反叛；又生嚮往之心，爲了取得富貴，而盡力王事。這些，都是它的糟粕，應當拋棄。但是，另一方面，它又強調感情，強調順乎人情，却又不能不說有其合理的方面。與西方古代的禁欲主義比較起來，我國古代從孔子開始，很少有人主張禁欲主義，很少有人完全抹煞人的感情的需要的。他們都認爲藝術是爲了滿足人的感情。《荀子・樂論》開頭就說：「夫樂者，樂也，人情之所必不免也，故人不能無樂。」這樣，他把感情放到了音樂和藝術的首位。以後《禮記・樂記》發揮了這一思想，說：「樂者，音之所由生也，其本在人心之感于物也。」這就進一步把音樂的起源和本質，歸之於「人心之感于物」的感情。歷代「詩言志」說，固然其目的是爲了政教風化，但着眼點都是在感情。孔穎達《左傳正義・昭公二十五年》：「在己爲情，情動爲志，情、志一也。」這就是說，情是屬於個人內心的，志則是情表現於外所要達到的社會目的。二者有內外之別，但實質上是一致的。個人感情與社會目的的統一，禮與樂的統一，這就是宗法禮教美學思想的理想要求。根據這一要求，我國古代對於藝術要表現感情的說法，就有其不同於西方的民族特點。

西方人說感情，喜歡從生理和心理的角度來說。因此，他們重視快感，重視情欲，有的甚至把感情當成是一種無意識的本能衝動。我國古代，並不完全否認這種自然、本能的感情，但却不承認它們是藝術所要表現的感情。藝術所要表現的感情，應當與政治倫理相通，符合禮的規範。《禮記・樂記》說：「樂者，通倫理者也。」又說：「先王之制禮樂也，非以極口腹耳目之欲也，將以教民平好惡，而反人道之正也。」再則說：「夫物之感人無窮，而人之好惡無節，則是物至而人化物也。人化物也者，滅天理而窮人欲者也。」這些都是說，感情是重要的，但它不是物欲的滿足，也不能過分，而應當加以節制，使其符合政治倫理的要求。這有其合理的一面，那就是要使禮樂制度和政治倫理，合乎人情，順乎人情，由人情的需要來制定，因而帶有人情味。荀子說的「養情」和「稱情而立文」，就是這個意思。儒家所倡導的許多禮教制度，開始都是從人情的自然需要出發的，例如祭禮，《禮記·祭義》說：

致齋于內，散齋于外。齋之時，思其居處，思其笑語，思其志意，思其所樂，思其所嗜，齋三日，乃見所謂齋者。祭之日，僾然必有見乎其位；周還出戶，肅然必有聞乎其容聲；出戶而聽，愾然必有聞乎其嘆息之聲……

這把祭祀的過程和儀式，簡直描寫爲祭者和被祭者之間的感情的交流。孔子說：「祭神如神在」；荀子說：「事死如生，事亡如存。」都把可怕的喪禮說得合情合理，充滿了感情，富有人情味。中國古代的以禮樂爲中心的美學思想，之所以能够具有長遠的生命力，除了政治上的原因外，就在於它的這種人情味。

但是，合理的東西一旦轉化爲現實的統治的東西，它就將常常失去其合理性而變得不合理。這是歷史的辯證法。我國儒家重情的禮樂思想，本來是從人情的自然需要來談禮，來談政教；但當這一禮樂思想成爲制度，在政治上佔了統治地位的時候，它却反過來窒息和扼殺人的感情，要使感情符合禮樂政教的要求。於是，種種矯情奪情、欺世盜名、以至滅絕人性，傷天害理的事，都幹出來了。《儒林外史》中的王玉輝，是一個老實人；就因爲受了這種禮教思想的毒害，所以會讓女兒活活餓死，還連聲說：「死的好！死的好！」封建社會中，大量的「瞞和騙」的文學藝術，也是這樣產生出來的。因此，中國古代宗法社會的美學思想，過多地重視政治倫理的感情，而不重視天然的本能的感情；過多地重視主觀感情上的「誠」，而不重視客觀現實的「眞」，結果給它自己造成了嚴重的危害。

㈤中國古代宗法社會的藝術和美學思想，不像西方那樣具有宗教性，追求和嚮往超現實的非人間的美。

如像柏拉圖，把回憶和追求天國理念的美，當成人生最高的目的。宗法社會是非常現實的，他們所希求的美，不在來世，而在現世。能够享受和佔有人間的一切歡樂，他們就認爲最美。因此，他們的美學思想，不僅是現世的，而且是世俗的。統治階級中的一些官僚地主、政客文人，他們日夜夢寐以求的，是升官發財、榮華富貴、福祿壽喜。他們不僅活着要享受，死了還要享受。中國歷代墓葬之厚，就說明了這一點。這種美學思想，在歷代的統治階級中，都有大量的反映，而文康的《兒女英雄傳》，則作了最爲淋漓盡致的抒寫和描繪。它把升官發財，當成人生的第一意義，說什麼「人無風趣官多貴，案有琴書家必貧」。那就是說，爲了升官發財，它把做人最起碼的「風趣」和「琴書」都反對掉了。何玉鳳這個俠女，爲了想老公讀書中舉，她所行的酒令，全部俗不可耐。什麼「名花可及那金花？」「旨酒可是瓊林酒？」「美人可得作夫人？」眞是叫人噁心！書中最能表現宗法社會中庸俗的美學觀點的，是安老爺講的一個笑話。說是有一個人，功業無邊，一生都是善行。死了後，玉帝要賞他，但又不知如何賞法，就叫他自己提要求。他說：

> 不願為官，不願參禪，不願修仙，但願父作公卿子狀元，給我掙下萬頃莊田，萬貫金錢，買些秘書古董，奇珍雅玩，合那佳餚美酒，擺設在名園，伴着我同我的嬌妻美妾，呼兒喚女笑燈前。不談民生國計，不談人情物理，不談柴米油鹽，只談些無盡無休的夢中夢，何思何想的天外天，直談到地老天荒，一十二萬九千六百年，那時再逢開闢，依然還我這座好家山。

看起來，這十分荒唐，俗不可耐。但是，如果我們正視現實的話，在我們這個古老的宗法社會中，它却是許多人嚮往和追求的人生理想和美學理想。他們活着，不是爲了創造事業，而是爲了盡情地享受。這種美學思想，固然是統治階級的，但却不僅侵蝕到了一些文人身上，而且也毒害了一些勞動人民，其流毒是很深廣的。馮友蘭在《文史資料選摘》第三十四輯中，載有〈「五四」前的北大和「五四」後的清華〉一文，說「五四」前後北大的一些大學生，還把升官發財當成他們最高的人生理想和美學理想。他們不要讀書，不要眞才實學，他們要的是拉攏應酬、是看戲、吃館子、逛窰子。這樣的讀書人，你能希望他們救國救民、改造社會嗎？不久前播放的電視連續劇《四世同堂》中的錢詩人對祁瑞宣說：

> 我們的傳統的升官發財的觀念，封建的思想，就是一方面想作高官，一方面又甘心作奴隸。家庭制度，教育方法，和苟且偷生的習慣，都是民族的遺傳病。這些病，在國家太平的時候，會使歷史無聲無色的，平凡的，像一條老牛似的往前……乃至國家遭到危難，這些病就像三期梅

毒似的，一下子潰爛到底。

錢詩人講得很沉痛。他的話是針對冠曉荷等一批民族敗類說的。不能說我們整個民族過去都是如此，但是，我們的民族之所以會出現這樣一批敗類，不也和我們的民族素質有關嗎？而這種民族素質的形成，和我們追求升官發財、富貴榮華的那種庸俗的美學思想，又不能說沒有一定的關係。因此，我們特別提出來，加以批判和否定。

二

中國古代社會，除了宗法禮教的一面之外，還有小農經濟的一面。如果宗法禮教產生了以禮樂爲中心的儒家的美學思想，那麼，小農經濟則產生了以無爲、自然爲中心的道家的美學思想。道家的美學思想，主要有兩點：一是自由，二是自然。說自由，是說在精神上解除了外界的束縛，逍遙自在，這時就美。莊子在〈知北遊〉中說：「天下有大美而不言。」什麼是「大美」呢？那就是「聖人者，原天地之美而達萬物之理，是故至人無爲，大聖不作，觀于天地之謂也」。這就是說，至人無爲，一切順應自然的規律，遊心於自然，按照自然本來的面貌觀賞自然，主觀上沒有任何的欲望，客觀上也就解除了外物對我們的限制和束縛，這時，我們感到了自由，因而「得至美而遊乎至樂」（〈田子方〉）。游魚之所以美，那是因爲它自由，「出游從容」。魯鳥之所以不美，那是因爲它被關進了籠子裏，失去了自由。「忘足，履之適也；忘腰，帶之適也。」而最大的「適」，是「忘適之適也」。

那就是說，我們根本不去想鞋子合不合脚、腰帶合不合身，它們自然而然，我們自由自在，這時就得到了眞正的美。至於自然，這是中國古代最高的美學理想，儒家講，道家也講，但道家講得最爲徹底。莊子在〈秋水篇〉中說：「牛馬四足，是謂天。絡馬首，穿牛鼻，是謂人。故曰：無以人滅天，無以故滅命，無以得殉民，謹守而勿失，是謂反其眞。」這裏所說的「天」，就是自然。它與人爲是相反的，人爲僞而自然眞。去掉了人爲，「反其眞」，這就可以得到美。牛馬四足，聽其自然，美；絡馬首，穿牛鼻，失去了自然，也就不美了。故此，莊子認爲藝術的美，就在於合乎自然。他在〈達生篇〉中講了一個故事：

梓慶削木為鐻。鐻成，見者驚猶鬼神。魯侯見而問焉，曰：「子何術以為焉？」對曰：「臣工人，何術之有？雖然，有一焉。臣將為鐻，未嘗敢以耗氣也，必齋以靜心。齋三日，而不敢懷慶賞爵祿；齋五日，不敢懷非譽巧拙；齋七日，輒然忘吾有四肢形體也。當是時也，無公朝，其巧專而外骨消。然後入山林，觀天性，形軀至矣，然後見成鐻，然後加手焉。不然則已。則以天合天，器之所以疑神者，其是歟？」

如果說，自由是忘去外界的束縛，取得內心的解放；那麼，自然則是忘去內心的束縛，順應自然的規律，取得自然的「天性」。如果說，自然物的美，只要聽任其自然的天性就够了；那麼，技藝和藝術的美，則要「以天合天」，所謂「以天合天」，兩個「天」字，指的都是自然。不過前一個「天」字，指的是人的自然，主觀的自然；後一個「天」字，指的則是對象的自然，客觀的自然。梓慶之所以能够製造出那麼精美的樂器鋸來，那就因爲他一方面充分調動了自己主觀的自然，而又充分順應了客觀的木料的自然，二者相合，「以天合天」，因而製造了使人驚爲鬼神的鋸來。

這樣，以莊子爲代表的道家的美學思想，旣主張自由，又主張自然。而這兩方面，又是相互促成，互爲條件的。只有合乎自然，順應自然，才能達到主觀的自由。只有自由了，不受干擾了，才能達到客觀的自然。

中國封建宗法社會中的知識分子，一般是達則兼善天下，窮則獨善其身。當他達的時候，講究禮樂敎化，要當忠臣，「致君堯舜上」。當他窮的時候，他就混迹江湖，過着隱逸自適的生活，與漁樵爲伍，崇奉老莊。這時，他要自由和自然。各門藝術，不再是「經國之大業」，而只是他個人消閑遣興的玩藝。閑情詩、山水詩是這樣，山水畫、花鳥畫也是這樣。這裏，我們且以文人所喜愛的水墨山水畫，作爲重點，來作一點分析。

中國的繪畫，是從壁畫發展到册頁畫，從人物畫發展到山水花鳥畫，從色彩畫發展到水墨畫，從寫實畫發展到寫意畫。最能代表中國藝術的民族特色的，是以山水花鳥爲題材的水墨畫。

由於從事這種繪畫的多是知識分子，所以又稱文人畫。它的特點，就是文人面對着一張宣紙，用一支毛筆，不重色彩的敷染，而就用水墨，通過山水花鳥等的描繪，來寄托自己的情思。黑格爾認爲藝術是理念的精神內容與物質的感性形式的統一。藝術愈是向前發展，精神內容愈是超過和壓倒物質的感性形式，在中國文人的水墨畫中，物質的感性材料可說減少到了最低的限度，而精神內容則達到了最高的表現程度。因此，水墨畫是强調精神，强調抒寫主觀的思想感情的。如果說，中國古代廟堂的禮樂藝術，重視的是國家社會，是政治倫理，是普遍的道德規範；那麼，在文人的水墨畫中，重視的則是個人的情趣，自由的心靈。黑格爾說：中國過去在皇帝專制統治之下，沒有自由的心靈。但是，在水墨藝術當中，中國的知識分子却表現了最高度的心靈的自由。正因爲這樣，所以水墨畫達到了高度的藝術獨創性。中國古代的詩詞，也有這樣的特點。因此，水墨畫和詩詞，可以說是中國文人藝術的結晶。

水墨畫和詩詞，爲什麼能够表現中國文人的自由的心靈呢？這就因爲中國過去的文人，過着兩種生活：一是爲公的生活，也就是通過科擧，取得一官半職，謀取朝廷的俸祿。二是爲私的生活，也就是公餘之暇，寄情風月；或者靠着祖宗的遺產，過着隱逸的淸閑生活。在謀取朝廷俸祿的時候，道貌岸然，唯恭唯謹，滿口聖賢文章；在過着淸閑生活的時候，則又以淸高狂放自許，嘯傲山林，彈琴賦詩，信筆作畫，自得其樂。封建知識分子，有的在朝，有的在野，但大多數是兩種生活交錯着過，甚至同時過。上朝的時候，是官，公字壓頂；下朝的時候，則民，私字快樂。在這裏，公與官聯繫在一起，一般不爲士林所重；而私則與民聯繫在一起，反而盡興適趣，符合士人的口味。中國古代的水墨畫和文人詩詞，大多數是在士大夫知識分子私生活中滋長和繁榮起來的。因此，我們應當從他們特殊的生活方式與精神面貌，來理解中國古代藝術的精神。它們和西方藝術那種始終面對現實生活，反映現實生活，並參與現實生活的重大鬪爭，是迥然不同的。

由于水墨山水畫是從文人的私生活出發的，所以它所反映出來的美學思想，就具有下列的一些特點：

㈠**追求興趣**。

鍾嶸《詩品》，已有「滋味」、「性情」等的提法，嚴羽《滄浪詩話》，則直接提出了「興趣」。所謂「興趣」，是說不受外物的拘束，强調個人自由的愛好，自己高興畫什麼就畫什麼。它不重視反映客觀的眞實，而只求抒寫和寄托主觀的感情。元代倪雲林說：「僕之所謂畫者，不過逸筆草草，不求形似，所以自娛耳。」又說：「余之竹聊以寫胸中之逸氣耳，豈復較其似與非，葉之繁與疏，枝之斜與直哉？」吳鎮也說：「墨戲之作，蓋士大夫詞翰之餘，適一時之興趣。」明代屠隆也說：「蓋士氣畫者，迺士林中能作隸家，畫品全法氣韵生動，不求物趣，以得天趣爲高。」這都着重在寫個人一時的興趣，而不着重能不能妙肖外物。正因爲這樣，所以他們在形式上愈來愈趨於簡率和單純。清代錢松在《松壺畫憶》中說：

宋人寫樹千曲百折，惟北苑為長勁瘦直之法，然亦枝根相糾。至元時大痴、仲圭，一變為簡率，愈簡愈佳。

這一傾向，到了明清的石濤、八大山人以至揚州八怪等，更是愈來愈明顯，形成了一股强烈的抒寫性情、重神似而不重形似的美學思想。它們爲了表現個人的興趣，有的草草幾筆，蕭疏淡泊；有的則改變外物的形式，以求抒寫內心的寄托。例如八大山人把魚眼睛畫在頭上，鄭所南把蘭草畫在空中，都是意有所不平，用畫來表達胸中的塊壘。總之，都是隨興而發，適趣而作，這是中國古代文人畫的一個特點。

㈡注重人品。

西方畫，追求形式的和諧與完美，追求表現事物本身的特徵。中國古代的文人畫，雖然也不否認形式與事物特徵的重要性，但其繪畫的目的，主要是在表現畫家本人的人品。畫家首先應當是一個文人，應當精通文人所應當精通的一切。這樣，他就不僅是一個畫家，同時是詩人、書法家、音樂家、金石家、鑒賞家等。西方講究各門藝術的分類，中國則經常把各門藝術融滙起來。繪畫中有題詩，有篆刻。不這樣，不僅不足以表現「詩情畫意」，而且更不足以表現畫家之爲一個文人。這一點是很重要的。畫家一旦失去了文人的身份，他的畫就將被譏爲匠氣、俗氣，而不能登入高雅之堂了。其次，强調「立意」，强調「我」，從而使書畫的筆墨成爲表現自我人品的工具。筆非僅是筆，墨非僅是墨，而成爲筆情墨趣。這情趣，非他人的情趣，乃我的情趣，因而畫中無處沒有我。石濤《苦瓜和尚畫語錄》說：「一畫之法，乃自我立。」又說：「我自發我之肺腑，揭我之鬚眉。」這都說明了，中國古代文人畫畫，是以我爲主，物爲賓，物乃我的人品的表現，而不是物本身的特徵和表現。正因爲這樣，所以幾枝竹子，成百上千的畫家畫，都畫不盡。這畫不盡的不是竹子，而是畫家的「意」，畫家的「情趣」，畫家的「人品」。

㈢遊心自然，暢神達意。

中國古代文人畫，注重表現自我的人品。但這一人品，又不是怒目金剛，自我標出，而是由於長期的修養，悠遊涵泳，以至心隨物化，自然而然地成爲一種生活態度，自然而然地從繪畫中的一筆一墨中表現出來。李日華說：「性者自然之天，技藝之熟，照極而自呈，不容措意者也。」(註四)這「性」，指的是「狀物」之性，但也可以指畫家之性。物之性與畫家之性，長期融合，達到莊子所說的「以天合天」，然後自然地畫家之性從物之性中流露出來。畫家不欲表現自己的人品，他的人品也就自然而然地躍然紙上了。張彥遠說：「宗炳、王微，皆擬迹巢由，放情林壑，與琴酒而俱適，縱烟霞而獨往。」中國文人藝術家，差不多都具有這樣的特點。一方面，他們「外師造化」，也就是遊心自然，放蕩江湖之中，沉醉山水之間，然後情隨境遷，心與物化，揮筆點染，自然高妙。另一方面，他們又「中得心源」，自始至終，堅持着自我，以至山川草木，無不著我之色彩，無不代我而立言。我遊我觀，我思我畫，都是暢我之神，達我之意。暢神達意，方才是中國文人畫的最高目的。

因爲中國文人畫，在遊心自然之中，强調暢神達意，所以他們的「外師造化」不同於西方畫家的摹仿自然。西方畫家站在自然的外面，研究和描寫自然，因此他們重視寫生。達•芬奇認爲「鏡子爲畫家之師」，「若想考查你的寫生畫是否與實物相符，取一鏡子將實物反映入內，再將此映象與你的圖畫相比較，仔細考慮一下兩種表象的主題是否相符」(註五)。當然，我們不能僅據此就斷定西方繪畫全部像照鏡子一樣，但它至少說明了：西方的繪畫是畫家站在自然的外面去畫。而中國的「外師造化」，却是遊心自然，澡雪自己的精神，陶冶自己的性靈，然後通過自然，來暢我之神，達我之意。

㈣整體意境。

中國古代的文人畫，從情節上來看，往往經不住仔細的挑剔。它們不僅不是，而且也不似。王維的《雪中芭蕉圖》，混亂時序，哪一點符合生活的眞實？《長江萬里圖》、《瀟湘圖》等，又從何處去找尋長江和湘江的面貌？文人畫本來不注重細節的眞實。他們不是要畫某一個地方，某一個人，或者某一個物。他們喜歡畫梅、蘭、竹、菊，但他們又何嘗是在畫梅、蘭、竹、菊？風景也好，人物也好，花鳥也好，都不過是聽他們驅遣、供他們使喚的工具和媒介而已。通過這些工具和媒介，畫家所要表現的是一種情趣、一種氣氛，所要創造的是一種整體的意境。所謂整體的意境，是說它不像西方畫一樣，截取生活中的某個片斷、某個方面，加以描繪；而是以自己的感情爲主，通過心靈的感受，去攝取某些物象，來構成某種景或境，從而形成一個自足的藝術天地。在這個天地裏面，人物不僅沒有性格，甚至眉毛眼睛都看不見，但是，他却有一種姿態，一種情韵，和整個的背景融合在一起。風景也不着重在某一棵樹、每一塊石頭，而是由它們共同所構成的一種情境。正因爲這樣，所以中國的山水畫配景常常很大：崇山峻嶺，山川綿邈。有的畫，如馬遠，所畫的雖只有一角，但引人遐想，也自然形成一個完整的境界。

文人山水畫所創造的意境是完整的，但却不是混沌的。它有情有景，有虛有實，有主有賓，因而層次井然，主題鮮明。一眼望去，處處是山水，很少看到人。卽使有人，人也融進了山水之中，變成了山水中的一員。因此，我們可以說，人景化了。但是，這景又不是自然本身的景，而是人所欣賞的情化了的景。這樣，人景化，景情化，情景交融，方才構成了一個完整的意境。作品的主題，既不是情，也不是景，而是它們相互滲透和交融之後，所呈現出來的意境。意境愈深遠，蘊含愈豐富，作品就能愈臻於上乘。中國文人畫所追求的，就是這種整體的意境的美。

中國古代的藝術和美學思想，是極其豐富的、複雜的，以上所述，只是其中的一部分。是否有當，敬請指教。

【附　注】

註一　《德意志意識形態》第四二頁，人民出版社一九六一年版。

註二　王國維：〈釋禮〉，《觀堂集林》㈠第二九一頁，中華書局一九五九年版。

註三　歌德：《浮士德》。

註四　《六研齋筆記》，引自伍蠡甫《中國畫論研究》第一三九頁，北京大學出版社。

註五　《芬奇論繪畫》第五一頁，人民美術出版社版。

老莊美學思想析論

蕭振邦

前言

通常研究古代中國美學時，尷尬往往出現在「美」這個字的理解、界定上！因爲現代人所理解的「美」，以及使用「美」字的意含，多半表露了「時代」特色，若以之於古籍中尋覓比類，則常不可得，甚或不通其義（更遑論「語脈」、「語境」的考量）。換言之，我們在古籍中時常找不到現代人所謂的「美」，特別是關連於藝術活動、藝術品鑑等「美感經驗」時尤感虛泛。此是否意味中國古籍中未曾討論「美」呢？這是一個相當關鍵性的提問，其答案實關乎「中國美學研究，或任一時代之美學研究是否可能」的根本問題。面對這個問題，我們可從下列方向著想：

首先，假如我們從事古代中國美學研究，則必先了解我們所探討的對象是「古代中國美學」，也即是針對「古人曾如斯討論『美』，並由之建立的一套『學問』」！換言之，在邏輯上我們先得確定古代人的確關懷過「美」，而且他們也曾經進行有關「美」的討論，從而形成了明確的「美的理論」或「特定模式的美學實務」。因此，各種有關古代「美」的界定，必須是透過研究逐步朗現、逐步確立的，而不可能是由我們先給出某種「美的定義」，再進一步「建立」了「古代的美學」。

其次，從常識上我們可以理解，「美」的體對和俱現（如果該具有經驗意含），可能隨著時代環境的轉變而變化萬端，故唯有把握時代發展的人文脈絡和時代環境雜陳的各種相關因素，才可能發掘出各個時代不同的「美」之體現方式。換言之，我們可以推斷，每一個時代都可能有自己所標榜的「美」（基於某種共通的美感經驗），但這種推斷，難免會遭遇使「美」淪為「相對感受」的危機。是以，我們假設每一個時代所標榜的「美」是一致的，但卻相應於不同的人文環境，畢竟具有不同的意義，因而也展現出不同的「美」之體對的內容。

其三，問題是，我們如何可能從不同的「美」之體對內容中，歸結出「同一」的「美」呢？這又涉及「美的定義」問題了！因此，根據筆者的研究，為了避免這種循環詭論的困結，我們必先針對「古代美學」設定某種相應的美學理念，以便使相關的「美學研究」成為可能。

其四，如上所述，「相應的美學理念」雖經設定，「美學研究」也成為可能，但我們所設定的「美學理念」，並不等於就是「某種古代美學」，所以，一方面，我們須要有某種可靠的方法，不斷地檢證、顯示我們假立的理念所可能犯的嚴重錯誤！並逐一將之修正。另一方面，更重要的是，透過可靠方法的運作，進一步保障我們的研究，不致以假立之理念取代了研究對象本具的眞貌！這是筆者強調研究中國美學必須重視方法的本意。

其五，理解了方法的重要性之後，如何恰切地選定方法？如何使方法運作在研究過程中趨於一致，而始終一貫呢？這類提問，實際上是更棘手、更擾人的問題，因爲，設若我們承認在研究「古代美學」之前，我們對其「內容」一無所知，同時也不便在「不了解的狀況下」獨斷地先給予任何預設！那麼，我們似乎也無任何憑藉，以作爲方法選定的依據。爲了解決這種困難，筆者以爲，我們可以先建立一種與美學研究相關的理論，再以此理論約束我們所採行的方法，讓理論限定方法的既定功能，而保障方法的一致性和一貫性，並發揮其最大效益。這是筆者強調研究中國美學必須預籌理論先設的本意。

其六，但是，果眞我們先設定了某種理論之後，這一理論是否會反過來制約了我們的研究對象？甚至形成以既有理論套用研究資料，而拼湊出結論的危機呢？爲了免了這種可能行成的危機，筆者認爲，假如我們採行的是一種「以解消理論爲目的」的理論，那麼我們可以避免類似的困結！這一種理論也就是筆者所強調的「後設美學」理論。筆者深以爲，研究中國美學，「後設美學」是一必要的先設。

以上所述，筆者以爲是研究中國美學的基本認識。

以次，筆者將就「後設美學」的觀點，討論論老子、莊子所開出的「道家美學」思想。一般而論，道家思想是針對儒家思想所作的一種徹底反思，同時道家在不同的應世觀導引下，開出了對儒家思想的系列批判。從美學研究的觀點言，儒道二家的典籍資料中，鮮少對美賦予積極的界說，我們只能從二家體現「美」的不同理念與進路，以論其美學經營的同異。

基本上，儒家的開祖孔子主張「人能弘道，非道弘人」(註一)，而道家的祖師老子則倡「人法地，地法天，天法道，道法自然」，以及「反者道之動」等等主張(註二)，可以粗略地說，儒家重視道在人自身的彰顯，而道家則重視道自身的朗現。所以，儒家的美學經營，成就的是一人文化成的世界，道家的美學經營，則還其「天地之美」的本然自在。

由於儒道兩家的基本信念與終極關懷的實踐進路不同，故他們所開展的美學思想也各顯精采。以比較觀之，大體上道家思想得獲《莊子》的鋪排深化之後，在美學上思想顯其充實完滿，較之儒家的人倫資具進路，尤有可觀處。以下，即以老莊的美學經營爲主，析論其審美觀的返樸歸眞與其美學新獻。

一、道家美學「實質內涵」之緣起

——《道德經》的美學經營

綜觀老子《道德經》全文，以及既有的學術研究成果，實際上很難找出與現代美學相應的論點或看法，如果我們要想如大陸學者（劉綱紀、葉朗、李澤厚等人）強調老子有一套「美學」，則不免落於「創造性詮釋」的窠臼。

以美學研究而言，筆者不以爲「創造性的詮釋」適用於處理資料的初步階段。一方面，與其要「

創造」，不如從自家所關切的問題出發，何須藉某一家的「資料」進行「創發」呢？此無異四肢健全的人，猶要戴義肢、坐輪椅以代行，豈不怪乎！另一方面，資料的滙集整理，並加以研討貞定，原意在於究明資料所載元始意義，以便了解思想發展的脈絡與意含，進一步才能對應時代問題的需索，而有所因應開創，這完全是兩個層次的問題，不當混爲一談。是此，筆者不擬取「創造性的詮釋」一路。

若是，則老子《道德經》是否在吾人所論「先秦美學思想」發展過程中，毫無地位可言？筆者以爲答案是否定的。根據筆者的研究，老子的《道德經》至少在下列四方面，對先秦美學思想的開發具有積極貢獻：

第一，從美學的觀點言，老子《道德經》的思想，提供了他因應時代的人文構想（註三），而這一人文構想與美學思想的關係，恰可與孔子從其「仁教」以凸顯美學典範的美學經營，作一比較和會通。簡約地說，老子的審美態度與孔子美學經營中的第一階段態度，可以說是一致的，「美」在兩者的思想中皆隱而不顯，換言之，「美」俱非兩者思想的核心理念。

老子不同於孔子之處在於，他由強調人存本質的把握，進而卻否定了藝術審美活動在人存實境中的功能屬性。類似的主張在《道德經》中甚多，如「爲無爲，事無事，味無味。」（註四），「五色令人目盲，五音令人耳聾，五味令人口爽，馳騁畋獵令人心發狂，難得之貨令人行妨。」〈第十二章〉，「衆人熙熙，如享太牢，如春登台。」〈第二十章〉，「夫禮者，忠信之薄，而亂之首。」〈第三十八章〉，「服文綵，帶利劍，厭飲食，財貨有餘，是謂盜夸，非道也。」〈第五十三章〉。這些理念無不說明了，凡人文及感性訴求的各項活動，均在老子否定之列，如是，藝術審美活動應不在老子的思想中開顯任何正面、積極的意義。

第二，老子《德道經》中仍處理了很多政治實務問題，很明顯的可以看出，老子並未放棄現實面的政治經營，而這一種理念的底據，還是在於以人民爲考量基點的基本關懷有以致之，但一如前述，老子反對儒家「崇禮」的進路，《道德經》云：

勝而不美，而美之者是樂殺人。樂殺人者，則不可得志於天下矣。〈第三十一章〉

又《道德經》云：

聖人無常心，以百姓心為心。〈第四十九章〉

凡凸顯人文造作，以之爲人存的「殊勝」，舉之爲萬物的優位，而責令衆人從之者，在老子《道德經》看來，都是對生命的一種折殺！「聖人無常心，以百姓心爲心」，卽示聖人在這裏不以自我爲經常，而以天地之經常是依；天地之經常則不只在一人身上顯，而是在衆人身上顯。所以說，就老子的思想而論，政治側面的解決必非充分條件，老子在政治面的關注，主要集中於人民的喚醒與思想理念的改造，以是有政治訴求，其政治智慧是爲道之體現尋索一條出路，與美學經營的關係並不密切。

第三，雖然《道德經》中並未提示某一種「美學」，但老子的思想仍對後世的美學經營影響極深，我們考察後來的美學思想，不難發現老子的思想是道家美學創發過程中，思想實質內涵的啓蒙者。換言之，《道德經》所提出的許多理念，多半形成日後美學理論中的「美的實質概念」，足以朗現美學經營的實質意義。

但在這裏我們必須先澄清一種混淆，此一混淆起於「範疇」一詞的濫用。目前我們所能見的美學論著，若仔細觀之，不難發現「範疇」一詞經常出現其中，例如，葉朗氏在《中國美學史大綱》中曾謂：「美學是一門理論科學。……它研究美學範疇，研究美學範疇之間的區別、聯繫和轉化，研究美學範疇的體系。以中國古典美學爲例，中國古典美學並不是由陶器、青銅器、《詩經》、《離騷》、王羲之和王獻之的書法、……等等藝術作品所構成的形象系列，而是表現於『道』、『氣』、『象』『意』、『味』、『妙』、『神』、『賦』、『比』、『興』、『有』與『無』、『虛』與『實』、『形』與『神』、『情』與『景』、……『膽』、『識』、……（按：抄不勝抄，葉朗氏共列舉了三三十個語詞）……等等一系列的範疇」（註五）！很顯然的，葉朗氏所提的美學「範疇說」，是西洋美學某一支派的學說，古代中國美學根本未論及這些論題，而且從他所列舉的三十多個「範疇」看來，無疑是一次「範疇」的氾濫。

次如，曾祖蔭氏在《中國古代文藝美學範疇》一書中指出：「範疇是人們的思維對客觀事物的本質聯繫的概括和反映，是各個知識領域的基本概念。……美學作爲一門科學，有它獨自的一系列範疇。作爲文藝美學，它的範疇，如形象與典型、風格與流派、繼承與革新、內容與形式、抽象思維與藝術思維等等，都從不同側面揭示了文學藝術的本質特徵。美學家和文藝理論家就是通過這一系列範疇，來表達自己對文學藝術現象的根本看法，……。作爲文藝美學的範疇，世界各民族由於受著人類思維發展和文學藝術發展的一般規律的制約，具有某種共性，只要是科學的範疇，都表現了對文學藝術本質聯繫一定方面的揭示。又由於各民族的歷史條件、文化傳統和民族審美心理的差異，在本民族歷史土壤中誕生的美學範疇，往往體現著本民族的某些個性。它不僅表現在範疇的體系和形態上，也表現在對範疇美學特徵的認識上。……本書選擇了情和理、形和神、虛和實、言和意、意和境、體和性六對範疇分別加以論述。……這當然還不是全面論述所有的範疇。……」。(註六)

從常識的觀點言之，以上兩種說法，可以說都忽略了「範疇」原本作爲構成知識的條件而存在的基本特質，它是我們的判斷得以成立的「純粹概念」，也是思維或存在的基本形式。從邏輯的觀點言之，傳統邏輯也稱之爲「範疇邏輯」，而其中「類詞」(class term)與「性詞」(property term)都稱爲「範疇」。(註七)類詞是表示類的概念，性詞是表示性質或特徵的概念，這兩種概念都是關於事物的實質概念，它們必指涉一經驗內容。假如我們依據「美學範疇」實義，把葉、曾二氏的「美學範疇」改稱爲「構成『美』之知識的範疇」，或甚至稱爲「適用於美感經驗(成立)的『感性範疇』」，則不難看出葉、曾二氏對他們所選擇的概念如何可能成爲「範疇」並未說明，也因此，他們所列舉的「範疇」便缺乏說服力。

三如，姚一葦氏在《美的範疇論》一書中謂：「……我所謂的美的範疇或藝術的類型，自美的基準言有秀美與崇高(按：即指壯美)，自非美的基準言有悲壯、滑稽、怪誕與抽象，合爲六類」(註八)。

姚氏的說法較接近「美之範疇」的意思，至於恰當與否，則不在討論之列。

筆者以爲「美學範疇」的確立，的確相當複雜，因爲是否能透過「美」的把握，而建構一套「美的知識」，並非輕易能作成結論，故前述葉、曾、姚三氏所標舉的各項觀點均暫予「保留」，基本上，筆者以爲可比照 Sealey 的說法（註九），將我們得以理解「美」的判準訂爲「範疇概念」(categorail concept) 與「實質概念」(substantive concept) 上。

Sealey 從知識的角度設論，他認爲假如我們要討論某一特殊對象，我們先要能「合法」地確認這一對象，換言之，先要有一些「判準」（criteria）以確認此對象，因此，便需先掌握此對象的特質。簡約地說，我們需要有關此對象的知識，以形成該對象的眞假之形式判斷。（註一〇）

故 Sealey 指出，「知識的形式」可大別爲數學、物理科學、道德知識、文學、藝術、心理知識與宗教，而這些知識形式的不同特徵，可以由下述三者決定（註一一）：

㈠範疇概念：某一知識形式中獨一無二，而且不能與其他知識形式互換的概念；

㈡實質概念：指謂某一種確定的經驗側面，而形成一組連鎖關係，且前述經驗可以透過這種關係爲我們所理解；

㈢客觀地驗證這一形式，並證實能就經驗證明其陳述爲眞。

範疇概念、實質概念、客觀驗證三者，即決定了知識的形式。

從上面的討論，我們看到 Sealey 透過「知識形式」的論證，巧妙點避開了建構「範疇」的困難(註一二)，而且我們也可以對照地了解，前述葉、曾、姚三氏的看法中，葉、曾二氏提出了許多有關美感經驗的「實質概念」，但並未提出「範疇」，而姚氏則舉出了「範疇概念」，也沒有提出「範疇」，同時，姚氏的「範疇概念」是否適用於中國之美學，也令人掛慮。

如是，假如我們試圖在研究工作中，把美學視爲一門「研究『美』之知識的學問」，而且這一種「美的知識」又不只是零碎、片斷的感官經驗的反芻，則無可避免地必須要提出「美的範疇」來，否則，我們至少要提供一種分判「美」的「知識形式」的方法或理念。簡約地說，筆者以爲可以比照Sealey的方式，先理出若干與研究有關的「美的範疇概念」與「美的實質概念」，以便與資料所提供的美感經驗相互驗證，進而行成恰切的論證，或有助於中國美學研究的進行。

綜上所述，筆者所謂老子提供的「美之實質概念」，正是關聯於「美」的「實質概念詞」。這些「美的實質概念」如自然、道、氣、象、有、無、虛、實等等，原本在《道德經》中多半屬於較抽象的理念，但經由後期道家人物的長時經營，已交融於他們的人存經驗，而形成了一個具有關連性的網絡，並且憑藉著這些「網絡」，道家人物的美感經驗得以爲我們所理解。換言之，後期道家人物所持有的「美之形式」(那些「範疇概念詞」)，終能透過老子開出的「美之實質概念」，訴諸經驗的檢證以形成有關「美的知識」。如此，我們才有討論道家美學的餘地。

第四，關於老子所主張的「美」，一般人都由「相對性」的觀點論之，以老子曾就美與醜的討論，強調了事物之間的對待性，而主張「相對主義的美學」，甚至以爲老子強調了美醜之間的辯證發展，而主張「辯證性的美學」。不論這些美學觀點如何地莫衷一是，老子的許多見解中，最爲人樂道的還是《道德經》所云：

> 天下皆知美之為美，斯惡已；皆知善之為善，斯不善已。故有無相生，難易相成，長短相較，高下相傾，音聲相和，前後相隨。（第二章）

與《道德經》所云：

> 絕學無憂。唯之與阿，相去幾何！善（美）之與惡相去若何！（第二十章）

根據筆者的研究，老子《道德經》所透顯的美學觀並不那麼容易予以簡單定位，即如前述的「相對論、辯證論」，實爲過言。細別「天下皆知美之爲美，斯惡已；皆知善之爲善，斯不善已」這句話，老子所措意的重點實在「知」字上！這句話的意思是說，若人從「知」上去定執「美」或「善」則此一定執只成就了個人的「知」，就如『有』、『無』、『難』、『易』、『長』、『短』、『高』、『下』、『音』、『聲』、『前』、『後』」等等經由「知」的判斷所形成的「限定概念」一樣，其意含實未定也，換言之，即「相對的」，不是絕對的，不足作爲人存的定準。

所以說，這一種「美善」的定奪，根本對人存無實質意義，反是各逞人之所「知」，各是其是，而終不免於爭奪，這那裏有「美善」可言！深究老子之意，不難看出前面「美之相對論、辯證論」的不相干！老子說這句話的目的，實在於否定「人知」起用的不當，以及由「知」之定執所產生的「世俗美善」概念不足據罷了。這也就是老子爲什麼要強調「絕聖棄智，民利百倍」（第十九章）的衷因了。

其次，就老子思想而言，曾明示「道常無，名『樸』」（第三十二章）。「樸」卽「本」，卽「道」，是生命的本然！生命自身原卽是「道」，那麼什麼使人離開了生命的本然、走離了「大道」呢？這一提問實爲道家思想的核心所在，而在老子而言，則可由《道德經》「絕學無憂」所開展的生命修養進路次第解得。

「絕學無憂」一句，重點就在「絕學」理念上。老子曾云：「爲學日益，爲道日損，損之又損，以至於無爲。」（第四十八章），「爲學」是指成就「知」的分判行爲而言，所以「爲學日益」，日趨多樣，越積越多，終成累贅，更反爲所控，故老子云：「知者不博，博者不知，聖人不積。」（第八十一章）

故「絕學」的重點，卽在於摒除由「知」所形成的分判營造與累積。對此，老子曾舉出了一個與審美有關的例子，此爲《道德經》所云：

衆人熙熙，如享太牢，如春登臺。〈第二十章〉

這句話很重要，它說明了衆人所嚮往競赴的是利欲的滿足和世俗官覺的追求，而這些都是在起了「知」之分辨的不當舉措之後，所引發的弊行。老子認爲這些弊行當去之，遂進一步再說明「絕學」的修養進路。《道德經》云：

我獨泊兮其未兆，如嬰兒之未孩，儽儽兮若無所歸。衆皆有餘，而我獨若遺，我愚人之心也哉！沌沌兮，俗人昭昭，我獨昏昏，俗人察察，我獨悶悶，澹兮其若海，飂兮若無止，衆人皆有以，而我獨頑似鄙，我獨異於人而貴食母。〈第二十章〉

這一修養功夫的重點在於，務必常處於「知」未引發之境，所謂「泊兮其未兆，如嬰兒之未孩」正指此意，而且，要能無所定執，故謂「儽儽兮若無所歸」。

老子說明了這一修養功夫，大別於世人習常的價值判準。世人均竭力求「知」，希望「爲學日益」，而老子則棄之，表現得像世俗所謂的「愚人」一樣。世人「昭昭、察察」，以足智多謀爲務，十分精明的樣子，而老子獨「昏昏、悶悶」，無所繫縶。世人皆竭力用「知」，老子則如頑石鄙夫。

《道德經》中，如：

知者不言，言者不知。〈第五十六章〉

知不知，上；不知知，病。〈第七十一章〉

都是回應此心之定執的不當，挑明了以「知」行使世俗的定奪，乃人間病痛的理念。

凡此，前述老子所示，在最後一句話「我獨異於人而貴食母」中表露得很清楚，如王弼所注「食母，生之本也。人者皆棄生民之本，貴不飾之華，故曰我獨欲異於人」（註一三）。「食母」是指「生之本然」，務「知」是耽溺於外而離棄「生之本然」，故此修養功夫的重點在於體現生命之本然。此又如《道德經》所云：

知其雄，守其雌，為天下谿；為天下谿，常德不離，復歸於嬰兒。知其白，守其黑，為天下

> 式；為天下式，常德不忒，復歸於無極。知其榮，守其辱，為天下谷；為天下谷，常德乃足，復歸於樸。樸散則為器，聖人用之，則為官長，故大制不割。〈二十八章〉

生命之本然是「樸」，只要回復生命之本然，則「知」無所用，是所謂「常德乃足」、「大制不割」。故《道德經》又云：「是以聖人爲腹不爲目，故去彼取此。」〈第十二章〉，「爲腹」是重「生之本然」，「爲目」則重外在之榮華虛飾，而這類榮華虛飾實起於「知」的分判與自限，所以說「去彼取此」。這也可間接說明老子的審美觀點並非「相對主義」，當人復歸生命本然而契於「道」時，實體現了一常則，是《道德經》所謂：

> 歸根曰靜，是謂復命，復命曰常。〈第十六章〉

綜上所述，要通過修養，以復歸於道，當爲老子思想的重點之一，而最足以簡扼表陳這一主體修養特色的，當爲「無爲而無不爲」一語。《道德經》云：

> 道常無為而無不為，侯王若能守之，萬物將自化。化而欲作，吾將鎮之以無名之樸。〈第三十七章〉

「道常無爲而無不爲」，故若以「人法地，地法天，天法道」〈第二十五章〉的理序而言，人要復歸於道，當法道之「無爲而無不爲」。但「無爲而無不爲」是道的一體成全，對人而言，則須區分兩層。因爲「人之生，動之死地」〈第五十章〉（註一四），又「吾之所以有大患者，爲吾有身」〈第十三章〉，人一有心知計度，生命本然遂爲之裂，故「無爲而無不爲」在人而言，「無爲」是修養的方法、進路，「無不爲」是復歸於「道」之後的境界，也是體道的依據，換言之，以「知」爲主斷的人是不能當下「無爲而無不爲」的，這也是老子強調「虛其心，實其腹，弱其志，強其骨」〈第三章〉的原因。

《道德經》云：「致虛極，守靜篤，萬物並作，吾以觀復。」〈第十六章〉，則更明確說明了此一修養工夫，「復」只是復人之「本然」，達於本然，則人存困結解之，所以無待於外在規範的約制，故不重「德」，也不以禮樂爲必要，更不會視禮樂爲「成德的資具」了。

綜上所述，美，在老子的時代，畢竟也無益於道的體現，所以，在老子的思想脈絡中，美學經營十分淡泊，《道德經》幾乎完全撇開了藝術活動的討論，只明揭世俗「美善」不唯不足恃，反足以傷身害命一義，轉而極言主體自身的修養。故云：

信言不美，美言不信，善者不辯，辯者不善。〈第八十一章〉

「世俗的美」是人爲因素的強加區判，而此一區判是心之定執，故由是所產生的美，必偏狹而失其道常，此如《道德經》云：

美言可以市尊，美行可以加人。〈第六十二章〉

老子對「美」所執的觀點實止於此，《道德經》中並未進一步說明什麼是「眞美」，我們也不能邏輯地從老子反對「世俗之美」，而推論出某一種「非世俗之美」，直言之，道家的美學觀，要到莊子才算有所論列，克盡全貌。

學界中與《莊子》「美學研究」有關的論著很多，其中多半以討論《莊子》的「藝術精神」爲主（註一五）。

由此，筆者要說明的是，以「藝術」爲討論對象，則其主題大致可區分爲二，一者，以藝術自身爲主題，稱之爲「藝術內涵」的研究，一者以藝術經營者（創作者）與藝術的互動爲主題，稱之爲「藝術精神」的研究。

如是，凡以探究「美」爲目的，卻明確地選擇了「藝術內涵或精神」等主題入手，筆者卽預設此類探究者已然自覺到——美學研究的主要內容卽藝術活動，故在未明析藝術活動自身之前，徒然從事「美」的討論與界定，實無補於「美」之契及——這一前提。

二、《莊子》美學經營之「主體性」的凸顯

故不論「藝術內涵」或「藝術精神」的研究，均以藝術本身或藝術經營者的藝術活動（包括作品）爲主要對象，如是，研究「莊子的藝術精神」，實應以莊子其人的藝術活動或藝術作品爲最主要探討對象。但是，這一論題若要成立，其基本條件之一必須是莊子之前已形成了某種確定的藝術觀，足以當作「藝術」與「非藝術」的區判標準，如此，我們才能進一步明確區分莊子其人投入了那些藝術活動，提供了那些藝術表現或藝術品，否則研究實無從進行。

再根據筆者的研究，由於文獻的不足，研究者很難在莊子之前明確地定出一種道家式的藝術觀，

以作爲界定、區判莊子其人藝術活動的標準，職是之故，筆者不主張「莊子的藝術或藝術精神」可以作爲我們的直接研究對象，因而筆者在此採取了「後設美學」的觀點，從理論進於理論的解消，以透顯《莊子》現存資料中可能具有的美學經營。

探索《莊子》美學經營的入路，可以從《莊子・天下篇》的一段話入手：

……古之道術有在於是者，莊周聞其風而悅之，以謬悠之說，荒唐之言，無端崖之辭，時恣縱而不儻，不以觭見之也。以天下為沈濁，不可與莊語，以卮言為曼衍，以重言為真，以寓言為廣。獨與天地精神往來而不敖倪於萬物，不譴是非，以與世俗處。其書雖瓌瑋而連犿無傷也。其辭雖參差而諔詭可觀。彼其充實不可以已，上與造物者游，而下與外死生無終始者為友。其於本也，弘大而辟，深閎而肆，其於宗也，可謂調適而上遂矣。雖然，其應於化而解於物也，其理不竭，其來不蛻，芒乎昧乎，未之盡者。（註一六）

莊子悅「古之道術」，而出以「謬悠之說、荒唐之言、無端崖之辭」，基本上可以推論，這些表述法即透露了莊子擺脫某種相對之思想束縛與世俗牽累的心態，我們可以將莊子的這一行徑視爲其個人「美學經營」的發端，而其經營的目的又不只在成就其個人而已，他更試圖點醒世人，因之有《莊子》傳世！所以當莊子在進一步安排、形構衆人可能接納的信念時，也就有了理念的經營，從而我們可以循此進行對《莊子》美學的探索。

從〈天下〉篇「以卮言爲曼衍，以重言爲眞，以寓言爲廣」的描述，可以推論《莊子》的觀點，承續了《道德經》「知者不言，言者不知」(註一七)的理念，而且把這一理念作爲其思想的要素之一。此如〈大宗師〉所云：

墮肢體，黜聰明，離形去知，同於大通。(註一八)

但基本上《莊子》的「知」須兩分兩層說明，一方面「知」是「世俗之知」(語視〈胠篋〉)，此〈逍遙遊〉所謂「不知至言之極妙者」的「知」：

瞽者無以與乎文章之觀，聾者無以與乎鐘鼓之聲。豈唯形骸有聾盲哉？知亦有之。(註一九)

又如〈齊物論〉所言：

大知閑閑，小知閒閒，……其寐也魂交，其覺也形開，與接爲搆，日以心鬭。(註二〇)

此爲《莊子》所示的第一層「知」。

另一方面，則是透過主體的修養所顯發的「知」，如〈大宗師〉云：

雖然，有患。夫知有所待而後當，其所待者特未定也。庸詎知吾所謂天之非人乎？所謂人之非天乎？(註二一)

此處「有患」，可比照《道德經》老子所提「吾之所以有大患者，爲吾有身」，是對「知」之自限的溯源性描述。透過這種比對，可以肯定莊子在此已有「天」、「人」兩路之分，暗示了「世俗之知」亦有轉化之機。

又云：

且有真人而後有真知。……是知之能登假於道者也若此。(註二二)

又〈繕性〉云：

古之治道者，以恬養知，知生而無以知為也，謂之以知養恬。知與恬交相養，而和理出其性。(註二三)

從這兩句話，可以看出《莊子》相對於「世俗之知」，提出了另一種「眞知」，並且肯定「眞知」在主體修養進路中的積極功能，此爲《莊子》所示的第二層「知」。

由是，《莊子》旣強調主體修養，而這一主體修養又具有人文摶造的意義，與老子完全否定此一人文摶造意義，自有其不同的用心處，故《莊子》所可能體現的美學經營與老子不同。至此，可以歸結的是，《莊子》重視的是「道」如何在主體自身體現的種種可能，並進而肯定此卽爲「美」！老子則重視如何復歸於道，但不重視道本身是否爲美，或「道」與「美」的關係。

何以道的體現卽爲美？這一問題的解決，是把握《莊子》美學經營的關鍵所在。筆者以爲此與《莊子》開出的主體修養進路有關。這一點可從兩方面析解。

首先，〈天下〉云：

判天地之美，析萬物之理，察古人之全，寡能備於天地之美，稱神明之容。……後世之學者，不幸不見天地之純，古人之大體，道術將為天下裂。(註二四)

據此，我們可以把握的是，《莊子》已然提出了區別人存境界的兩大準則——「天地之美」和「萬物之理」。何以故？〈天道〉於此有更進一步的說明：

> 昔者舜問於堯曰：「天王之用心何如？」堯曰：「吾不敖無告，不廢窮民，苦死者，嘉孺子而哀婦人，此吾所以用心已。」舜曰：「美則美矣，而未大也。」堯曰：「然則何如？」舜曰：「天德而出寧，日月照而四時行，若晝夜之有經，雲行而雨施矣。」堯曰：「膠膠擾擾乎！子，天之合也，我，人之合也。」
>
> 夫天地者，古之所大也，而黃帝、堯舜之所共美也。（註二五）

由上引「天之合」與「人之合」兩理念，人存實境實判兩路。《莊子》所倡，本重天人之合，而據上所述「人之合」者，則見「判天地之美，析萬物之理」的偏狹，此誠如王邦雄先生所言：「天地之美不備，是因爲各得一察，且以自好，此自我封陷，從天地的純美，與古人的全體中析判出來；……」（註二六），這也正如《道德經》所言：「俗人昭昭，……俗人察察」（第二十章）。原來出之以自限之「知」的「判」與「析」，無異範限了「天地之美，萬物之理」，此畢竟是俗人所爲，是「合於人」，爲世俗的實存情境。

那麼另一路「天之合」又如何？此一進路如〈知北遊〉云：

> 天地有大美而不言，四時有明法而不議，萬物有成理而不說。聖人者，原天地之美而達萬物之理，是故至人無為，大聖不作，觀於天地之謂也。（註二七）

原來「至人無爲，大聖不作，觀於天地」而已，此是謂「原天地之大美而達萬物之理」，與「判天地之美，析萬物之理」實有本質性的差別！換言之，「天地之美」不但是「大美」，而且不是經由世俗之「知」的「判析」得來的，「天地之美」是至人、大聖所體現的，而其根據則在於「觀」天地之所得。

但我們要注意的是，《莊子》並未因此全然否定了「人之合」，反是主張「天人之合」。所以我們不難看出——何以要體現天地大美，又何由體現天地大美——這兩個問題在《莊子》而言，實一事之兩面。「天地之美」非《莊子》所獨舉，實「黃帝、堯、舜所共美也」（前引〈天道〉），從《莊子》思想考之，這一種理念，也即是《道德經》「人法地，地法天，天法道，道法自然」（前引〈二十五章〉）思想的進一步發揮。

約言之，從「原天地之美而達萬之理」析之，「天地之美」實爲人對「道」的直下感應，是一直感(immediacy)，故《莊子》以「美」稱之，而「萬物之理」是人體現道之後的抽象概括，兩者本源是一，俱現於人的方式卻不同。更且，「天地之美」實又蘊涵了兩層意思，一者，它即表述了「宇宙生化的本然秩序」，再者，它又表述了人體現這一「生化本然秩序」之境界的可能依據。合此二者，也就是人爲什麼要體現「天地之美」的衷因了。

但筆者要說明的是，這一「宇宙生化的本然秩序」所以稱之爲「美」，最主要的理由是，此一「秩序」並非宰制性的範限，它的性格如《莊子》所示，是「不言、不議、不說」的，也正如《道德經》所言：「生而不有，爲而不恃，長而不宰，是謂玄德。」〈第十章〉之「玄德」所示，故這一秩序是「無秩序的秩序」，是萬物如其自己的自由發展，但又不失其「本然」。《莊子》所提出的「宇宙生化之本然」，可由許多側面去了解，而《莊子》最重視的是它與人的關係。此如〈天地〉所云：

泰初有無，無有無名，一之所起，有一而未形，物得以生，謂之德。未形者有分，且然無間，謂之命。留動而生物，物成生理，謂之形。形體保神，各有儀則，謂之性。性修反德，德至同於初。(註二八)

又如〈知北遊〉所云：

人之生也，氣之聚也。聚則為生，散則為死。若死生為徒，吾又何患？故萬物一也。是其所美者為神奇，其所惡者為臭腐。臭腐復化為神奇，神奇復化為臭腐，故曰通天下一氣耳，聖人故貴一。(註二九)

這些表述，顯示了《莊子》思想對「宇宙生化本然」的規範性，換言之，不出「道」的體現這一思路。故《莊子》論天地之美的內涵，重點實置於人如何體現它，並重視經由人的體現而見「天地之美」。是此，美學經營之主體性的凸顯，因而成爲《莊子》美學思想的主要特色。但困難的是，人究竟如何體現「天地之美」呢？《刻意》云：

純素之道，唯神是守，守而必失，與神為一，一之精通，合於天倫。……能體純素，謂之真人。(註三〇)

於此，《莊子》提出了「與神合一」的修養觀，以「合於天倫」爲眞人的生命特質，而「合於天倫」正是指與「宇宙生化之本然秩序」合一。

又〈齊物論〉云：

……故知止其所不知，至矣。孰知不言之辯，不道之道？若有能知，此之謂天府。注焉而不滿，酌焉而不竭，而不知其所由來，此之謂葆光。(註三一)

在這裏，筆者所謂《莊子》的「兩層之『知』」都出現了，經由修養所開顯的「眞知」，正與「世俗定執自限之『知』的不當與無知」對揚，而此「眞知」實生命之本然，非以辯飾知，以道名道，《莊子》稱其爲「天府」。若「知」爲「天府」的本然發用與流行，則永保其眞，永續其用，謂之「葆光」。

〈齊物論〉又云：

勞神明為一而不知其同也，謂之朝三。何謂朝三？狙公賦芧，曰：「朝三而暮四」，衆狙皆怒。曰：「然則朝四而暮三」，衆狙皆悅。名實未虧，而善怒為用，亦因是也。是以，聖人和之以是非，而休乎天鈞，是之謂兩行。……何謂和之以天倪？曰：是不是，然不然。是若果是也，則是之異乎不是也亦無辯，然若果然也，則然之異乎不然也亦無辯。化聲之相待，若其不相待。和之以天倪，因之以曼衍，所以窮年也。(註三二)

此《莊子》由「知」之定執判析，而形乎「成心」，「成心」即起，是非紛爭乃作的體驗，提出了「

休乎天鈞」，「和之以天倪」的修養進路，以止息是非，去除「成心」，達乎生命之本然。

故就人體現「天地之美」的主體修養工夫而言，《莊子》所謂「原天地之美而達萬之理」，可以說是去除了有限之「知」的定執與判析，而在自然萬物、山河大地之中，去體驗象徵宇宙根源的生命創造，而這一種體驗正是對「宇宙生化本然」的實感。這種實感，不外乎是在人心和自然的深刻契合、融卽舜間，體證、領受了宇宙的大美。

嗣後，這種美的體驗和眞實感受，愈發衝擊與迫使人們，竭力試圖把此一深邃的宇宙情感，以某種形式客觀地加以表現和形象化。我們可以說，《莊子》各篇中呈現的美學經營，正是這一種不容已的主體眞實情感，不斷試圖表露的努力。所以，正由於《莊子》契及了這一宇宙眞情，其所陳各篇無不富含生命的張力和無限可能的想像空間，而多半卽成爲啓人美感的藝術對象，但《莊子》本身卻不必建構任何一套美學！了解此一理念之後，我們也可以就《莊子》的「謬悠之說、荒唐之言、無端崖之辭」等等成說，給予合理的藝術地位，並從中析論其凸顯美學經營之主體性的美學觀。

三、取消「過人化」情境暨「天地之美」的全幅開朗

承上所述，要說明《莊子》的美學觀，必須從它有關人之特質的特殊看法入手，因爲，《莊子》以人之特質不是言詮所能明，須通過主體修養才能體現，而這一修養進程，正展現了它可能稟持的審美觀。其次，要討論《莊子》的修養進路，又必不可忽視它取消「過人化」情境的重要理念，得先從

「過人化」情境的解消論起。

首先，筆者要說明的看法是，徐復觀先生曾謂：「莊子所謂的道，本質上是最高的藝術精神。」（註三三）筆者以為這是對《莊子》之「道」某一側面的洞見，從「道」之於萬物的「創生義」來看，它可能展現為「最高的藝術精神」。但若全然注重從這一路解釋，可能略過道的形上、思辨側面，而只凸顯了道的擬人化工匠性格，或藝術領域的技藝屬性，這一種對道的「窄化」，反而是《莊子》所要去除、避的。

基本上，道家自「周文」過度、失其本根地發展，而終成為浮飾虛文以來，即一再強調「過人化」的人文體制，適足以滯礙人之特質的朗現，故極力主張解消「過人化」的既有人文建制。

（一）「過人化」情境的解消與主體修養進路

所謂「過人化」的發展，是指一切文物施設，皆過度牽就人在世俗知、情、欲三方面的需索，而完全走離了人天生本然之性，呈現出以人滅天之「文過飾非」的人文扭曲局面。

這一種理念在老子《道德經》中既已十分明確，《道德經》倡導去知寡欲，就此而言，排除情欲是使人符合「道」的必要條件。此如《道德經》以為「禍莫大於不知足，咎莫大於欲得。」（〈第四十六章〉），故強調「絕聖棄智，民利百倍，絕仁棄義，民復孝慈，絕巧棄利，盜賊無有。此三者以為文不足，故令有所屬，見素抱樸，少私寡欲。」（〈第十九章〉），而《道德經》也一貫主張「我無為而民自化，我好靜而民自正，我無事而民自富，我無欲而民自樸。」〈第五十七章〉，凡此，莫不說明生命的最高境界即是虛靜無爲，故追求情欲對道的朗現絕對有害。

此外，《道德經》云：

> 上德不德，是以有德，下德不失德，是以無德。上德無為而無以為，下德為之而有以為；上仁為之而無以為，上義為之而有以為；上禮為之而莫之應，則攘臂而扔之。故失道而後德，失德而後仁，失仁而後義，失義而後禮，夫禮者，忠信之薄而亂之首。前識者，道之華而愚之始。是以大丈夫處其厚，不居其薄。處其實，不居其華，故去彼取此。〈第三十八章〉

這段話最足以代表道家反「過人化」情境的理念。「仁、義、禮」在《道德經》看來皆所以「安人」之道，非所謂「上善」。若得道之人，生之本然既具足萬善，何須再依賴「仁、義、禮」以求善？而且《道德經》以合乎自然之眞性——道，爲人文化成的樞要，而且更進一步主張道以自化，故人文化成以無爲、虛靜爲本，所以「仁、義、禮」皆「過人化」的產物，聖人鄙棄之。

《道德經》中反「過人化」的理念，到了《莊子》則進一步演爲解消「過人化」情境的主張。〈秋水〉曾載河伯問「何謂天？何謂人？」，北海若云：

> 牛馬四足，是謂天；落馬首，穿牛鼻，是謂人。故曰，無以人滅天，無以故滅命，無以得殉名。謹守而勿失，是謂反其真。（註三四）

又如〈德充符〉曾載叔山無趾問老聃云：

> 孔丘之於至人，其未邪？彼何賓賓以學子為？彼且蘄以諔詭幻怪之名聞，不知至人之以是為己桎梏邪？（註三五）

凡此，《莊子》提出了「天」、「人」之判，並以「天」爲歸趨，要人不失「天眞」，並進一步稱人間之學與造作，皆爲「諔詭幻怪之名聞」，歸之爲「人爲桎梏」，是所謂「天刑」。（註三六）

這些主張都可視爲《莊子》反「過人化」的基本立場，而《莊子》所以會提出類似主張，正是由它對人之特質的獨特看法有以致之。要之，從思想脈絡分析，先秦各項人存問題的糾結，必待「人之特質」的解明，才有可能得到疏解，故先秦起始，特重人性問題的探究。到了《莊子》，則進一步觸及那些辯別人之特質的語言文字和意見本身是否有效，以及語言文字和意見自身又具有何意義等等問題，一似強調了老子《道德經》：「道可道，非常道」（〈第一章〉）的理念。這在後設美學的觀點言之，也可以看作是一種近似的「後設探究」。

一般而言，道家對人性的肯認，須在人與自然的相互調適過程中逐步朗現，而相互調適過程中，用來檢證人性實現的判準到底是什麼？也一直是道家人物所最關切的問題。在《莊子》中，基本上主張人之特質與「道」是合一的，〈大宗師〉云：

> 知天之所為，知人之所為者，至矣。知天之所為者，天而生也，知人之所為者，以其知之所知，以養其知之所不知。（註三七）

《莊子》強調順著天而生的生命就能知天，人卽是順著天而生的生命，故通過人，必能知天。是以，要知天，先要知人，故云「以其所知養其所不知」（註三八）。由此可以說《莊子》主張人的特質與道是合一的，但這種「合一」，須透過人自身的修養才能達成，而非依賴文字的解析可以契及，故《莊子》嚴緊地就「道」的觀點，否定了語言文字與「人之特質」之間相侔的可能性，〈天道〉云：

> 世之所貴道者書也，書不過語，語有貴也。語之所貴者意也，意有所隨。意之所隨者，不可以言傳也，而世因貴言傳書。世雖貴之我猶不足貴也，為其貴非其貴也。故視而可見者，形與色也，聽而可聞者，名與聲也。悲夫，世人以形色名聲為足以得彼之情！夫形色名聲果不足以得彼之情，則知者不言，言者不知，而世豈識之哉！（註三九）

另外又講了一則故事：

> 桓公讀書於堂上。輪扁斲輪於堂下，釋椎鑿而上，問桓公曰：「敢問，公之所讀者何言邪？」公曰：「聖人之言也。」曰：「聖人在乎？」公曰：「已死矣。」曰：「然則君之所讀者，古人之糟魄已夫！」桓公曰：「寡人讀書，輪人安得議乎！有說則可，無說則死。」輪扁曰：「臣也以臣之事觀之。斲輪，徐則甘而不固，疾則苦而不入。不徐不疾，得之於手而應於心，口不能言，有數存焉於其間。臣不能喻臣之子，臣之子亦不能受之於臣，是以行年七十而老斲輪。古之人與其不可傳也死矣，然則君之所讀者，古人之糟魄已夫！」（註四〇）

前引《莊子》之說，明白指出「意之所隨者，不可以言傳也」，但也明喻「斲輪，……得之於手而應之於心，口不能言，有數存焉於其間」，此中可見得《莊子》所示，以「道」之發用無所不在，莫逆於心，但心知卻不能表述此「道」之內涵，故「道」之體現，必須透過主體的修養，換言之，透過修養進程，主體的實存境界才得以合道。《莊子》提出了很多這一類主體際的修養工夫，可以說是先秦時期最能開發主體實存境界的工夫進路。

如此，《莊子》雜篇〈庚桑楚〉，曾透過一則十分重要的舉例，提示主體修養進境中，與天地萬物玄同冥合的例子。《莊子》記述南榮趎慕庚桑楚之道，請問如何可「學而致之」，終不得通，庚桑楚云：

辭盡矣。……其德非不同也，有能與不能者，其才固有巨小也。今吾才小，不足以化子。(註四一)

《莊子》透過庚桑楚之口，以揭明主體之修養進路是一實踐進路，非言辭所能輔益，縱有賢者之力加被，也顯其「才不足化」的不必然性，明示主體實踐由己而不由人。《莊子》又述，庚桑楚請南榮趎再向他的老師老子請益，趎積糧往見老子，病於「道」，甚苦病，而請問「衞生之經」，老子告之云：

夫至人者，相與交食乎地而交樂乎天，不以人物利害相攖，不相與為怪，不相與為謀，不相與為事，翛然而來。是謂衞生之經。(註四二)

至人與天地羣品共適同遊，與天地同樂，不束於人事，此之謂衞生。《莊子》末後對這一事件曾作一總結：

學者，學其所不能學也，行者，行其所不能行也，辯者，辯其所不能辯也。知止乎其所不能知，至矣，若有不卽是者，天鈞敗之。(註四三)

此則明示性分之內，雖學不學，雖行不行，於性分之外，學所不能！如不持守此分際，則自敗生命之本然。〈庚桑楚〉又云：

羿工乎中微而拙乎使人無己譽。聖人工乎天而拙乎人。夫工乎天而俍乎人者，唯全人能之。唯蟲能蟲，唯蟲能天。全人惡天？惡人之天？而況吾天乎人乎！介者拸畫，外非譽也，胥靡登高而不懼，遺死生也。夫復謵不餽而忘人，忘人，因以為天人矣。故敬之而不善，侮之而不怒者，唯同乎天和者為然。出怒不怒，則怒出於不怒矣，出為無為，則為出於無為矣。欲靜則平氣，欲神則順心，有為也。欲當則緣於不得已，不得已之類，聖人之道。(註四四)

《莊子》以爲，唯有全人或天人同時兼理「天、人」兩路，觀蟲類能合蟲類之道，卽自然體合天道，而不知「天道」爲何！全德之人亦如是，唯有泯除人天之異，才算至德。《莊子》舉出殘刖之人，無心外飾，而自外於人間毀譽；刑徒僕役不矜惜生命，反而排除了生死的憂慮；忘人我之間的毀譽，是擺脫人情束縛的「天人」。所以受禮遇不喜，受侮慢不怒，唯有與萬物玄同冥合於「天和」的天人才能如此。在「天和」中，「萬物不復有本質上的歧異，只有境界上的無差別性」。(註四五)

由此觀之，《莊子》解消「過人化」情境的第一步，在於泯除人天之異，而其重點則在去除過偏駢「人化」。是〈駢姆〉云：

駢於明者，亂五色，淫文章，青黃黼黻之煌煌非乎？而離朱是已。多於聰者，亂五聲，淫六律，金石絲竹黃鐘大呂之聲非乎？而師曠是已。枝於仁者，擢德塞性以收名聲，使天下簧鼓以奉不及之法非乎？而曾史是已。駢於辯者，累瓦結繩竄句，游心於堅白同異之間，而敝跬譽無用之言非乎？而楊墨是已。故此皆多駢旁枝之道，非天下之至正也。(註四六)

《莊子》之駢枝指的觀點，以論由多「知」爲明，更以「知」析判其「用」，而反爲「用」役的不當，述離婁(朱)、師曠、曾參、史鰌、楊朱、墨翟所重者皆非天下之正道，凡從官能(明與聰)到性稟以及性稟之言辯，皆「駢旁枝之道」。由此可見，前述《莊子》欲解明辯別人之特質的語言文字和意見本身是否有效，以及語言文字和意見自身又具有何意義等等問題，皆有所承，這些「駢於辯者」，即爲始作者，而且在《莊子》看來，正是馳離生之本然的性分，而流於人爲造作。

又〈馬蹄〉云：

吾意善治天下者不然。彼民有常性，織而衣，耕而食，是謂同德，一而不黨，命曰天放。……夫至德之世，同與禽獸居，族與萬物並，惡乎知君子小人哉！同乎無知，其德不離，同乎無欲，是謂素樸，素樸而民性得矣。及至聖人，蹩躠為仁，踶跂為義，而天下始疑矣，澶漫為樂，摘僻為禮，而天下始分矣。故純樸不殘，孰為犧尊！白玉不毀，孰為珪璋！道德不廢，安取仁義！性情不離，安用禮樂！五色不亂，孰為文采！五聲不亂，孰應六律！夫殘樸以為器，

工匠之罪也，毀道德以為仁義，聖人之過也。(註四七)

這兩段引文中，《莊子》則逐步展現其解消「過人化」理念的內涵。《莊子》以爲，至德之世，民有常性，人無「知」的定執與自限，人欲也未被變相挑引，故不離生命本然之道，人性素樸而已。若此，道德不廢，那裏須要標舉仁義；性情不離，那裏須要禮樂的輔助（疏云：禮以檢迹，樂以和心。情苟不散，安用和心！性苟不離，何務檢迹！）；五色不亂，那裏會衍生文采；五聲不亂，那裏還需要比應六律。此力斥「過人化」的不當。

〈胠篋〉又云：

故絕聖棄知，大盜乃止，擿玉毀珠，小盜不起，焚符破璽，而民朴鄙，掊斗折衡，而民不爭，殫殘天下之聖法，而民始可與論議。擢亂六律，鑠絕竽瑟，塞瞽曠之耳，而天下始人含其聰矣，滅文章，散五采，膠離朱之目，而天下始人含其明矣，毀絕鉤繩而棄規矩，攦工倕之指，而天下始人有其巧矣。故曰「大巧若拙」削。曾史之行，鉗楊墨之口，攘棄仁義，而天下之德始玄同矣。彼人含其明，則天下不鑠矣，人含其聰，則天下不累矣，人含其知，則天下不惑矣，人含其德，則天下不僻矣。(註四八)

此段引文，《莊子》陳述的重點在於解消「過人化」溢生的情境，而觀其義，多半承指老子《道德經》的思想。然這段話，《莊子》是圍繞「世俗之所謂知（至）者，有不爲大盜積者乎？所謂聖者，有不爲大盜守者乎？何以知其然邪？」(註四九)這一連串的提問展開的，是極論由「世俗之知」所開展的，無非「過人化」的扭曲與陷落，唯有人「含其明、聰、知、德」，則回復本性，不但「明、聰、知、德」不失，而且與大道通而爲一，則民自化。

(二)《莊子》凸顯美之主體性的修養進程

綜上所論，解消「過人化」扭曲情境的第二步，在於復歸於大道，復歸於生命之本然，故關鍵還是在於主體際的修養。而《莊子》的主體際修養與其美學觀又有何關連呢？以次將細解。

首先，《莊子》雖以道不依言辯，卻肯定道之「可傳可得」，如〈大宗師〉即明說：「夫道，有情有信，無爲無形，可傳而不可受，可得而不可見」(註五〇)，又如〈大宗師〉意而子勸請許由教示以道時，云：

> 夫無莊之失其美，據梁之失其力，黃帝之亡其知，皆在鑪捶之間耳。庸詎知夫造物者之不息我黥而補我劓，使我乘成以隨先生邪？(註五一)

《莊子》以爲，無莊聞道而自去美色，據梁聞道而守雌，黃帝聞道而遺知，此猶器物假鑪冶鍛造，而陳其用，故道之可傳，可修學以致之，甚明。道若可傳可得，則主體修養工夫也就具有意義了。

其次，《莊子》的主體際修養工夫以「修心」爲要，當爲較無諍議的觀點，而《莊子》中也舉出了許多如「至人」、「眞人」、「聖人」、「神人」等修養的典範，這些人格典範的提出，最主要還是寓敎於說，其目的在於明示修養的進路和精神歷程。筆者以爲，〈大宗師〉在描述「眞人」時，提出了《莊子》至爲重要的兩大修養原則，其一爲「天人不相勝」，另一爲「攖而後成」。

何謂「天人不相勝」，〈大宗師〉云：

> 古之真人，……以刑為體者，綽乎其殺也，以禮為翼者，所以行於世也，以知為時者，不得已於事也，以德為循者，言其與有足者至於丘也，而人真以為勤行者也。故其好之也一，其弗好之也一。其一也一，其不一也一。其一與天為徒，其不一與人為徒。天與人不相勝也，是之謂真人。(註五二)

眞人「以刑爲體，以禮爲翼，以知爲時，以德爲循」，在《莊子》看來，恰依陪同有腳的人，步行返歸他安居之所，其意不外喻「衆人一起反歸於『道』」，而衆人眞以爲眞人「勤行」！實則於「道」言，「好」與「不好」均爲一，無所分別，只是分解地說，與「道」爲一，是「與天爲徒」，與「道」不一，是「與人爲徒」，在「道」則爲一，故眞人要「天與人不相勝」。

考《莊子》前意，可以見出「天」卽「人」，「人」卽「天」的意思，而此中「不相勝」爲重點。「天與人不相勝」意指「天道」流行，萬物以生，「天道」卽在生物，物各付物，何由又要勝物，其次，「人道」卽在於體現「天道」，其所體現者又何能勝其初、勝其本源？所以，此《莊子》主體修養的第一原則，卽明示以「天道」(卽指「大道」或「道」，非別有一「天之道」)爲本，以及由「人道」以體現「天道」爲要。

何謂「攖而後成」？〈大宗師〉在描述得道歷程時，云：

其為物，無不將也，無不迎也，無不毀也，無不成也，其名為攖寧。攖寧也者，攖而後成者也。(註五三)

「攖而後成」即指「攖寧」，它含有兩層意思，一方面，「攖而後成」可以作爲「道」之「動」、「靜」兩面的描述，「攖」爲「道之動」，是「將、迎、成、毀」的道之流行，而「寧」指「道之靜」，是道本身的冥化，原本無事，庸人自擾之。另一方面，「攖而後成」也正可作爲人「體道歷程」的眞實寫照，它是由「一犯人形」(註五四)之後的紛雜擾攘，進而透過修養而回歸「道」之「玄冥」(註五五)，復現人之本然的沖和太平。

所以，此《莊子》主體修養的第二原則，即明示「大道」流行的「攖寧」特質，以及人體現「道」，「攖而後成」的歷程眞相。凡此，合一、二兩原則，主體修養的實質內涵定矣。順此二原則，《莊子》主體際的修養功夫可說明如次。

〈人間世〉曾載，顏回將之衞以救溺民，行前往見孔子，孔子明其志後云：

夫道不欲雜，雜則多，多則擾，擾則憂，憂而不救。古之至人，先存諸己而後存諸人。所存於己者未定，何暇至於暴人之所行。(註五六)

這一段提示極重要，可以說是《莊子》修養之道的方法性格總提挈。務道之要，首在純粹，若不能定於中，則不能奏功效，而且更重要的是，道必先能立於己，然後才能存諸人，此明示《莊子》所強調的主體修養進路。

接下來〈人間世〉記載了顏回請益於孔子的各種對答，顏回不得其要，便直問其方，孔子云：

齋，吾將語若！有心而為之，其易邪？易之者，皡天不宜。（註五七）

孔子的意思是說，有心不如無心，以「有爲」爲易，實大謬不然，同時孔子告之一種方法——齋！但顏回不明其意，期期然告訴孔子，因家貧，已數月未飲酒食肉了，可以算是「齋」嗎？於是孔子爲他分辨，而說「心齋」：

若一志，無聽之以耳，而聽之以心；無聽之以心，而聽之以氣！聽止於耳，心止於符。氣也者，虛而待物者也。唯道集虛。虛者，心齋也。（註五八）

「心齋」卽《莊子》所提出的主體際修養進路的第一步。要之，耳的功能止於聽，心的功能止於符驗，則仍有所待，唯有空虛心懷，道才會結集，所以「須用脫離情感牽累而能虛柔順物的『氣』，代替感官（之）『耳』以及具備知覺有所攀緣依附的『心』」。「唯道集虛」是先明道的特質，進而指出主體修養之道，首在虛心以應物，是謂「心齋」。

而有趣的是，〈大宗師〉則載有顏回與孔子的另一段對話，顏回以其「忘仁義，忘禮樂，坐忘」等爲道日損的體證告孔子，孔子不明「坐忘」何所指，而有「坐忘」之說：

顏回曰：「墮肢體，黜聰明，離形去知，同於大通，此之謂坐忘」。（註六〇）

「坐忘」是《莊子》主體修養的第二步。「坐」本來是指不刻意施爲，自適而然之意，「忘」則可以有兩個意思，一者指「棄絕」的意思，一者指「不執」的意思。從《莊子》的語脈來分析，則「

忘仁義、忘禮樂」等「忘」以「棄絕」義較說得通，但「棄絕」自己，則不通。順此，「坐」除了有前述之意，還有「維持原狀而無變化」的意思。如是，則「坐忘」卽指保持本我無所變化而不執，是主體擺脫了形體與心知的束縛，內不覺其身，外不知有天地，然後曠然與變化爲體而無不同。旣然主體的外在狀態未改變，此實卽爲「修心」之工夫，而重點卽在忘其「爲人」。

與類似理念相侔者，在〈大宗師〉中另有更詳細的載記。〈大宗師〉載南伯子葵（綦）問女偊「道可得學邪」，女偊稱他「非其人也」，繼而解釋云：

> 夫卜梁倚有聖人之才而無聖人之道，我有聖人之道而無聖人之才，吾欲以敎之，庶幾其果為聖人乎！不然，以聖人之道告聖人之才，亦易矣。吾猶守而告之，參日而後能外天下；已外天下矣，吾又守之，七日而後能外物；已外物矣，吾守之，九日而後能外生；已外生矣，而後能朝徹；朝徹，而後能見獨；見獨，而後無古今；無古今，而後能入於不死不生。其為物，無不將也，無不迎也，無不毀也，無不成也，其名為攖寧。（註六一）

這裏，《莊子》藉女偊之口，明白地列出了主體修養的進境，同時也指明了修養的次第。「外」是指遺忘的意思，這一修養進境，由「外天下」、「外物」、「外生」、「朝徹」、「見獨」、「無古今」、「不死不生」，而總名「攖寧」。粗略地說，「外天」、「外然」、「外生」，到「朝徹」是心齋的工夫，由集虛而呈顯一大清明，而「見獨」、「無古今」到「不死不生」則是坐忘的工夫。「見獨」是睹道之勝境，睹道則如前舉「旣聞道，無莊失美，據梁失力，黃帝亡知」，無所定執，無用其知而無所分別，入於「不死不生」，凡此攖而後成，名爲「攖寧」。

這一種主體修養的境界，〈大宗師〉中又稱之爲「縣解」：

予何惡！浸假而化予之左臂以為雞，予因以求時夜；浸假而化予之右臂以為彈，予因以求鴞炙；浸假而化予之尻之為輪，以神為馬，予因以乘之，豈更駕哉！且夫得者，時也；失者，順也；安時而處順，哀樂不能入也。此古之所謂縣解也，而不能自解者，物有結之。且夫物不勝天久矣，吾又何惡焉！（註六二）

「縣解」是《莊子》特就修養進境中與「化」有關的問題，再作一說明。「化爲雞、彈、輪」等當爲《莊子》的借喻，要點在於「時」與「順」。「時」與「順」都是「次序」的問題，「時」是大化流行的「次序」，「順」是人心隨大道轉化的次序，故有所「得」是造化（歸之於大化），有所「失」其實是人心自亂了次序，此之謂「得者，時也；失者，順也」。若能安於大化之「時」，更將人心之「順」處置妥當，則哀樂不能入。

是此，不論是大化流行，或大道轉化，只要能「安時處順」，則能解開一切束縛，尤其是隨自然生化的生死成毀，原本最能牽動人心的哀樂之情，這些也都在安然面對大化流行，與人心的自我調適中化解於無形，這一種體對，可以說是《莊子》主體修進境中的「化」之特質，或可稱之爲「化境」。

其次，前述「攖寧」的說法中值得注意的是，女偊檢別了「聖人之道」與「聖人之才」，而且強調「卜梁倚有聖人之才而無聖人之道」，他自己「有聖人之道而無聖人之才」，缺其一終非全美，若能合兩者，「庶幾其果為聖人乎」。

在《莊子》中「才」的內涵不只如女偊所示，〈德充符〉中曾載孔子答魯哀公問「惡人哀駘它」，以其必「才全而德不形者也」，(註六三)而揭明了另一層修養的意義。何謂「才全而德不形」？〈德充符〉載孔子所云：

死生存亡，窮達貧富，賢與不肖毀譽，飢渴寒暑，是事之變，命之行也，日夜相代乎前，而知不能規乎其始也。故不足以滑和，不可入於靈府。使之和豫，通而不失於兌，使日夜無郤而與物為春，是接而生時於心者也，是之謂才全。……平者，水停之盛也。其可以為法也，內保之而外不蕩也。德者，成和之脩也。德不形者，物不能離也。(註六四)

此處《莊子》以為，「德」應是對「心」而言，是致於平和的一種修養，含「德」而不外顯，則與物為一，無所造作分別，則萬物與之無所離。若是，「德不形」則是完成修養的主體進境，如何達成「德不形」呢？《莊子》是以提出了「才全」的修養工夫，此為《莊子》主體修養的第三步。

所謂世事之變，命運之行既不能測度或規撫，所以不使攪亂本然之和，為道者更不能使之介蒂於心，當置之度外，而使心靈和豫適悅，常保與萬物一體欣欣向榮的生命生生之躍動，如臨春日，如沐春風！若得斯境，當是何等快適啊！此之謂「才全」。《莊子》自此「與物為春」的「才全」觀，實已就道家的點，透通主體修養，充盡了人之所以爲人的特質，不但貞定了主體的體性，而且更明示經由冥合萬物的努力，而體現了道，致於天地大美之境。

〈三〉《莊子》天地之美的全幅開朗

主體修養的目的在於體現道，而體現道卽呈現「天地之美」，這是《莊子》與美學經營有關的核心思想。《莊子》如何證成此一觀點呢？筆者以爲，從《莊子》的「心齋」、「坐忘」、「攖寧」、「才全而德不形」，以至於「與物爲春」的主體修養，正是〈齊物論〉所謂的「物化」說，此「物化」理念，實爲解答前述提問的關鍵所在。

〈齊物論〉云：

> 昔者莊周夢為胡蝶也，自喻適志與！不知周也。俄然覺，則蘧蘧然周也。不知周之夢為胡蝶與，胡蝶之夢為周與？周與胡蝶，則必有分矣。此之謂物化。(註六五)

若從體現道的主體修養觀點析論，所謂「物化」有兩層意思，其一爲「由物化而與物同一無差別」，或「由物化而與物同化」。試問《莊子》爲什麼主張「墮肢體，黜聰明，離形去知，同於大通，此謂坐忘」？最主要卽在泯除物我之間形體、心知定執上的區別，「坐忘」正是忘其人之身，忘其生而爲人，而與物爲一。《莊子》的意思並非貶人爲物，而是徹底泯除人與物的差別，而《莊子》這一理念的基底在於〈大宗師〉孔子子告顏回孟孫氏臨喪不哀的道理時所云：

孟孫氏不知所以生，不知所以死，不知就先，不知就後，若化而為物，以待其不知之化已乎！且方將化，惡知不化哉？方將不化，惡知已化哉？……安排而去化，乃入於寥天一。(註六六)

「物化」並非以「物」爲準，而是以大道爲準，「物化」卽指「化而爲物，以待其不知之化」，此一理念，一方面說明「物化」卽「化而爲物」，另一方面則說明「物化」是「待其不知之化」，「待其不知」的「不知」，如〈大宗師〉所言，卽「天」卽「道」，所以「物化」正是爲了體現道，而「化而爲物」是方法、進路，「待其不知」才是目的。

但更重要的是，《莊子》所謂的「物化」是出於主體自覺的活動，是「安排而去化」！而且是以「入於寥天一」爲究竟！故此說明了「物化」的主體修養，是以大道爲歸趨，非以物爲歸趨。是以，筆者所言「由物化而與物同一無差別(同化)」，僅是指《莊子》「物化」的方法手段義而已，是此〈德充符〉云：

審乎無假而不與物遷，命物之化而守其宗也。

自其異者視之，肝膽楚越也；自其同者視之，萬物皆一也。夫若然者，且不知耳目之所宜，而遊心於德之和，……(註六七)

此明示「物化」非「遷於物」或與物同流，而是體據與物同一的大道，是以大道爲宗本。此亦如〈知北遊〉云：

古之人，外化而內不化；今之人，內化而外不化。與物化者，一不化者也。安化安不化，安與之相靡，必與之莫多。狶韋之囿，黃帝之圃，有虞氏之宮，湯武之室，君子之人，若儒墨者師，故以是非相齏也，而況今人乎！聖人處物不傷物，不傷物者，物亦不能傷也，唯無所傷者，為能與人相將迎。（註六八）

古之人，外與物順，但中心身所主斷，未至化境；今之人，中心爲物所遷、所役，而外又不能順物，此所謂：

物物者與物無際，而物有際者，所謂物際者也。（註六九）

本來物各付物，無所自限，必有所主斷，而後物際生矣，今人正陷此境。故前段引文，疏云：

狶韋之囿，黃帝之圃，有虞氏之宮，湯武之室，其中愈深，其外愈悶。……踵而為之飾事，將迎日紛，是非日淆，於是儒墨並興，各以其是非相和也，而相與學一先生之言，奉之為師，取其所謂是非者，將而非之，迎而拒之，是以謂之內化而外不化也。（註七〇）

古人猶外化而內不外，今人更下之。進於此，《莊子》則舉「與物化者，一不化者也」以示「物化」。聖人「物化」，同於大化而已，故云「一不化者也」。「一不化者也」的意思是指，此根本是大化，那有什麼內、外之化的分別，「物化」即大化自行，但就人而言則是體現道的功夫，或體道之後的境界，所以又強調「安化安不化，安與之相靡，必與之莫多」。

「物化」的第二層意思是「由物化而觀化」，此亦《莊子》提出〈逍遙遊〉、〈齊物論〉之本旨。何謂「由物化而觀化」，〈大宗師〉云：

陰陽於人，不翅於父母，彼近吾死而我不聽，我則悍矣，彼何罪焉！夫大塊載我以形，勞我以生，佚我以老，息我以死。故善吾生者，乃所以善吾死也。今之大冶鑄金，金踴躍曰「我且必為鏌邪」，大冶必以為不祥之金。今一犯人之形，而曰「人耳人耳」，夫造化者必以為不祥之人。今一以天地為大爐，以造化為大冶，惡乎往而不可哉！（註七一）

「以天地爲大爐，以造化爲大冶」的理念，正是「物化」的根本依據。要之，人與物均爲造化者所爲，是均爲其所創造，唯有「物化」，才能呈顯此本然之眞實，若一人意凸顯自己爲「不同之物」，則喪此造化之實情。其次，唯有「物化」才能呈顯人與物俱爲所造，均爲「天地之美」，而「原天地之美以達萬物之理」的深刻涵意，於此才全然明朗。

原來所謂「原天地之美」，意指「還原天地之美」，只要能「還原天地之美」，就能「達萬物之理」——明朗暢達萬物原本之文理豐盛。在《莊子》看來，「天地之美」中原卽滿含「萬物之理」；「萬物之理」依《莊子》的思想脈絡，應解爲「萬物之美文」，而此一「萬物之美文」卽透過「物化」而全幅朗現！所以「物化」實際上也是「由物化而觀化」，是人經由「物化」而得以轉化人間，以致物物各遂其適，各正其位，而一體展現大化之本然美境。

其次，還要說明何以「人與物均爲造化者所創，就能皆視之爲『天地之美』」。要之，「以天地爲大爐，以造化爲大冶」，也可以說凸顯了道的擬人化工匠性格或藝術化的技藝屬性，若人與物俱爲「造化者所造」，則「物化」正是回歸或顯示了這一事實。如是，以「均爲受造」的觀點觀之，萬物皆一，無有差別；而且也可稟天性，各遂其適，如此，則大道流行，一無滅裂，暢然無阻，是以見天地之全與眞，此爲「天地之美」矣！

明乎此，《莊子》的「物化」實際上是指，全其大道一體流行之後（或說「並時」），則「天地之美」即全幅朗現，「物化」是以「道」爲宗本，復還大道的全體流行，而不「以人助天」，更不「以人滅天」。簡要地說，「何以視人與物均爲造化者所創，就能皆歸之爲『天地之美』」這一提問，實與詢問「『物化』之後又如何」相侔。

如何解答這一提問，正是揭開《莊子》美學思想中心本旨的關鍵所在。面對這一問題，《莊子》中曾就「藝術」活動，挑明「由技進於道」的創發，而提示其朗現「天地之美」的解答線索。〈天地〉云：

通天地者德也，行於萬物者道也，上治人者事也，能有所藝者技也。技兼於事，事兼於義，義兼於德，德兼於道，道兼於天。（註七二）

「能有所藝者技也」一語，實肯定了藝術的「技藝屬性」。要之，通常藝術品是由製作者的技藝所例示的。假如藝術家不透過技藝而展現作品，則不可能有任何藝術品產生，故技藝應爲藝術的緣起屬性之一，而且似乎是本質性的。《莊子》提示由「技」而歸於「道」，正是要人不離宗本。

其次，如〈養生主〉載庖丁解牛之事，云：

庖丁為文惠君解牛，手之所觸，肩之所倚，足之所履，膝之所踦，砉然嚮然，奏刀騞然，莫不中音。合於〈桑林〉之舞，乃中〈經首〉之會。文惠君曰：「譆，善哉！技蓋至此乎？」庖丁釋刀對曰：「臣之所好者道也，進乎技矣。……方今之時，臣以神遇而不以目視，官知止而神欲行，依乎天理，……提刀而立，為之四顧，為之躊躇滿志，善刀而藏之。」(註七三)

庖丁所云「臣之所好者道也，進乎技矣」，正說明了「道」爲宗本的道理，而由庖丁自述數十年的解牛經歷，和他的自剖來看，庖丁所示，也正是「由技進於道」的進程，然則進於道之後又如何？庖丁云「提刀而立，爲之四顧，爲之躊躇滿志」。「提刀而立」則庖丁仍爲庖丁，「爲之四顧」則由庖丁加入了庖丁之外的一切，以見「天地之全」，由是而「爲之躊躇滿志」，這是庖丁「所好者道也」的具體表現，是物各適其適，「天地之美」朗現的滿足。

再次，《莊子》也由「道」的觀點，說明前述提問，此如〈田子方〉載孔子見老聃新沐，看上去不像人！遂問之，老聃答云：

吾遊心於物之初。……

夫得是，至美至樂也，得至美而遊乎至樂，謂之至人。(註七四)

「遊心於物之初」即「得至美而遊乎至樂」，於是孔子請問「至美至樂」之道，老聃答云：

……行小變而不失其大常也，喜怒哀樂不入於胸次。夫天下也者，萬物之所一也。得其所一而同焉，則四支百體將為塵垢，而死生終始將為晝夜而莫之能滑，而況得喪禍福之所介乎！棄隸者若棄泥塗，知身貴於隸也，貴在於我而不失變。世萬化而未始有極也，夫孰足以患！已為道

者解乎此！(註七五)

「已爲道者解乎此」，明示已解除了「人之所患」，而且也說明了「遊心於物之初」爲得道之境界，而此境界「至美至樂」。所謂「至樂」就是逍遙，能自適其心而自暢其志，不以生死貧富貴賤榮辱干介胸次，順應自然與物爲一，而得至樂，此爲「遊心於物之初」的分解說。

若是，以歸其原，試問「遊心於物之初」何以是「至美至樂」之道？原來「遊心於物之初」的本意即指「物化」的實境，是遊於物我冥合爲一的本來境界，而其本源是「天地之大美」！是此，能「物化」即「遊心於物之初」，即還原「天地之大美」，無怪乎《莊子》喻之爲「至美至樂」了。

在《莊子》中，「物化」還有另一層意思，如〈天道〉所云：

䪠萬物而不為戾，澤及萬世而不為仁，長上古而不為壽，覆載天地，刻彫衆形而不為巧，此之謂天樂。故曰：「知天樂者，其生也天行，其死也物化……。」(註七六)

相同的話，也見於〈刻意〉：

聖人之生也天行，其死也物化；靜而與陰同德，動而與陽同波；……。去知與故，循天之理。……其生若浮，其死若休。不思慮，不豫謀。光矣而不燿，信矣而不期。其寢不夢，其覺無憂，其神純粹，其魂不罷。虛無恬　，乃合天德。(註七七)

這兩段引文明白指出，「聖人其生也天行」，聖人的生命無不合於大化之流行；「其死也物化」，則明指「物化」針對死亡而言，是指死亡後將同化於物。

「但若比照〈刻意〉所云「其生若浮，其死若休」，則引文所云「物化」，固指「死亡後與物同化」，但重點在「休」。而「休」的內涵卽「去知與故，循天之理」、「不思慮，不豫謀」，若能達於「休」的境界，則「光矣而不燿，信矣而不期。其寢不夢，其覺無憂；其神純粹，其魂不罷。虛無恬惔，乃合天德」。

據此，筆者以爲，〈天道〉與〈刻意〉篇所云「物化」，討論「死亡」只是其側面之一，《莊子》最主要的目的還是在由「死」喻「休」，進而由「休」言「合於天德」！這一內涵也正可以作爲主體修養的反省資藉，並不與前述兩層「物化」的意義相悖。當然，《莊子》就「死亡」與「物化」關係的討論也十分重要，這方面的衍申，對後來美學思想的探論影響深遠，尤其對後世神仙思想的開展有所助引。

「物化」之後又如何呢？已解如上文，而最足具其精神者，當如〈應帝王〉所載天根與無名二人的對答。某次，天根問無名「爲天下」之術，無名云：

> 去！汝鄙人也，何問之不豫也！予方將與造物者爲人，厭，則又乘夫莽眇之鳥，以出六極之外，而遊無何有之鄉，以處壙埌之野。汝又何帛以治天下感予之心爲？（註七八）

天根云「予方將與造物者爲人」，其中，「人」是指「身爲造物者所造的人」，而「予方將與」語，含有「好不容易可以參讚天地」的意思，換言之，「予方將與造物者爲人」，是表明「我『與天爲徒』（註七九），已達於『物化』，已經可以作爲『與物同化，而可以觀於化』（此誠《莊子》所謂「

至人無爲，大聖不作，觀於天地」）的那一種人了」！接下來，天根表示「這是多麼滿足」啊！進而還可出六合之外，神遊廣大無壞的「無何有之鄉」，此亦如〈逍遙遊〉所云：

今子有大樹，患其無用，何不樹之於無何有之鄉，廣莫之野，彷徨乎無為其側，逍遙乎寢臥其下。（註八〇）

凡此所述，皆以得道之後而遊心於道爲主。能遊心於道，則萬物各適其適，任何事物均不爲拘束，是達於無限自由之境，任運自在，物各逍遙，而此境不可名，但呼之「無何有之鄉」，而正因爲是「『無有何』之鄉」，反過來說，也批露了《莊子》對人間的期許！

由是觀之，《莊子》所謂的美，並非自人爲造作中抽象概括所得的「主觀之美」，而是在大道流行之中，體現天地萬物本來具足的「本然之美」，故以「大美」稱之。只是「過人化」的人爲造作，使此一「本然之美」黯而不顯，人在爭奪擾攘之中，無從體現此一「天地之大美」！所以，《莊子》要人通過主體修養，使此「天地本然之美」，得以重現人間。

結　語

由前述老莊美學思想的析論，可以了解老莊的美學經營包括了「過人化」情境的解消，以及美之主體性凸顯的修養進路，但基本上，老莊及道家人物所關懷的是「道」的一體呈現，故重視人如何回歸「道」，也因此，道家人物是就「道」的普遍流行講「美」，此《莊子》「原天地之美」說的後續發展。在這裏，「美」與人爲造作（甚至包括藝術活）俱無涉，故《莊子》論及藝術活動時，也以「由技進於道」爲根本訴求，所以，老莊的美學經營並未提出任何「藝術理論」，反是循其對「形而上之道」的關懷，自體現道的進程，爲來者開顯了人間之「美」的根源底據。筆者以爲，這也就是老莊美學經營對後世最主要的積極貢獻。

【附　註】

註　一　何晏集解・邢昺疏，《十三經注疏・論語注疏・卷一五》，七版，藝文印書館，臺北，民國六八年三月，頁一四〇。

註　二　參見王弼注，嚴幾道評點，《老子道德經》，初版，廣文書局，臺北，民國五〇年二月，頁六。以下所引《老子道德經》原文，俱參見本書，僅於文末註明篇章，不再另加附註。

註　三　依據王邦雄先生論「老子成書時代」，以老子的思想當定在孔墨之後，莊子之前，而《道德經》成書時代當在「戰國」，參見王邦雄，《老子的哲學》，初版，東大圖書公司，民國六十九年九月，頁四三；五二。

註　四　同註二，頁二八。

註　五　參見葉朗，《中國美學史大綱》，初版，滄浪出版社，臺北，民國七十五年九月，頁三一四。

註　六　參見曾祖蔭，《中國古代文藝美學範疇》，初版，文津出版社，臺北，民國七十六年八月，頁一一三。

註　七　參見朱建民等編，《理則學》，初版，國立空中大學，臺北，民國七十九年一月，頁四九。

註　八　參見姚一葦，《美的範疇論》，三版，臺灣開明書局，臺北，民國七十四年三月，頁一一。

註　九　參見Sealey, J., RELIGIOUS EDUCATION: PHILOSOPHICAL PERSPECTIVES, London George Aooen & Unwin Ltd., 1985.

註一〇　同前註，ibid., p.p.8-9.

註一一　同前註，ibid, p.p. 16-19.

註一二　其實藉用 Sealey「知識形式」說，仍然有許多困難待決，譬如「『美』是否能形成一種知識」等等問題，都先待解決。

註一三　同前註，頁一九。

註一四　詳細解釋，請參閱王邦雄，《老子的哲學》，頁一〇七。

註一五　筆者較熟悉的論著有徐復觀先生的＜中國藝術精神主體之呈現——莊子的再發現＞，參見徐復觀，《中國藝術精神》，六版，臺灣學生書局，臺北，民國六十八年九月，頁四五—一三六。另如顏崑陽，《莊子藝術精神析論》，初版，華正書局，臺北，民國七十四年七月。

註一六　郭慶藩，《莊子集釋・卷一〇下》，臺一版，河洛圖書出版社，臺北，民國六十三年三月，頁一〇九八—一〇九九。

註一七　同樣的話也出現在《莊子》之中，請參閱同前註，《莊子集釋・卷七下》，頁七三一。

註一八　同註八，《莊子集釋・卷三上》，頁二八四。

註一九　同註八，《莊子集釋・卷一上》，頁三一。

註二〇　同註八，《子莊集釋・卷一下》，頁五一。

註二一　同註八，《莊子集釋・卷三上》，頁二二五。

註二二　同前註，頁二二六。

註二三　同註八，《莊子集釋・卷六上》，頁五四八。

註二四　同註八，《莊子集釋・卷一〇下》，頁一〇六九。

註二五　同註八，《莊子集釋・卷五中》，頁四七五－四七八。

註二六　參見王邦雄，《儒道之間》，三版，漢光文化事業股份有限公司，臺北，民國七十五年八月，頁一二。

註二七　同註八，《莊子集釋・卷七下》，頁七三四。

註二八　同註八，《莊子集釋・卷五上》，頁四二四。

註二九　同註八，《莊子集釋・卷七下》，頁七三三。

註三〇　同註八，《莊子集釋・卷六上》，頁五四六。

註三一　同註八，《莊子集釋・卷一下》，頁八三。

註三二　同前註，頁七〇；一〇八。

註三三　同註七，徐復觀，《中國藝術精神》，頁四八－四九。

註三四　同註八，《莊子集釋・卷六下》，頁五九〇－五九一。

註三五　同註八，《莊子集釋・卷二下》，頁二〇四。

註三六　同前註，頁二〇五。
註三七　同註八，《莊子集釋・卷三上》，頁二二四。
註三八　有關《莊子》這部分的理念，請參閱王邦雄，《中國哲學論集》，再版，臺灣學生書局，臺北，民國七十五年二月，頁二一九—二二二。
註三九　同註八，《莊子集釋・卷五中》，頁四八一—八四八九。
註四〇　同前註，頁四九〇—四九一。
註四一　同註八，《莊子集釋・卷八上》，頁七七九。
註四二　同前註，頁七八九。
註四三　同前註，頁七九二。
註四四　同前註，頁八一三；八一五。
註四五　參見王煜，《老莊思想論集》，初版，聯經出版公司，臺北，民國七十五年元月（三刷），頁三二四。
註四六　同註八，《莊子集釋・卷四上》，頁三一四。
註四七　同註八，《莊子集釋・卷四中》，頁三三四；三三六。
註四八　同前註，頁三五三。
註四九　同前註，頁三四三。
註五〇　同註八，《莊子集釋・卷三上》，頁二四六。
註五一　同前註，頁二八〇。

註五二　同註八，《莊子集釋・卷三上》，頁二三四—二三五。
註五三　同前註，頁二五二—二五三。
註五四　同前註，頁二六二。
註五五　同前註，頁二五六。
註五六　同註八，《莊子集釋・卷二中》，頁一三四。
註五七　同前註，頁一四六。
註五八　同前註，頁一四七。
註五九　同註三七，頁三三〇。
註六〇　同註八，《莊子集釋・卷三上》，頁二八四。
註六一　同註八，《莊子集釋・卷三上》，頁二五二。
註六二　同註八，《莊子集釋・卷三上》，頁二六〇。
註六三　同註八，《莊子集釋・卷二下》，頁二一〇。
註六四　同前註，頁二一二；二一四—二一五。
註六五　同註八，《莊子集釋・卷一下》，頁一一二。
註六六　同註五四，頁二七四—二七五。
註六七　同註五五，頁一八九；一九〇—一九一。
註六八　同註八，《莊子集釋・卷七下》，頁七六五。

註六九　同前註，頁七五二。
註七〇　同前註，頁七六五—七六六。
註七一　同註五八，頁二四二；二六二。
註七二　同註八，《莊子集釋‧卷五上》，頁四〇四。
註七三　同註八，《莊子集釋‧卷二上》，頁一一七—一一九。
註七四　同註六〇，頁七一二；七一四。
註七五　同前註，頁七一四。
註七六　同註八，《莊子集釋‧卷五中》，頁四六二。
註七七　同註八，《莊子集釋‧卷六上》，頁五三九。
註七八　同註八《莊子集釋‧卷三下》，頁二九三。
註七九　同註八，《莊子集釋‧卷二中》，頁一四三。
註八〇　同註八，《莊子集釋‧卷一上》，頁四〇。

老子的美學思想

高輝陽

一、「老子」的成書年代

關於老子其人及「老子」一書的成書年代，長期以來引起反覆爭論。傳統的說法是，老子係與孔子同時而略早於孔子之人物，「老子」書卽老子所作。「史記」老子傳中說，老子就是老聃，是「老子」一書的作者，而且孔子曾經向他請教過周禮（註一）。可見老子是早於孔子的哲學家。

然而，對於這一說法，後人却表懷疑，特別是到了近代，老子其人及「老子」其書的年代問題，引起絕大之爭議。相關之文章，簡直多如牛毛，有人認「老子」書在孔子之後，莊子之前；也有人認爲在莊子之後；更有人認爲是出自漢初之人的手筆。例如：崔東璧、汪中、梁啓超等人認爲「老子」的成書年代在戰國之時（註二），馮友蘭認爲「老子」一書的著作年代在墨子、孟子之後（註三），莊子之前。羅根澤認爲，「老子」書的作者卽戰國時的太史儋，其成書亦在孔、墨之後（註四），而顧頡剛、錢穆、楊榮國等人則認爲「老子」成書於「莊子」之後（註五）。張蔭麟且認爲不僅成書於孟子之後，更在「淮南子」之後（註六）。

在這一場大規模學術論辯中，許多著名學者發表論文，參加討論究難之行列。照理這一公案理應愈辯愈明。如馮友蘭認爲「老子」書的作者在孟子之後，莊子之前，此一說法卽有人指陳其謬誤。蓋孟、莊乃同時之人，「老子」書之作者怎會在孟子之後，莊子之前？此說顯然令人難以信服。然而這一場大規模學術論爭，對於老子身世之謎及「老子」書的成書年代，仍然未能獲得解決。此問題之不易澄清，追根究底，主要是史記老子傳這一原始資料本身，對老子身世就寫得「迷離恍惚」，不惟充滿神秘，前後矛盾，而且甚多存疑，令人摸不著頭緒。

由於這場翻案，當時許多中國哲學史的書籍，都將「老子」書的成書年代，放在孔墨之後，莊子之前；業已成爲普遍流行的看法。然而這一翻案，隨著近幾年田野考古的新發現及有關專家的不斷探究，又有人加以推翻。將老子其人其書的斷代，回歸到傳統的看法。關於此一問題的討論，牽連極廣，至爲複雜，因非本文主題，故不贅述，玆謹將這一「翻案之翻案」其所持理由，略述於左。至於此一大辯難之梗概，除「古史辨」所載者外，可參閱張岱年「中國哲學史史料學」第二章第四節；郭沫若「青銅時代」一書中「先秦天道觀之進展」、「老聃、關尹、環淵」等文。任繼愈主編「中國哲學史」第一册第四章及附錄一；詹劍峯「老子其人其書及其道論」；任繼愈主編「中國哲學發展史（先秦）」中「老子的哲學思想」等資料，

一九七三年十二月，長沙馬王堆第三號漢墓（卽軑侯利蒼之子的墳墓）出土了一批具有重要歷史價値的古代帛書。其中有「老子」帛書兩種。甲本字體在篆隸之間，不避漢高帝劉邦諱，是劉邦稱帝

前的抄本。乙種本僅避劉邦名諱，不避文帝劉恒名諱，是文帝卽位前的抄本。(註七) 這是「老子」一書在漢朝之前卽已流傳的鐵證。據此可以相信，唐初傅奕謂其考訂「老子」時所根據之古本，是北齊武平五年彭城人開項羽妾冢所得的「項羽妾本」，這個說法是眞實的。亦卽「老子」一書在秦以前就已流傳。這就推翻了顧頡剛、張蔭麟等人的觀點。

其次，「韓非子」中有「解老」篇、「喩老」篇。「呂氏春秋」也大量援引老子語，並明確指出「孔子學於老聃」。可見「老子」一書在「韓非子」、「呂氏春秋」之前早已流傳。並且證明老子與孔子同時，老子就是老聃。這就推翻了梁啓超等人所謂「老子」成書於戰國末期的說法。

第三，「莊子」書中大量援引老子之語，而「戰國策」（「魏策一」、「齊策四」）又記載齊宣王時顏觸曾援引老子的話，可見「老子」一書在莊子之前卽已流行。這就推翻了梁啓超、楊榮國等人所謂「老子」書成於孟、莊之後的說法。

第四，「太平御覽」所載「墨子」佚文中，墨子曾援引老子語，可見「老子」書在墨子之前，卽在春秋末期就已存在。這就否定了梁啓超所謂「老子」成書於墨子之後的論點。

第五，錢穆、羅根澤等人因「老子」書有「不尙賢」的說法，而判定「老子」書只能成於孔、墨之後。因爲必有一種學說產生之後，才會有反對此種學說之理論。尙賢說起自孔子，墨子繼承並大力提倡。「老子」一書旣反對尙賢，就不可能在孔、墨之前(註八)。然而，「老子」所說「不尙賢，使民不爭」的「不尙賢」，乃「不自矜己之賢能」，和墨子的「尙賢」毫不相干。

第六，羅根澤因爲「老子」書有「夫禮者，忠信之薄，而亂之首」這樣的文句，而判定「老子」書只能成於孔子之後。理由是：「倡禮是正，反禮是反；正先於反，不能反先於正」。（註九）然早在周初，周公就已制禮作樂。五六百年後之孔子只是因爲「禮壞樂崩」而再加提倡而已。故「倡禮」之「正」，早在公元前十一世紀周公之世卽已存在。五六百年之後，比孔子略早的老子自然可能出現「反禮」之「反」。

第七，「老子」一書縱或雜有戰國時代用語，然此乃「老子」成書之後，在抄傳過程中受到竄改與加工所致。許多先秦書籍在流傳過程中皆有此種情況。就如「身份」甚少受到懷疑的「論語」、「荀子」、「韓非子」中也都夾雜著漢儒所增補的材料。故不能據此判定「老子」成書於戰國。（註一〇）

因此，老子及「老子」書應早於孔子，老子是中國最早的哲學家、思想家。

二、老子哲學思想述要

老子的美學思想與其哲學思想息息相關。故未闡明其美學思想之前，有將其哲學思想略加敍述之必要。老子哲學，表面上是從宇宙論延伸到人生論、政治論；但其思想的形成，實際上是先有人生論、政治論，最後才有宇宙論。他的宇宙論，實在是爲了解決人生問題、政治問題而建立的。綜觀「老子」一書的主要內容，多在談論立身處事之道及治政的方術；而且，其宇宙論亦多被引用爲人生論、政治論的根據，其理彰彰明甚。然而，無可否認的，它的宇宙論是其整個哲學的基礎，了解其宇

宙論，也就把握了它的全部哲學的內涵。(註一一)

老子的整個哲學，全在一個「道」字。「道」是老子哲學路線的出發點，同時也是它的終極點；是它的基石，也是它的核心。老子對於「道」的反覆變化的種種論證，構成了老子的整個宇宙觀。這個宇宙觀，在「老子」第一章，卽開宗明義地作了概括性的表述：

> 道可道，非常道；名可名，非常名。無，名天地之始；有，名萬物之母。故常無，欲以觀其妙；常有，欲以觀其徼。此兩者，同出而異名，同謂之玄，玄之又玄，衆妙之門。

此引第一章的內容，實是老子整個宇宙觀的蓋括，因爲它包含了老子宇宙觀最基本、最重要的論點，「老子」第一章以後的論述，大都是環繞這個核心進行的。老子哲學，簡而言之，大致可分爲下列幾個項目來加敍述：

(一) 老子認爲天地萬物卽自然界是由「道」派生出來的。「老子」第四十二章有云：「道生一，一生二，二生三，三生萬物。」此語可爲明證。

(二) 老子認爲「道」就是「虛無」(註一二)，因此天地萬物卽自然界是從「無」中派生出來的，「老子」第四章云：

> 道冲而用之，或不盈，淵兮似萬物之宗。

「老子」第一章云：

> 無，名天地之始；有，名萬物之母。

「老子」第四十章云：

天地萬物生於有，有生於無。

案：「道沖……」的「沖」卽盅，「說文，水部，沖」之段注云：「凡用沖虛字者，皆盅之假借。老子曰：『道盅而用之。』今本作沖是也。」，「說文，皿部」云：「盅，器虛也。……老子曰：『道盅而用之』」。由此可見，老子所謂的「道」，就是「虛」。「道」既然是萬物之宗，而「無」也是萬物之始；「有」固是萬物之母，而「有生於無」，因此，「道」卽「虛無」。簡而言之，「道」卽「無」。

(三) 老子認爲「道」派生天地萬物卽自然界，但「反者道之動。」（四十章）卽「道」的運行是反覆循環的。因而，天地萬物生於「道」，而又復歸於「道」。「道」既然是「無」，而天地萬物爲「有」，那麼「道」的運行的全部過程就是「無——有——無」的循環往復，以至於無窮。

(四) 既然老子認爲自然界是「道」派生出來的，而「反者道之動」卽「復」是「無——有——無」的循環；因此，老子說：「孔德之容，惟道是從。」（二十一章）在老子看來，既然「道」卽「虛無」，「道之動」始於「無」而復歸於「無」，「無」是一切的根據和基礎，那麼人的行爲、言論等等卽所謂的「德」也應如此。因此，「孔德之容，惟道是從」，就成爲老子自己和教人的座右銘，成爲老子所謂「無爲而治」、「少私寡欲」等人生哲學的理論基礎。

(五) 老子所以說「孔德之容，惟道是從」，是因爲這個「虛無」的「道」具有無比巨大的威力，它派生一切，同時主宰一切。人如果違「道」而行，必遭災禍或失敗，這就是老子所說的「不知常，妄作——凶。」人如果從「道」而行，即「處無爲之事」，就能「功成事遂」。由於「道之動」是復歸於「無」的，因此，人如果在「功成事遂」之後而不「退」，那就是違「道」而行，亦必定是「凶」。故老子說：「功遂身退，天之道。」（九章）

(六) 老子認爲「道」派生自然界和主宰自然界的威力，在於它是「無」；被派生的和被主宰的自然界萬物是可以被消滅的，而且是會自行消滅的，因爲它是「有」，必然復歸於「無」。但「道」本身是無論如何也毀滅不了的，因爲它是「無」。因此，老子認爲「道」是不依賴於天地萬物等自然界而獨立存在的東西，是永恒的、絕對的，「老子」第四章云：

道冲，而用之或不盈，淵兮似萬物之宗，挫其銳，解其紛，和其光，同其塵，湛兮似或存。吾不知誰之子，象帝之先。

此說明了由於「淵兮似萬物之宗」的「道」即「虛無」，不論如何的「挫」它、「解」它、「和」它……，它仍然是「湛兮似或存」，仍然獨立不改地存在著。因它存在於天地萬物之先，因它是自然界「之始」、「之母」、「之宗」，它本身沒有父母或祖宗，它是超天帝之先而存在的。

(七) 老子認爲「道」本身是不可能認識的，但「道之動」及「反」或「復」，「無——有——無」的週行過程是可以觀察的。這就是說，「無」即「道」不可認識，而「無」所派生的「有」是可認識的；但也只能觀其「復」。故老子說：「萬物並作，吾以觀復。」由於「道」是一個恍恍惚惚的虛無的存在，所以它是「繩繩不可名」的，人的感覺器官對於它是無能爲力的。人所認識的，最多只能是「道之華」，而不是它的「根」；只能認識其派生物，而不能認識其本身；只能認識其現象，而不能認識其本質，但在老子看來，認識「華」（「有」或現象）不但無用，反而是愚昧的開始。「老子」一書，開宗明義卽加指出：「道可道，非常道；名可名，非常名。」「常道」卽「道」，就是根本的「道」，本來的「道」，是「繩繩不可名」的。而「非常道」卽不是根本的「道」、本來的「道」，這是可道可名的。正因如此，老子就竭力否定人的感官認識的作用和意義。如「老子」第十二章云：

五色令人目盲；五音令人耳聾；五味令人口爽；馳騁田獵令人心發狂；難得之貨，令人行妨。

第二十章云：

絕學無憂。唯之與阿，相去幾何？

第四十五章云：

大巧若拙，大辯若訥。

第四十六章云：

知者不言，言者不知。

諸如此類的說法，都可以說明老子認爲人的耳、目、口等的感官認識活動以及「學」、「馳騁田獵」、「言」（說話）、「巧」等實踐活動都只能是識「道之華而愚之始」，以致於「不知常，妄作——凶」。正因如此，老子在認識論上也就必然導向反智主義的理論。「老子」第十六章說：「知常曰明，不知常，妄作——凶。」那麼怎樣才能「知常」而「明」呢？他認爲要在「致虛靜，守靜篤」，「萬物並作，吾以觀復」（十六章）中獲得「知常」而「明」。「明」就是明「道」。他斷言：

不出戶，知天下。不闚牖，見天道。其出彌遠，其知彌少，是以聖人不行而知，不見而名，無為而成。（四十七章）

是以聖人之治，虛其心，實其腹，弱其志，強其骨。常使民無知無欲，使夫智者不敢為也。為無為，則無不治。（第三章）

絕聖棄智，民利百倍。（十九章）

其政悶悶，其民淳淳；其政察察，其民缺缺。（五十八章）

「古之善為道者，非以明民，將以愚之。民之難治，以其智多，故以智治國，國之賊；不以智治國，國之福。知此兩者亦楷式，常知楷式，是謂玄德。（六十五章）

由此可見，老子否定人類感官活動的認識作用，要人們在「虛靜」中「明」「道」，並認爲「民之難治，以其智多」，因而主張「絕聖棄智」的愚民政策。（註一三）

(八) 老子不但認爲「道」是宇宙萬物之母、之始，是超天帝之先而存在，甚至認爲沒有道，也就沒有神。「道」不但是宇宙萬物所效法遵循的對象，也是神所效法的對象。故「老子」第三十九章說：

> 昔之得一者，天得一以清，地得一以寧，神得一以靈，谷得一以盈，萬物得一以生，侯王得一以為天下貞。其致之。天無以清將恐裂，地無以寧將恐發，神無以靈將恐歇，谷無以盈將恐竭，萬物無以生將恐滅，侯王無以貴高將恐蹶。

此所謂「一」即「道」。沒有「道」便沒有一切，甚至沒有天地、萬物與神。所以天地萬物甚至神盡將效法於道。但「道」又效法什麼呢？「老子」二十五章云：

> 人法地，地法天，天法道，道法自然。

前已述及，老子認爲「道」是絕對的存在，因此「道」自身無所效法，其效法之對象即其自體，故曰：「道法自然。」(註一四)此之「自然」，非宇宙萬物自然界之「自然」，而是事物的「本然」，即「自然而然」之自然。「老子」第十七章云：「功成事遂，百姓皆謂：我自然。」第十四章云：「復衆人之所過，以輔萬物之自然。」均是此意。

(九) 老子認爲「道」的運動既是循環不已，宇宙萬物自然也就反復不休。前面所述，「道」的運動，除了循環反復之外，還向相反的方向運動發展。換言之：「反者道之動」的「反」，除了循環反復之意外，還有相反對立的意思。「老子」第二章云：

> 有無相生，難易相成，長短相較，高下相傾，前後相隨，聲音相和。

這說明了宇宙間的事物，有正的一面，就有反的一面。並且此正反兩面，不是固定不移的，而是隨時變化的。故「老子」五十八章云：

禍兮福之所倚，福兮禍之所伏。……正復為奇，善復為妖。

既然正反互變，禍福無常，那麼人應該如何自處呢？於此老子另外又提出一個「道」的法則，那就是「老子」四十章所云的：

弱者道之用。

蓋老子認為正反固然互變，禍福固然無常；但在此種變化無常的情況中，却有一種永恒不變的法則，那就是一切強大的都要被淘汰，被摧毀。「老子」三十章云：

物壯則老。

四十二章云：

強梁者不得其死。

七十六章云：

堅強者死。

又如「莊子，天下篇」亦云：

堅者毀矣，銳者挫矣。

反之，那些柔弱的，反而能留存，能出頭。「老子」二十二章云：

曲則全，枉則直；窪則盈，敝則新，少則得，多則惑。

三十六章云：

柔弱勝剛強。

七十六章云：

柔弱者生之徒。

所以老子教人處弱守柔，因爲「守柔曰强」（五十二章）、「柔弱勝剛强」。守柔之所以能强，因爲「道」是以柔爲用的關係。守柔就是遵守「道」，所以能强。不過，「弱者道之用」的「弱」字，柔弱只是其狹義，它的廣義應該包括虛、靜、卑、下、曲、枉、窪、敝、少、雌、牝、賤、損、嗇、復、退等所有反面字的意思。而這些字是「老子」全書的骨幹。所以「弱者道之用」一語，可以說是老子人生哲學的基礎。（註一五）

綜合上述，我們可以發現老子哲學具有如下幾個特點：

㈠老子在他的「道」即「虛無」的基礎上建立唯心主義的宇宙觀。
㈡老子在他的「道」即「虛無」的基礎上建立反智主義的認識論。
㈢老子在他的「道」即「虛無」的基礎上建立虛無主義的人生觀。
㈣老子在他的「道」即「虛無」的基礎上建立愚民主義的政治論。（註一六）

三、老子的美學思想

甲、老子論「美」「惡」（醜）

老子對於「美」的看法究竟如何，這在「老子」書中沒有明確的說明，更沒有將之作爲審美的範疇加以專門性地討論。但「老子」一書中，曾使用「美」這個字，這反映了老子對於「美」的看法。「老子」書中使用「美」這一概念，可以作爲美學思想問題來探討的，有以下兩種情況：

㈠「美」與「善」幾乎同義。如「老子」六十二章有云：

> 美言可以市尊，美行可以加人。

此所謂「美」，嚴格言之，乃屬道德範疇，即所謂之「善」。但它與審美範疇的「美」也有一定的關係，因爲「美」與「善」是密切相關的。

㈡「美」與「善」是有區別的。如「老子」第二章云：

> 天下皆知美之為美，斯惡已，皆知善之為善，斯不善已。

第八十章云：

> 小國寡民……甘其食，美其服，安其居，樂其俗，鄰國相望，鷄犬之聲相聞，民至老死，不相往來。

在前句所引第二章句中值得注意的是，「美」與「善」被當做兩個不同的概念而同時出現。此所謂「美」，乃「醜」之反對，與第一條所擧和「善」同義之「美」，顯然不同。而後一句所引第八十章句中，我們亦可確定，其所謂之「美」，乃指外觀之好，係屬審美範疇之「美」。這種情況，說明了：㈠老子和先秦諸子一樣，一般地將「美」與「善」混同起來使用。(註一七)這是由於「美」與「善」在客觀上具有密切關連之故，同時也是由於先秦時代的文藝理論，尚處於早期發展的階段，對於「美」這一審美概念的本質和特徵，尚不可能有較嚴格的科學分析與理解。㈡然老子已經意識到，作爲審美範疇的「美」，與作爲道德範疇或實用功利範疇的「善」，畢竟有所不同。老子似乎是把作爲審美範疇的「美」，看作是具有可觀形式的表現。

在先秦諸子的論著中，對於「美」與「醜」、「善」與「惡」這兩類系統的概念，雖然沒有加以嚴格的區別；但作爲審美範疇的「美」「醜」，同作爲道德實用範疇的「善」「惡」，雖然具有密切的關聯，然其性質畢竟有所不同。因而，反映在人們的觀念中也必然有兩類不同的概念。例如，孔子就會將「美」與「善」加以區別，並提出「盡善」不一定「盡美」，「盡美」不一定「盡善」的觀點。(註一八)而老子不僅把「善」與「美」加以區別，已見前述；而且對於「美」與「惡」（醜）之間的關係，給予形而上的解釋。「老子」第二章卽有如下這麼一段著名的理論：

天下皆知美之為美，斯惡已；皆知善之為善，斯不善已。故有無相生，難易相成，長短相形，高下相傾，音聲相和，前後相隨。是以聖人處無為之事，行不言之教。

很明顯的，老子在這裏試圖說明「美」與「惡」（醜）的相互關係。在老子看來，「美」與「醜」是互相對立，而又互相調和的。所謂「有無相生，難易相成，長短相形，高下相傾，聲音相和，前後相隨。」都足以說明他觀念中的「美」與「醜」是互爲依存，而且是相輔相成，相得益彰的。這正如「長」和「短」相待而顯，「難」和「易」相待而成，「音」和「聲」相待而和諧……等等的情形一樣。「美」與「醜」這兩個對立的概念，就這樣被老子形而上的予以統一。

其次，老子認爲「美」與「醜」這兩個對立的觀念不但是調和的、不衝突的，而且是可以相互轉化的。前已述及，老子認爲天地萬物是「道」卽「無」所派生的，「天地萬物生於有，有生於無。」(四十章)而「復歸於無」(十四章)。因此，他所謂的「周行不殆」的「道」的運行，就是一個「無——有——無」的循環過程。所以老子的「道」所派生出來的自然界和社會生活中的「美」與「醜」，「善」與「不善」等等對立現象都是相對的，而非絕對的；是暫時的，而非恆久的。因爲每一次的「道」的「反」或「復」、「無——有——無」的過程，都可以產生「美」與「醜」等相對立的東西。因此，「美」與「醜」是可以相互轉化的，而且是可以統一的(統一於「無」)。「美」與「醜」等對立性的東西之所以能相互轉化，終歸於統一，是因爲雙方都是由「道」卽「無」所派生，都將歸於「無」的緣故。「美」與「醜」既能轉化與統一，則其對立自屬暫時性的。「對立」只是它的手段或過渡，「統一」才是它的目的。

因此，老子認爲「美」與「醜」，以及「善」與「不善」等等相對立性的東西，都是調和的、統一的；都沒有衝突、矛盾或對立。因爲老子是最反對衝突、對立的，他所堅決主張的，是「柔弱」、是「不爭之德」。

乙、「美言不信，信言不美。」——素樸之美的主張

老子哲學雖以「道」爲出發，以「道」爲基礎，但其精神，一言以蔽之，可以說是「自然」二字。老子的人生論，固以「自然」爲宗，他的宇宙論，也以「自然」爲法。故其哲學，恆被稱爲「自然哲學」，此所謂「自然」，乃指事物之「本然」，即「自然而然」之「自然」，已見前述。「老子」五十一章云：

道生之，德畜之，物形之，勢成之。是以萬物莫不尊道而貴德。道之尊，德之貴，夫莫之命而常自然。

「道」創造萬物，「德」含有萬物，他們之所以受到尊崇、受到珍貴，乃因它們不支配或干涉萬物，而無心無爲，因任自然，使萬物各遂其生，二十五章云：

人法地，地法天，天法道，道法自然。

天地法「道」，實際就是法「自然」。二十三章云：

希言自然。故飄風不終朝，驟雨不終日。

「飄風」之所以「不終朝」，「驟雨」之所以「不終日」，乃因「飄風」與「驟雨」都是反常的現象，而不是「自然」的現象。正因其違反「自然」，故不能持久。而所謂「希言自然」之「希言」，即「無言」之意，與「老子」第二章「行不言之教」的「不言」，其意相同。故「希言自然」，即謂

爲政需清靜無爲，才合於自然。荀子說：「老子有見於詘，無見於伸。」(註一九)老子不僅在政治論上主張「清靜無爲」，主張「詘」，在各種人生論上莫不皆然。他所謂的「自然」，或者說他的「道」的一切特性，都是「詘」的方面；如「虛」、「柔」、「靜」、「卑」、「下」、「少」等等皆是。故五十七章云：

> 我無為而民自化，我好靜而民自正，我無事而民自富，我無欲而民自樸。

十九章云：

> 見素抱樸，少私寡欲。

類此之言論，全書到處可見。在此一前提下，則老子在審美的趣味上，有素樸之美的主張，是可以想像得到的。「老子」最後一章之八十一章，云：

> 信言不美，美言不信。善者不辯，辯者不善。……聖人之道，為而不爭。

此所謂「美言」，從文義上去理解，當係指華麗之言、雕琢之言。在老子看來，華麗雕琢之言，都是過實的，卽所謂「不信」（不眞實）。由此可見，老子在審美的趣味上，反對華麗雕琢之美，主張素樸淡泊之美。並有「美」應與「眞」（自然）相結合的思想傾向。這與其崇「虛」尙「無」的「道」的哲學，與夫其哲學中强調的「自然」精神，正合符節。

丙、「大音希聲」——老子的音樂思想

儒家提倡禮樂，是想用禮樂來「安善治民，移風易俗」。墨家和法家反對禮樂，是認爲禮樂不僅

無用，而且「虧奪民衣食之財」。他們都是從實用的角度來考慮禮樂，其態度是積極的。而老子則拋開實用，不顧實際，從形而上的角度去探討禮樂。「老子」第三十八章云：

夫禮者，忠信之薄，而亂之首。

他一方面貶低禮樂，另一面並認爲世俗的音樂不是眞正的音樂。這根本是以消極的態度否定和取消禮樂。第四十一章云：

大音希聲

所謂「大音希聲」的「大音」，是指最完美的音樂，是作爲「道」的音樂，是音樂的本身，亦卽形而上的音樂。「老子」第十四章云：

聽之不聞名曰希

此「希」字的意義不是說沒有聲音，而是聽不到。因此老子所謂「大音希聲」一語的意義是：最完美的音樂，作爲「道」的音樂，我們是聽不到的。我們所能聽到的，只是聲音的現象。那些演奏或唱出來的音樂，不管它如何美好，也比不上音樂的本身，卽音樂的「道」（大音）。

在提及「大音希聲」時，老子同時指出「大方無隅」、「大象無形」等等，而歸結爲「道隱無名」（原文是「大方無隅；大器晚成；大音希聲；大象無形；道隱無名。夫唯道，善貸且成」）。高亨於其「老子正詁」中說：

「道隱無名」，疑當作「大道無名」。
故所謂「大方」、「大象」、「大音」等等，都是就「道」而言；而所謂「隅」也、「形」也、「聲」也則是就「物」而言。

老子這種說法，當然是唯心主義的，但是這種主張，爲音樂理論注入哲學性。這在音樂思想史上，實在是一項難能可貴的貢獻。另外，「大音希聲」除了上述哲學上的抽象意義外，應當還具有現實的社會意義。那就是在反對當時王公大人那種耽溺聲色的腐敗生活。所謂「五色令人目盲，五音令人耳聾，五味令人口爽」，正是基於此一態度而發。「大音希聲」這一命題，其所產生之社會根源及所含之社會意義，卽在於此。(註二〇)

丁、老子對文藝的態度

老子雖然沒有直接談論有關文學或藝術的問題，但將他的哲學觀點和文藝問題連繫起來加以分析，則他對文藝的態度是顯而易見的。老子曾認爲「萬物芸芸」都只是「道之華」(現象)，而非「根」(本質)。只有「虛無」的「道」才是最根本、最本質的東西。因而，在現實界眞實而客觀地存在著的「美」與「醜」，在老子看來自然也不過是「道之華」，卽一種虛幻的現象而已。所以，老子對於「美」與「醜」是採取「虛無」的態度，加以根本地否定的。

老子基於他的「虛無」的「道」的觀點，反對知識、否定文化學術以及文學藝術等一切人類的感官認識活動。甚至認爲「前識者，道之華，而愚之始。」(三十八章)這樣，人類的感官認識活動，不僅無益，反而有害。「老子」十二章說：

> 五色令人目盲，五音令人耳聾，五味令人口爽，馳騁田獵，令人心發狂，難得之貨，令人行妨。是以聖人為腹不為目。

可見老子認爲，人們的一切意識活動，包括文藝及娛樂活動，都是毫無意義的，而且是有害的。既然「聖人爲腹不爲目」，那麼人們對於「五音」和「五色」的審美活動以及藝術創作皆屬多餘，只要溫飽卽可。在老子看來，「五色」、「五音」、「五味」、「馳騁田獵」、「難得之貨」之於人，皆不足爲「美」、爲「樂」，只有拋棄它們，甚至消滅它們，「處無爲之事」以達到「無美」、「無樂」的虛無境界，卽道的境界，才是「至美至樂。」「莊子、田子方篇」中，亦曾引述老子之此一主張云：

> 老聃曰：「夫得是（案指「道」），至美至樂矣，得至美而遊乎至樂，謂之至人。」

依此，老子既然堅持他那虛無的，反智主義的「道」的精神和主張，則自必要反對一切文化學術、文辭辯說以及文藝等一切意識活動。他所謂的「爲學日益，爲道日損，損之又損，以至於無爲。」（四十八章）、「絕學無憂」（四十五章）、「知者不言，言者不知」（五十六章）、「信言不美，美言不信。善者不辯，辯者不善。」（八十一章）、「絕聖棄知，民利百倍」（第十九章）等等都和此種主張一貫相通。（註二二）

四、老子美學思想與墨子及柏拉圖之比較

爲了大明老子美學思想的本質，我們有將其與墨子、柏拉圖的美學思想加以比較分析的必要。老子的文藝否定論和墨子的非樂思想，以及柏拉圖將詩人（藝術家）趕出其理想國的主張，表面上似乎相同，但實際上其性質迥然有別。「墨子·非樂篇」云：

仁之事者，必務求興天下之利，除天下之害，將以為法乎天下，利人乎即為，不利人乎即止。且夫仁者之為天下度也，非為其目之所美，耳之所樂，口之所甘，身體之所安，以此虧奪民衣食之財，仁者弗為也。是故子墨子之所以非樂者，非以大鐘鳴鼓琴瑟竽笙之聲，以為不樂也；非以刻鏤華文章之色，以為不美也；非以犓豢煎炙之味，以為不甘也；非以高臺厚榭邃野之居，以為不安也，雖身知其安也，口知其甘也，目知其美也，耳知其樂也，然上考之，不中聖王之事；下度之，不中萬民之利，是故子墨子曰：「為樂非也」。

換言之，墨子之所以「非樂」，並非反對「樂」的本身；正如同他反對「錦繡刻鏤之采」之美的裝飾，並非否定它的「美」。他所以「非樂」，乃是因爲當時的「王公大人」「虧奪民衣食之財，以拊樂，如此之多。」是爲了維護「萬民之利」而反對貴族們爲了音樂享樂而「虧奪民衣食之財，厚措斂於百姓。」因此，墨子的「非樂」並不是絕對地反對音樂活動，更不是否定音樂本身。他所反對的，是過度從事音樂娛樂活動，致使「王公大人」不務政事，許多「賤民」無法從事生產。

柏拉圖攻擊詩，並非他不懂詩或討厭詩，事實剛好相反，他對於詩是有深刻的理解與愛好的，正由於他對詩具有深刻的理解與愛好，了解到詩（藝術）對社會的重大影響，所以他在製訂其「理想國」的計劃時，自然要嚴肅地檢討詩的內容成分及其對社會的影響究竟如何。因此，柏拉圖從社會效益的標準出發，主張文藝必須對人類社會有所助益，其價值須以其所發生之功用爲標準加以衡量。他將當時的文藝作品加以仔細檢查，結果發現荷馬和悲劇詩人把神和英雄們描寫得和一般人一樣，互相爭吵、欺騙、陷害；貪生怕死、奸淫擄掠、無所不爲。這種榜樣決不能使青年人學會眞誠、勇敢、鎭靜、有節制，決不能培養成理想國的保衞者。（註二二）柏拉圖並認爲悲劇文藝使觀衆暫圖一時快感，拿別人的災禍來滋養自己的哀憐癖，以致臨到自己遇見災禍時，沒有堅忍的毅力去擔當。而喜劇性文藝則投合人類本性中詼諧的慾念，人們平時引以爲恥而不肯說的話，不敢做的事，都表現在喜劇裏，觀衆就不嫌它粗鄙，反而感到愉快，這樣就不免使人感染到小丑的習氣。其他如情慾、憤怒等等也是如此，「它們都理應枯萎，而詩却灌溉它們，滋養它們。」所以柏拉圖在其「理想國」中，主張將詩人們趕出其理想國之外。（註二三）然而，事實上柏拉圖並不是將文藝全盤否定的，他所反對的，其實只是當時那些他認爲充滿人性低劣部分的文藝作品而已。柏拉圖在「理想國」卷三，主張將「有本領摹仿任何事務，喬扮任何形狀」的詩人「灑上香水，戴上毛冠，請他到旁的邦城去」之後說：

至於我們的城邦，我們只要一種詩人和故事作者，沒有他那副悅人的本領而態度却比他嚴肅；他們的作品須對我們有益，須只摹仿好人的言語，並且遵守我們原來替保衞者們設計教育時所定的那些規範。」（註二四）

由此可見，合於他的社會效益的文藝作品，他是歡迎的。上述柏拉圖對於文藝的看法和主張，與老子從「虛無」的反智主義的「道」的哲學出發，根本否定人類的感官認識作用，不分青紅皂白地將文藝作品加以全盤否定者，自是迥不相侔。

五、小　結

老子生長於天下分崩離析、爭伐戰亂相仍的時代。社會的動亂，現實的苦痛，使它抱懷消極避世、否定現實人生的「虛無」思想。老子哲學是從「虛無」的「道」出發，而發展出其「虛無」的宇宙論、人生論及政治論。他的「虛無」的「道」，實在是脫離現實，根本就不存在的東西；純然是他主觀的臆想。無可否認的，老子深刻地洞察到客觀世界普通存在的對立現象、矛盾現象，體驗到現實世界的不少特質，實在是具有重大的貢獻。但是，他把這些深刻觀察所得的現象，硬套上他那主觀臆想出來的、虛無的、「周行不殆」的道，而牽强附會地加以解釋，建立起那「虛無」的、主觀主義的「道」的哲學，此實爲令人感到美中不足之處。

老子美學是其哲學的延伸。他雖然也看到了「美」、「惡」（醜）的對立，但又同其他的對立性一樣，形而上地加以調和。他不僅把「美」與「善」加以區別，而且試圖將「美」與「醜」二者的關聯性建立起哲學的解釋，這實在是一項進步。然而他又陷於其「虛無」的，形而上的「道」的哲學的泥沼。他把「美」與「醜」看作是其「週行不殆」的「道」所派生出來的，因此將二者的相關性以「無——有——無」的道的循環運行加以論證。從而認爲雙方的對立是相對的、暫時的，而且是可以相互轉化的，因而二者是調和的，相得益彰的。甚至於其終結是可以統一的，因爲都將歸於「無」。這種觀點，完全違反客觀的眞實。老子的美學既然是架構在此種主觀主義的、先驗的宇宙觀與認識論的基礎上，則其謬誤自屬必然。

復次，由於老子是在他的「道」即「虛無」的基礎上，建立起反智主義的認識論及「虛無」的人生觀；因此，他對文學、藝術以及其他感官的認識活動皆採「虛無」的否定態度。其實他所否定的，豈止是文藝，可以說人生的一切，在他看來都是「虛無」的，無意義的。

老子的美學思想，可以說是一種主觀的唯心論。他的理論誠然有其缺陷。然而，美學是一門細緻精微的學問。西方早期哲學家在論及美和文藝問題時，均難免有其疏陋之處。從哲學史、文藝思想史的立場來看，老子在文藝理論上的成就，仍然彌足珍貴。

【附　註】

註　一：見司馬遷「史記・老莊申韓列傳」。

註　二：見崔東璧「洙泗考信錄」，汪中「老子考異」，梁啓超「評胡適之中國哲學史大綱（「古史辨」第四册三〇七頁）

註　三：見馮友蘭「中國哲學史中幾個問題——答適之先生及素癡先生」（「古史辨」第四册四二一至四二三頁）。

註　四：羅根澤「老子及老子書的問題」（「古史辨」第四冊四四九至四六二頁）。「再論老子及老子書的問題」（「古史辨」第六冊六四三至六八四頁）。

註　五：顧頡剛「從呂氏春秋推測老子之成書年代」（「古史辨」第四冊四六二至五二〇頁）。

錢穆「關於老子成書年代之一種考察」（「古史辨」第四冊三八三至四一〇頁）。

楊榮國「中國古代思想史」第二三一至二四一頁。

顧頡剛「從呂氏春秋推測老子之成書年代」認爲在「呂氏春秋」著作時代，還沒有今本「老子」存在。而至「淮南子」時，老聃的獨尊地位業已確立。因此「老子」的成書年代必在此二書之間。又云：「老子是戰國末年或西漢初年的著作，並且是擷取各家說而成的。」考「呂氏春秋」乃秦莊襄王（秦始皇之父）丞相呂不韋使其門客所爲。而「淮南子」乃漢文帝時淮南王劉安所撰。

註　六：見張蔭麟「老子的年代問題」（「古史辨」第四冊第四一四至四一七頁）。張氏收集「淮南子」以前老子語，與現存道德經作一比較，發現「有本來貫串之言，而道德經把它們割裂者；有本來不相屬之文，而道德經把它們混合著；有道德經採他人引用之言，而誤將引者之釋語羼入者」。從而推斷「現存的道德經寫定的時代，不惟在孟子之後，要在淮南子之後」。並云：「現存的老子乃漢人湊集前人所引並加上不相干的材料補綴而成」。

顧、張之說，不僅牽涉到成書年代之先後問題，而且認爲其書非一人一時的系統之作，乃雜湊纂集其前諸家之說而成。

註　七：見「座談長沙馬王堆漢墓帛書」及曉菡「長沙馬王堆漢墓帛書概述」二文。「文物」一九七四年第九期。

註　八：見註四及註五錢穆文。

註　九：同註四。

註一〇：參見葉朗「中國美學史大綱」第二十一、二十二頁。一九八五年十一月，上海人民出版社。

註一一：參見余培林「老子讀本」第十一頁。民國六十二年一月，三民書局出版。

註一二：本文所用之「虛無」，乃純指老子崇虛尙無的「道」的哲學之「虛無」，非指西方哲學中「虛無主義」之虛無。

註一三：參見施昌東、潘富恩合著之「論老子『道』的學說」。文載「文史哲」，一九六二年第四期，十三至二〇頁。

註一四：錢穆「中國思想史」，五十三頁。華岡出版社，民國六十年三月再版。

註一五：參見註一一書，第十三、十四頁。

註一六：同註一三。

註一七：玆以「論語」爲例。「顏淵篇」云：

「子曰：『君子成人之美，不成人之惡。小人反是。』」

「堯曰篇」云：

「子張曰：『何謂五美？』子曰：『君子惠而不費，勞而不怨，欲而不貪，泰而不驕，威而不猛。』」

「里仁篇」云：

「子曰：『里仁爲美。』」

以上所謂之美，嚴格言之，應屬道德範疇，其意義等於「善」。

註一八：「論語・八佾篇」云：

「子謂『韶』盡美矣，又盡善也。謂『武』盡美矣，未盡善也。」

可見孔子認爲「韶」就是美與善的統一。同時，也可看出，在孔子的觀念中，「美」與「善」是不同的，因爲「盡美」的，並不一定就是「盡善」的；反之，亦然。因此，我們可以判斷：孔子已意識到事物的「美」與「善」，既是可以統一的，又是可以有差別的。然則，孔子所謂「美」與「善」的統一，是藝術品在何種情況下的統一？此點「論語」一書並未述及，我們不能任意作主觀的推論。不過，這個問題，應可從形式與內容的關係上加以說明。

註一九：見「荀子・天論」。

註二〇：參見蔣孔陽「評老子『大音希聲』和莊周『至樂無樂』的音樂美學思想」。文載「中國古代美學藝術論文集」，上海古籍出版社，一九八一年出版。另同書所載王增範「『大音希聲』及老子的評價問題」一文認爲：「大音希聲」不是要反對音樂，取消藝術，而是在反對貴族階層耽溺聲色，荒淫腐化的生活習慣和特權。惟筆者認爲這種臆測，缺乏根據。

註二一：參見施昌東「先秦諸子美學思想述評」，第五六頁。一九七九年，北京，中華書局出版。

註二二：參見朱光潛譯，「柏臘圖文藝對話集」第五三至一〇八頁，「理想國」卷二、卷三部分之對話及題解。

註二三：參見朱光潛譯，「柏臘圖文藝對話集」第一〇九頁至一三九頁，「理想國」卷十部分之對話及題解。

註二四：見前註書，第九三、九四頁。

形象思維與魏晉書法

王仁鈞

本文期以魏晉書壇的現實狀況做爲背景，魏晉書法的藝術貢獻做爲對象，嘗試利用形象思維的說法，詮釋該時期書法活動在藝術思維形態中的定位。

一、現象的陳述

概括地說，魏晉時期在我國書法發展史上，是一個極其重要的時段，一向多被論者矚目。然則，魏晉書法藝術到底呈現着怎樣的風貌，筆者摭拾陳說，略事梳理，乃得在現象上尋索出如下的大概：

其一，高手雲湧，名匠薈萃——按羊欣《古來能書人名錄》所著錄：秦有李斯等三人；後漢曹喜以下十五人；三國邯鄲淳，皇象等十九人；兩晉齊王攸輩三十二人。計六十九名之中，魏晉得五十一員，佔絕大比例。（註一）不過，羊欣係南朝書家，時諺有「買王得羊，不失所望。」的說法，他與晉關係密切，難免徧頗循私。但近人祝嘉著《書學簡史》採擷繁富，由正史所載到筆記瑣談，旁搜博稽，綜計魏晉兩百年間，有姓氏據傳的善書家，得魏蜀吳三十六，東西晉一四一，共爲一百七十七人；而兩漢四百多年不過五十五人而已。(註二) 雖說這種數據的正確性未必十分精密，但若從比例的現象上看，則稱魏晉時期的高手雲集，應是可以理解的事實。

不僅當時作者遽增，而且名匠蔚出，也數空前。鍾繇、二王，固然照耀千古，韋誕、皇象、索靖、謝尚、八郗〇、庾翼、葛洪、張翼諸人，亦莫不爲後代尊崇有加。如米芾《海嶽名言》說：「葛洪天台之觀飛白，爲大字之冠，古今第一。」又《宣和書譜》謂：「(張)翼，正書學鍾繇，草書學羲之，皆極精妙。」《晉書・索靖傳》指：「靖與衞瓘俱以草書知名，瓘筆勝靖，然有楷法(瓘)遠不能及靖。」竇臮《述書賦》稱：「魏之仲將(韋誕字)，奮藻獨步，或迸泉湧溢，或錯玉班布，皆迹遺情忘，契入神悟。」董逌《廣川書跋》言：「皇象書吳大帝碑(指天發神讖碑)在江寧府，書雖本漢隸，然探奇振古，有三代純樸之氣，自是絕藝。」至於四庾、六郗、三謝、八王」尤爲後代樂道，縱然品第之間，偶見參差，可是讚美不絕，並成模範。而衞瓘、王洽之流，亦皆優入張懷瓘《書斷》的神妙二品。然則所謂名匠蔚出，當非過分誇張。

其次，化隸建楷，演草立行——隸書與草書，早在秦代已告發生。班固《漢書・藝文志》謂：「是時(秦一統後)始告隸書矣。起於官獄多事，苟趣省易，施之於徒隸也。」許慎《說文解字・敍》也說：「是時秦燒滅經書，滌除舊典，大發吏卒，興戍役，官獄職務繁，初有隸書，以趣約易，而古文由此絕矣。」而趙壹《非草書》稱：「夫草書之興也，其於近古乎？……蓋秦之末，刑峻網密，官書煩冗，戰攻並作，軍書交馳，羽檄紛飛，故爲隸草，趨急速耳。」此後在書體遷就實用的發展下，才有隸書盛行漢代，草書崛起漢末的常識上便宜之認定。

事實上，文字體式的變革，雖不離時代需求的條件，但由蘊釀而滋長而成熟而定型，尤須靠社會契機的融會，卻不一定機械的和政治王朝之更替相拴繫。所以漢末魏初，乃至於西晉，隸、草，隸、楷之間，根本是一片混沌，多方轇轕曖昧，明顯地有著互相激撞劇烈消長的態勢。例如近代西域出土的一些漢木簡，晉文書，諸多寫經的資料，都多多少少可以探尋得到彼此彷彿相似的迹象。而漢靈帝建寧四年（公元一七一）所刻的〈西狹頌〉，甚有魏晉楷書氣息；但吳主皓鳳皇元年（公元二七二）所立的〈九眞太守谷朗碑〉和晉安帝義熙元年（公元四〇五）所立的〈爨寶子碑〉反在楷式中透露着隸筆的遺意；也能從中見到書體蛻變的躊躇景況。

不過，縱然在腳步雜沓零亂的現象中，畢竟也還隱隱地有一股潛在力量把時代的進行方向引導於某個方面。羊欣《古來能書人名錄》在鍾繇名下，有「鍾有三體：一曰銘石之書，最妙者也；二曰章程書，傳秘書、教小學者也；三曰行狎書，相聞者也。」的記載，並且緊接着有類似按語的注腳，謂：「三法皆世人所善。」這不僅指出鍾繇在時代的脈動之下已能以其穎悟掌握多元的嘗試和吸吮，同時也造成了對當時人注意且接納這三體既關連又變化的影響。此外，王僧虔《論書》謂：「亡曾祖領軍洽，與右軍俱變古形。不爾，至今猶法鍾（繇）、張（芝）。」因此，「右軍云：弟書遂不減吾。」張懷瓘《書斷》謂：「獻之嘗白父云：古之章草，未能宏逸……不若藁行之間，於往法固殊也。大人宜改體。」皆透露了東晉書家們，互相之間，如何激勵着從漢末魏初的基礎上，奮勉邁進推行改革的努力。

憑着這種上焉者勇於嘗試，次焉者樂於駙驥的尋覓、探索、簇擁、迷愛的整體運作，兩百年間，魏、晉的人們終於穿越了分隸濃密的陰影，通過章草和八分楷法（章楷）的仲介，底定了一直流傳到如今仍未衰竭的草、行、楷三體的規模，爲漢文字的體式變遷找到了最穩定最妥貼的歸宿。

其三，考究章程、珍愛尺牘——在文字體式變化頻仍的時期，人們面對蜕遞推衍下不同的文字體式，或基於美觀的考量，或基於評價的考量，或基於書寫的考量，或基於人材的考量，每每將某一特定的文字體式，施用於某類特定的事物上，使文字與埘着的對象之間發生人文的結合。秦之八體，新莽六書，以及一般所習知的兩漢器物銘文恒用篆文，碑碣文書恒用隸體，簡牘相聞恒用章草等，便是確鑿的鐵證。

不過，這種配合雖有它的習慣性，卻也有它隨時風而調整的機動性。上文曾經提到「鍾有三體」，若是參覈史迹，便可發現：原來到了漢末魏初，銘贊碑碣雖仍用篆隸，簡牘相聞雖沿用章草，可是章程表奏已改用章楷。時變事遷，無可拉挽，再加上漢獻、晉武兩番碑禁，楷、草減波磔趨平直，縑紙方便舒卷，穎毫製作精良，於是晉人書寫，遞承流習，大多著重章程尺牘。羊欣評說書家，每舉晉人善隸（即楷）、行、藁、草，多少反映了事實的所由背景；《書譜》標榜鍾、王，也於不經意中曝露了偏賴章程尺牘爲據的觀點。

一九七三年，在河北武清蘭城村出土的〈鮮于璜碑〉（註三）碑陰部分的書蹟，和享有盛名的〈爨寶子碑〉有極爲相近的形貌神采。前者是後漢桓帝延熹八年（公元一六五）的石刻，後者是東晉安帝義熙元年（公元四〇三）的作品，時隔將近兩個半世紀，而差別僅在毫釐；更有意思的是東晉穆帝升平二年（公元三五七）的〈王閩之墓誌〉（註四），夾在〈鮮〉、〈爨〉兩碑的中間，卻也與兩碑眉目相侔，儀態宛然。然而，試以章程尺牘對看，便大爲不同，自鍾繇的〈宣示表〉（魏文帝黃初二年・公元二二一），到王羲之的〈樂毅論〉（晉穆帝永和四年・公元三四八），〈黃庭經〉（永和十二年・公元三五六），再到王獻之的〈洛神賦〉（晉孝武帝太元十三年以前・公元三八八前）；自索紞的〈太上玄元道德經〉（吳主皓建衡二年・公元二七〇），到王羲之的〈蘭亭集敍〉（晉穆帝永和九年・公元三五三）再到王珣的〈伯遠帖〉（晉安帝隆安四年以前・公元四〇〇前）；自索靖的〈月儀帖〉和陸機的〈平復帖〉（晉惠帝太安二年以前・公元三〇三前），到王羲之的〈喪亂帖〉（晉哀帝興寧三年以前・公元三六五前），再到王獻之的〈鴨頭丸帖〉（晉孝武帝太元十三年以前・公元三八八前）。無論是楷，是行，是草；無論是筆法，是結體，是布局；無論是態度，是技巧，是意匠……竟然在一百五十年上下，神情千里，胡越判然。

假如我們能冷靜地不被書家個別烜赫的才華和成就所眩惑，那麼，該如何來研判這屬於眞確存在的兩極現象呢？難道會不承認是因爲在這時段中，從事書法的同好們，分外對章程，對尺牘，有著更多的考究珍愛，而投注了更多的關切琢磨嗎？那麼，像虞龢《論書表》所敍諸多當時故事；孫過庭《書譜》所記：「謝安素善尺牘，而輕子敬之書。子敬嘗作佳書與之，謂必存錄，安輒題後答之，甚以爲恨。既有各式各樣廣蒐秘藏的癡迷，又有鑽之研之處心積慮的憤發。其中揭示的如渴如慕之複雜情懷和行徑，豈不值得我們仔細的加以玩味！

其四，標植疏朗，經營嫺姸——東漢以來，知識分子的人品意識漸次提昇。隨着時間的推移，形勢的盪激，內外交感愈演愈烈，於是行爲修養遂成士人對安頓生命、規畫生活的依據重心。當然，這種價值的反省觀照，必賴思想概念的指揮運作，其取向的先決條件亦同時有待客觀環境的各種感染滲化，是以同在此一人品意識的統攝化成之下，延熹、建安、正始、太康、永嘉、咸和、太元、義熙，不同現實的人物，遂各有不同的映射差異，張懷瓘《書斷》引常文休語：「草隸（楷）之間，已爲三古，伯度爲上古，鍾張爲中古，羲獻爲下古。」已有此見識。

對於人品意識牽引出來的人文映射問題，站在文化史，思想史，文學史，藝術史的角度，早有不少的學者討論，且大都以爲魏晉的藝術生態是基於魏晉玄學的啓發。於此，筆者淺薄，難爲置喙。不過，若論書法一項，則個人以爲初不必定要借重玄學，因爲人品意識本身既是價值的反省觀照，便已經具有美的構成要件，故漢末如杜度、崔瑗、張芝、曹喜、劉德昇、蔡邕等，自可經由這方面的亢顯，在書法史上灼然生輝，而八分碑碣的藝術成就，更不容輕易抹殺。甚至，楊雄在《法言》裏就表示了「書，心畫也。」的美學指涉了。而許愼在《說文解字敍》中倡言：「書者，如也。」蔡邕在《筆論》中高呼：「書者，散也。」這類理念其實都對魏晉書法有挈領導引的作用。

在這裏，筆者絕無意否定魏晉玄學在魏晉書法上造成的影響，但我仍堅持認爲那是催化功能，而非開拓功能。因爲魏晉書法在風貌上所呈現的最主要藝術特質是疏朗而非虛靈肆放。

魏晉書法的疏朗，在現象上有明顯地歷史承傳跡象，也有明顯地工具利用特性。前者可以鍾繇爲改進八分隸書的「凝重」，調整八分隸書的「莊嚴」，而有其八分楷的「疏朗」，右軍爲改進八分楷書的「凝重」，調整八分楷書的「莊嚴」，而有其標準楷書的「疏朗」爲證；可以魏晉接納章草較八分隸書「疏朗」而廣泛喜愛，江左接納今草較章草「疏朗」而廣泛推戴爲證；更可以羲之兼習鍾繇、張芝而終以較鍾、張「疏朗」的成就得到當時推重爲證。後者則可以縑紙在行筆含墨的效果上易含「疏朗」而廣被採用，章程、尺牘在佈局運筆的安排上易合「疏朗」而廣被流行爲證。

當然，才性瀟脫，習染嫻雅，表徵於「凝重」、「佻誕」之間，不切「嚴密」，不及「輕率」，結果自是「疏朗有效」。

爲求疏朗，魏晉人節節修正技法，特別體會到漢隸凝重與莊嚴的陽剛之不可取，因而專從秀潤和從容的陰柔下功夫，移點注爲引畫，變挑磔爲縈折，轉枯濃爲淡潤，更豐腴爲靈捷，於是擺脫了漢代嚴密端正氣概雄偉的審美觀點，步入清澹嫵妍氣韻蘊藉的趣味世界。劉勰《文心雕龍・通變篇》所說：「商周麗而雅，楚漢侈而艷，魏晉淺而淡。」雖指涉的對象是文學，然而從書法的角度比勘，確也若契符節。

其五，時代風靡，氏族煊赫——《漢書・游俠・陳遵傳》說：「(陳遵)性善書，與人尺牘，主皆藏去以爲榮。」陳遵是西漢末季、新莽時期的名士，可見早在漢代中葉書法作品已受到欣賞庋藏的待遇；縱或它只屬特例，總代表着一葉報秋的意思。而後，東漢靈帝初年，趙壹爲了排斥草書的流行，鄭重其事的寫了篇《非草書》，雖然據理鄙薄，但也側面的記錄了書法活動的盛況。文中說：「余郡士有梁孔達（宣）、姜孟穎（翊）者，皆當世之彥哲也。然慕張生（芝）之草書……皆口誦其文，手楷其篇，無怠倦焉。於是後學之徒，競慕二賢（梁、姜），守令作篇，人撰一卷，以爲秘玩。……夫杜（度）、崔（瑗）、張子（芝），皆有超俗絕世之才，博學餘暇，游手於斯。後世慕焉，專用爲務，鑽堅仰高，忘其疲勞；夕惕不息，仄不暇食；十日一筆，月數丸墨；領袖如皂，唇齒常黑；雖處衆座，不遑談戲，展指畫地，以草劌壁；臂穿皮刮，指爪摧折，見觸出血，猶不休輟。……」不但秘玩之說和陳遵故事巡相呼應；齒黑臂穿，口誦手楷，尤其宣洩了草偃風行的熱炙。又，西晉衞恒《四體書勢》也有類似的追述：「（漢）靈帝好書，時多能者，而師宜官爲最。大則徑文，小則方寸千言，甚矜其能。或時不持錢詣酒家飲，因書其壁，顧觀者以酬酒値，計錢足而滅之。」更進一步指出連一般酒客都對書法蟻附鶩趨，乃致不計耗費竟願意入其彀中，足證漢末仰慕欣羡書法活動的風氣已開。

三國紛擾，但愛好書法潮流愈疾。先是魏武帝將梁鵠手跡懸帳釘壁賞玩，繼有魏明專責韋誕書題寶器銘誌，上有所好，下必甚焉，於是藉書成名受寵得祿的事，時有所聞。衞恒，羊欣都迭相著錄，資作美談。王僧繇、江式屢在著作中提及先世種種翰墨因緣，書寫傳奇，而且驕傲榮耀躊躇滿志的意氣，溢揚於字裏行間。所以如此，固然不免有文人矜伐的成分，但也的確是據實的報導，反映了魏晉承繼漢末以來愈演愈盛的書壇熾熱的景觀。

在幾乎無人不愛書法，無人不善書法的潮流捲席騰翻下，魏晉的書法活動不僅呈現出空前的書法人口密度，而且締造出的另一眩目的奇采，那就是氏族的集體投入。根據文獻，漢末張芝、張昶兄弟，崔瑗、崔寔父子，蔡邕、蔡琰父女，同時蜚聲，稍見家人並美的端緒。及魏到晉，祖孫父子，兄弟夫婦，世代相傳，族人並馭的，兀然彰著，蔚爲特色，直到齊梁才漸次衰減，此後猶不絕如縷，影響未斷。其餘不論，單就張懷瓘《書斷》神、妙、能三品中收錄的資料，便有不可勝數難以給目的滂盛。起初猶是魏武，晉元，皇家簇擁；韋誕，陸機，昆仲聯袂；鍾繇，李矩，父子相承。而後遂見杜畿三代，衞瓘四世，薪火延緜，閃爍應映。至於王，謝，郗，庾，越發門庭傾泄，華葉繁榮；鼎鑊滾沸，雲霞蒸蔚。再加上相互姻婭，枝蔓嬰接，於是燎爛焜煌，淵濬潦潤，到了令人難以逼視的地步。

唯其如此，形態氣勢具備，影響周匝，乃造成了魏晉在書體選擇，書風傳播，書技研磨，書品詮衡上由漢末的滋紛雜陳，次第趨向於一致。於是楷，行，妍，韵，成爲千古不移的魏晉標誌，大概不得不歸功於這「氏族干與」，「門閥趣味」的促使吧！

二、現象的詮析

中國書法是以中國文字爲表現材料的藝術。但是，做爲形象思維產物的中國文字，在信號系統的歸屬上，始終處於搖曳不定的地位，不像其它文字，如西洋的拼音文字和東洋的綴音文字那樣，除去早期簡單的提示記憶時期之以實物數量概念做爲語言符號，以及簡單的確定認識時期之以圖畫形象做爲語言符號外，自生活日趨複雜，語言隨着滋生漫衍後，便爲着需求和便利開展，而使文字坿着在語言的形式下演變，成爲第二信號系統下的坿件；雖然中國文字也是因應語言的要求而發生的，可是它在後來的發展裏，卻延續着形象基型的線路，以形聲的綴合成爲單體形象的符號顯現。所以直到在現實行爲已經普遍使用隸書乃至八分隸的時代，許愼在《說文解字敍》中，依然肯定的指稱：「倉頡之初作書，蓋依類象形，故謂之文；其後形聲相益，即謂之字。文者，物象之本；字者，言孳乳而寖多也。」是以從中國文字發生以來，迄今爲止，固然必然的具有第二信號的質性，卻也同時存有具體事物的形象特徵，保留了極爲充盈的形象性，很容易令人直接地忽略掉它的語言符號之性質而把它視作第一信號系統的形象目標看待。

這種說法，是基於兩個事實才提出的：第一，形聲成爲造字通則以後，原有象形、指事、會意的文，仍通行未廢；第二，自秦漢至魏晉，文字體式的變化，已經不復保有初期與具體事物相類近的表象及意象的直接聯繫，但卻由於每一體式的演變，均以原先的體式爲直感對象，在演變的過程裏，修訂多於新創，所以縱然表象全非，但組織結構依稀存在，循着意象的痕跡遂亦能大部分追索到原始的情況而不致完全斷絕。

或者，我們也可以換一個角度說，一開始，中國文字的產生過程裏便同時擁有着形象思維下屬於藝術思維的形式以及屬於工具思維的形式。由於前者的成分，中國文字本身乃具有了本身成爲獨立的具體形象的條件；由於後者的成分，中國文字乃成爲應用做語言傳達符號的條件。

以上所述，中國文字在信號系統歸屬上的曖昧性質，以及在藝術思維與工具思維糾合下的產物特徵，一方面使得中國書法藝術有了生長的契機；一方面也影響了中國書法在藝術類型上的明確性，使得它的藝術屬性成爲人們爭論不休的問題。

首先，這種問題產生在對「文字」的了解上。很顯然地，卽令是使用綴音文字的日、韓、契丹等地區，因爲曾經有依賴過使用中國文字而開展文化的歷史階段，對以文字做爲書法藝術的材料來拓展這一藝術領域是極有信心和興致的，但其它使用拼音文字的人們，則先天上無法理解「文字」具有第一信號系統所有功能的可能，便比較難以認眞地接受書法藝術的價值品第。其次，這問題產生在對「書法藝術」的標準界定上。有人認爲中國書法藝術自甲骨文的鍥刻遺物裏，便有了高度成熟的表現，如董作賓曾把它分爲五期，指第一期（盤庚——武丁）書法雄偉；第二期（祖庚——祖甲）書法謹飭；第三期（亶辛——康丁）書法頹靡；第四期（武乙——文丁）書法勁峭；第五期（帝乙——帝辛）書法嚴整。（註五）也有人認爲中國書法藝術在殷周的鍾鼎文中已可見到章法、布白之美，如郭寶鈞《由銅器研究所見到之古代藝術》謂：「早期因字體結構不同，或長跨數字，或縮爲一點，犄角錯落，顧盼生姿。中晚期或界劃方格，漸趨整飭，不惟注意縱貫，且多顧及橫平，開秦篆漢隸之端矣。（註六）」也有人認爲中國書法藝術在東周已開習尙之風，如郭沫若便指出東周彝銘之字體，多作波磔而刻意求工，可知中國以文字爲藝術品之習尙當自此始。（註七）……這幾位以文字學研究的餘緒，注意到藝術美的存在，發此精闢之說，自可供我們認眞思量。但也有人持相反的意見，如徐復觀便認爲中國書法藝術的眞正出現，要待文字由實用帶到含有遊戲性質的藝術領域時，才算有了美地自覺，而此一引發，應和草書的出現有關，時間則推延到漢末以至魏晉。(註八)

依我個人的看法，大體在時限上是同意徐先生的，不過也承認董、郭諸先生的見解並非空穴來風主觀獨斷。我所持有的理由，依然是從形象思維的範疇來談。歷史的事實既已告訴我們中國文字的發生和發展背景，我們便有理由相信，當上古先民利用文字書寫時起，書寫活動在實踐的過程中，人們也應當同時在思維形式中共容藝術思維和工具思維存在，只不過，前者往往待後者態勢頹弱或有罅漏時才發揮作用而已。徐先生說：「由甲骨文的文字來看，這完全是屬於幫助並代替記憶的實用系統；所以一開始便不能不追求人們所要記憶的事物之形。等到約定俗成之後，便慢慢從事物之形中解放出來，以追求實用時的便利。文學的演變，完全由便於實用的這一要求所決定。」(註九)這句話的上半截是相當貼切事實的說法，正與我前面所舉第一信號、第二信號相契合，但後半截的語意中，若不以中國文字更有第一信號系統的質性存在，以之來連繫着第二信號系統的話，那麼「完全由便於實用的這一要求所決定」的結果，也可能轉進目前所謂的「拼音文字」形式裏去。我的看法是：原則上，中國文字在體式上的演變，雖然其目的確是爲了完成第二信號系統的作用，滿足工具思維形式的實踐；但也由於中國文字具有著從藝術思維形式創出的具體事物特徵而蘊含着第一信號系統的質性，所以在體式演變的決定時，先賢會不自覺地以文字形象做爲認識對象以及表現對象來處理的，它在思維過程中縱然受着實用需要求便的促使，卻並未特別注意到語言概念的部分，反而把文字形象當做直接信號看待，企圖從形象中改變書寫上的窘澀。因此，由籀而篆，由篆而隸，由隸而草而楷而行的書體，便在這一次次的重複還原於原始創建文字的模式中——經過形象思維，化第一（直接）信號爲第二（間接）信號。——而問世了。

到東漢，以上所述的物化手段，開始有了一定程度的更動：人們仍然以文字爲形象對象，把它作爲直接的信號而接受，然而透過思維過程重加表現時，卻放棄了工具思維的形式，反而採取了藝術思維的形式。這樣一來，新的形象之出現，雖保留着原本做爲語言符號的功能，卻更增強了第一信號的質素，大大生發出具體形象牽引藝術思維遞進的可能性，因爲在「形象直感」和「表現形象」之間，是由「意象孕育」來緊緊聯繫住的。至於這種活動的對象，早先是以當時各類文字體式做嘗試的，八分隸，章草，八分楷都是試驗的成品，其中尤以「草體」的成績最受矚目而已。我們可能會在這一理解下，發現所謂「書，心畫也。」「書者，如也。」「書者，散也。」其實正是漢人在這一掌握更替的艱苦困頓中不斷掙扎和興奮的呼叫。龔鵬程在他的《說「文」解「字」》坿註中談到：「這時（東周）只能說是有了一些對於文字的審美意識，要到漢朝末年，寫字，才能成爲一種藝術活動；字所形成的書法，也才能成爲中國獨有的藝術部類和審美對象。」（註一〇）大概也是基於這一現象的考慮吧。

這種思維形式的變更，既賦予新文字形象的藝術功效，於是在魏晉人的感受認識裏，便乾脆開濬了藝術思維的路線，把「文字」看成第一信號，以它做爲「形象直感」的來源，著意安置「意象孕育」的嬉戲，而達到「形象表現」的目的。這時，對「文字」掀起了一股以審美爲主要關懷的熱潮，自茲而後，我們才得以只能見到書寫的變化，而不復見到文字亦隨之而變革的情形。

雖然藝術活動須賴形象思維的開展，方能冀其有所建樹，但藝術活動爲了汲取滋養，也可能從邏輯思維的領域裏去淘砂揀金。譬如自東漢中葉以來，書法美學的範疇中，便出現了一個「勢」的概念。「勢」原是一種抽象的屬性，但是自從崔瑗的《草書勢》問世以後，便相繼有蔡邕的《篆勢》、《九勢》，劉紹的《飛白勢》，衞恒的《四體書勢》，索靖的《草書勢》，以及傳爲王羲之的《筆勢論十二章》紛紛出籠。迤邐三百餘年，絡繹未絕，其影響於當時之鉅且大，應可想見。

不過，粗讀這些作品，總會弄得人一頭霧水，覺得它們之間，不是相互剽襲誇張矜美，便是各說各話賣弄文筆，所以才會引起孫過庭《書譜》對它們的非薄揶揄：「至於諸家勢評，多涉浮華，莫不外狀其形，內迷其理。」再不，則會念及「勢」在表示一種動態和力道，一如康有爲在《廣藝舟雙楫》裏指陳的：「古人論書，以勢爲先。蓋書，形學也，有形則有勢；兵家重形勢，拳法亦重撲勢，義固相同。得勢便，則已操勝算。」

認眞地說，孫固失之浮淺，康亦失之籠統。孫之失，便是在於把「勢」視爲一種概念名語，與篇中行文所設的比喻之間難爲拴扣，誤會是文人夸誕舞弄之詞，乃一口咬定是「多涉浮華」，是「外狀其形，內迷其理。」；康之失，則是過於偏執於「勢」的強力義、運動義，而疏忽了「勢」的狀態義，位置義。「得勢便」的說法，或能與漢、魏草隸合，卻不足與江左楷行合。

關於「勢」的問題，我的解決辦法還是從形象思維入手。史載崔瑗善草書，長文辭，故《草書勢》應是他實際經驗的表白。依我的推想：崔瑗在長期研磨草書的過程中，必在運筆及觀察之際，常感「愛日省力」之外另有「俯仰有儀」、「放逸生奇」等靜狀動態的形象觸及他的感受，引這他的注意。初時這類映象，或許卽生卽滅，時日一久，這些映象難免不會掀開他的記憶——有生活上目見耳聞過的，有知識上閱覽誦讀過的，而且進一步把這記憶中呈現的表象，和所生的映象係連疊合，生化出某種意象的顯現，遇到這種情況，試想做爲文學家兼書法家的崔瑗，怎甘心任它只生滅於心手而罷休？於是捉管操翰，賦之比之，頌之敍之，並且拈出「勢」字來牢籠概括了這些形象。如此「以已度物所得的隱喩」，正是形象思維的基本規律。（註一一）

從此，書寫活動從工具思維的形式，轉進到藝術思維的境地。只是，這時的書法藝術，在形態上畢竟是稚嫩的，粗糙的；屬於崔瑗時代的意象結構，還必須借助於文學手法上的比喩加以營造。

《草書勢》之出，不啻驚蟄之鳴雷，荆莽既芟，途徑遂開，所謂「好異尚奇之士，翫體勢之多方；窮微測妙之夫，得推移之奧賾；著述者假其糟粕藻鑒者挹其精華。」（註一二）後塵自是不虞匱乏。崔瑗提出的「勢」，本是一種形象的概括，但當「勢」以詞彙的姿態出現時，卻被大多數的人朦朧的又把它還原成概念名語來看待，攝取了只屬於力道和運動的部分形象模式，漢末魏初八分隸章草，八分楷姿勢紛陳，無不在波磔上造勢，應是受此影響。鼓舞的裝飾性嘗試。而另外一些兼秉書文才華如蔡邕、衞恒……等，便一方面由「勢」的概念化解爲意象的尋索以樂享美藝，一方面沿循崔瑗的著述體式，陳述了他們各自嘗試的比擬所得。在這由形象結概念，由概念逐形象的互動下，漢末魏晉的書法藝術活動遂一面出現了「勢」——「想像性的類概念」的美學命題，一面展開了由「勢」引現的不同風尚和層面。例如：崔瑗以「獸跂鳥峙，志在飛揚；狡兎暴駭，將奔未馳……」的物象擬動勢，而漢末書風多峻拔險疾之筆畫；蔡邕以「頹若黍粟之垂穎，蘊若蟲蛇之棼縕……或輕筆內投，微本濃末，若絕若連。似水露緣絲，凝垂下端，縱者如懸，橫者如編，杳杪邪趣，不方不圓。」的物象擬態勢，而魏吳書風多厚實融渾之結體；衞恒以「纖波濃點，錯落其間，若鐘簴設張，庭燎飛煙。嶄巖嵯峨，高下屬連，似崇臺重宇，層雲冠山。」的物象擬位勢，而東晉書風多流便瀟散之篇幅。至於其中崔文意象的取材，猶不脫奔逐獵狩氣息；蔡文意象的取材，已透露自然景觀的親和氣象；蔡文意象的取材，則分明錯置了天然與人事相融相洽的調適氣概。層層遞演，干涉時潮，貼近現實，似乎亦不能謂其與漢末魏晉的書法活動路數無關。唯其如此，書法藝術遂透過了形想思維而呈現了活躍的生命契機。(註一三)

在形象思維中，摻進了想像，固然可以造就審美和創造的藝術活動，而如欲這藝術思維更深化強化，就得再摻進感情的成分。知之者不如好之者，好之者不如樂之者，雖不必專爲藝術活動而成立，卻最與藝術活動相應合。尤其想像與感情，激蕩的火花最容易產生，經常一拍卽合，相得益彰。漢末之所以成爲書法發展長途裏的重要驛站，正由於一旦藝術思維的形式被掀起後，感情的成分也緊隨着擠進門墻。趙壹所說：「專用爲務，鑽堅仰高。」正是一般人對書法藝術活動好之的寫照。至於像張芝的「衣帛先書後練；臨池學書，池水盡墨。」自是樂之如命的作爲。流風入於魏晉，情好愈煽愈烈。好之者不僅君臣相唱和，臣民相欽美，而且父子相染習，夫婦相褒賞，兄弟相砥礪，衍成家族羣體、社會層面的嗜愛；樂之者更有如鍾繇「見伯喈筆法於韋誕座，自拊胸盡青，因嘔血；太祖以靈丹救之得活。繇苦求之。不與。及誕死，繇令人盜發其墓，遂得之。」那樣激烈到嘔心瀝血的；如曹操「愛梁鵠書，常懸帳中，又以釘壁。」那樣戎事倥傯之際，仍不能須臾離的；如王導「師鍾、衞，好愛無厭。喪亂狼狽，猶以鍾繇尚書宣示帖衣帶過江。」那樣亡命顛沛狼狽奔竄依然不割不捨的；如右軍「初學衞夫人；及過江，見李斯、曹喜書；之許，見鍾繇、梁鵠書；之洛，見蔡邕石經；又於從兄洽處，見張昶華嶽碑。於是遂改本師，力爲博汲。」以及「誤把墨汁作調羹」那樣潛心凝志，沉浸英華的。縱或如此鍾愛癡迷未必完全等於審美感受，但是熱愛所激起的感情質量是不容懷疑的，在美的欣賞過程中，它對意象孕育有着一定的激發作用。

基於東漢中葉以來所萌動的這種對書法審美行爲之澱積，我們有理由相信，漢末的人們已經可以見到書法形象便直接受到感染，獲得審美享受了。當然，魏晉的大批愛好書法者，遂更深切的體會到書法形象相等於引起審美感受的符號和訊息。這才眞正把書法的功能由記敍應用性質的工具功效，提昇爲抒情寄興與性質的藝術功效。

比喻與熱情的注入形象直感，藝術思維形式裏最精髓部分的意象孕育因之而蓬勃而彰顯，整個藝術思維的架構自然也隨之發生變化，便影響到了形象表現的境界。關於這一點，要從漢末說起，蔡邕《筆論》談道：「爲書之體，須入其形，若坐若行，若飛若動，若往若來，若臥若起，若愁若喜，若蟲食木葉，若利劍長戈，若強弓硬矢，若水火，若雲霧，若日月，縱橫有可象者，方得謂之書矣。」此中「須入其形」即是點明「爲書」不可止於「形」便了，還得透過「形象直感」的書體映象，與記憶中的表象以及想像中的意象相結合。最後使機械的筆畫（縱橫），亦俱成生動的形象表現，方算得有藝術價值，成爲審美對象的書法藝術作品。經此分析，蔡邕這番話實已涉及另一個美學命題「遷想妙得」了（註一四）。不過這個更深入一層的思維形式，或是因蔡邕對書法浸潤造詣深刻而偶然灼發的火花，並未立即得到回響。反是搶眼的「若……若……若……」描述審美意象的比喻，引起當時人的興趣，展開對書法「形」、「體」、「勢」的銜接聯繫。如蔡本人便在《篆勢》中同時鼓吹這種「思字體之頫仰」的想像運用，乃「舉大略而論旃。」至於鍾繇的「每見萬類，皆書象之。」衞恒的「睹物象以致思，非言辭之所宜。」成公綏的「應心隱手，必由意曉。」無非順應餘響，全係涵泳潮流的表徵。直到東晉的時候，還沿襲着這方式：「自非通靈感物，不可與談斯道。」是態度上的表白，然對象卻從整個的體式上分解爲：「點、畫、波、撇、屈、曲。」了。（註一五）相傳衞爍、王羲之有：「一（橫）如千里陣雲，隱隱然其實有形；、（點）如高峰墜石，磕磕然實如崩也；丿（撇）（如）陸斷犀象；乚（戈）（如）百鈞弩發；丨（牽）（如）萬歲枯藤；乁（曲）（如）崩浪奔雷；ㄱ（屈）（如）勁弩筋節。」（註一六）的筆勢討論，則自然物象並及人文事象的想像比擬焦點，顯然更集中在精密細緻的部分了。

藝術思維的形成，原就是形象思維中審美感受的獲得，意象的醞釀、組合、凝聚和擴大；想像和興致既湊合美感的捕捉、擷取，也促使意象的鮮活、深切。魏晉書法活動的開展和躍進，便是在如此的形象思維運轉下的具體證明之一。

清鄭燮《題畫》一則，對這層藝術思維有極好的體會：「江館清秋，晨起看竹；烟光、日影、霧氣，皆浮動於疏枝密葉之間。胸中勃勃，遂有畫意。其實胸中之竹，並不是眼中之竹。……」(註一七)這裏，「眼中之竹」便是審美對象，「胸中之竹」便是審美意象。換言之，這「胸中之竹」是經過意匠經營而成的，它有別於原本存在的客體映象。它是「觀竹者」從記憶表象裏，想像意象裏，把適合的情、趣加以篩選、凝滙，融注於「眼中之竹」的變相。板橋所謂「胸中勃勃，遂有畫意。」就是指的這種新充實起來的感受和衝動。正因爲如是，「胸中之竹」自較「眼中之竹」涵有更深的意蘊和情致，而「眼中之竹」遂亦於頃刻之間，化爲更耐尋味和迷醉的「胸中之竹」了。前文提到顧愷之的美學命題「遷想妙得」是指創作而言，若淺釋爲欣賞的話，審美活動也是有賴於「遷想」而始可有所「妙得」的。魏晉人視書法體式的「體象有度，煥若星陳，鬱若雲布。」(註一八)視書法點畫的「崚嶒切於雲漢，倒載隕於山崖。」(註一九)不正是同一經歷「客體變相」的斬獲嗎？

任何的藝術活動當然不能只完成審美感受的階段，它必須不斷地利用實踐而達到創作的需求。在一般人而言，「遷想妙得」是審美感受的極致，但在藝術家或參與實踐的活動者而言，「遷想妙得」則是藝術實踐的理想目標。一旦書法披上了藝術大氅，戴上了藝術冠冕，它的生命遂亦一方面以生活的風貌成爲審美的對象，另一方面就得以生存的意態充實美感的條件。

就藝術美的外向表現形式而言，大約不出兩大類型：一類是依藉直觀的、鮮明的，具體的形象構成，來顯現出藝術主題；一類是透過間接的，隱晦的，類化的意象投射，來呈現出藝術效果。前者如舞蹈，戲劇等便是，後者如建築、書法等屬之。是以，書法藝術的呈現，恒以實踐者掌握或調整文字體式中的筆畫成分——筆畫的粗細、長短、疏密等造型條件；以及書寫進行中的運動成分——前後、左右、斷續、急澀等旋律條件；加以安排出數學關係，利用意象類化的典型來傳達消息，使得素材之間各盡其態，各得其所，相互映襯，彼此照應，從二度空間的靜相裏躍出，遊走徘徊於三度空間的界域，而流露出活動的力量與生動的神采。

因此，書法藝術的效果，在外向表現的部分，是決定於意象類化的典型如何。這種意象類化的典型，除了選取於自然環境的物象做爲素材外，更少不了現實社會中人文事象的溶鑄。要談魏晉書法藝術，不可能不談及玄學思想、人物品藻、士族生活……的影響，事實上這些社會事象之間，自有着驚人的、微妙的、精確的協調和牽掣的互動關係，結構成時代的人文特質。而生活其中的人們，不知不覺的在行爲傾向上，遂「因緣與會」的拈執憑賴着成爲意識法則，於是進退、應對、舉止、氣度，必也會表現出某種形象上的共相，成爲一種普遍認可的典型形式。例如魏晉人物在《世說新語》的記錄下，幾乎絕大多數是以其行爲、語言做爲形象的揑塑材料。劉義慶去東晉不遠，寫作手法應繼承東晉風習而來；回顧東晉書風的疏朗嫻姸，何嘗不會因爲也取象於當時人物意識型態及行爲模式之傾向嫻姸疏朗哩！前述東晉「筆勢論」的出現，既是審美由文字體式凝斂爲文字結構單元（筆畫）——自面精萃到點線——的形象直感範圍上的緊縮，也是表現技巧開始清醒，受到關注和自覺的發端信號。諸如尺牘章表在書寫方式上的考究，楷行草隸在書寫對象上的斟酌，風流蘊藉在書寫水平上的孚顯，莫不是「形象表現」的實際驗作之成效。

魏初，鍾繇領會到「筆迹者，界也；流美者，人也。」(註二〇)猶是屬於他本身體念所得的獨家卓見。至於東晉，則已經普遍成爲人人抱持的信念。兩百年間，書法活動的進度如是遒邁，恐怕和形象思維的開展，不能沒有密切的關連吧！

三、現象的評估

一切事物都有其本身存在的形式，結構方式，生存環境，生長演變的狀態；而同時又都有其本身的屬性，本質。前者是屬於具體的部分，後者則屬於抽象的部分，如果我們從具體的部分去認識事物，就有了形象思維。它是十八世紀義大利心理學家維柯(Giovanni Battista Vico 1668-1744)(註二一)推演亞里斯多德「摹擬說」所得的美學概念，它對人類文化開展的原由，揭示了一定程度的詮釋和指認。從其內容闡述裏，我們了解到美和藝術的發生便是由於形象思維的作用效能。本文在以形象思維的形式，檢覈了魏晉書法活動現象之後，獲得了如下的一些發現：

(一)魏晉時期在書法活動上的重要現象，如書體之變易，書情之煽熾，書人之簇聚，乃至書風之形成，大都起端於東漢而顯象於魏晉。而且事實是在東漢中葉，形象思維範疇下的藝術思維已開始萌生，才經由時間的推移，漸次完成魏晉的書法活動風貌。

㈡魏晉書法活動的現象，在表面上儘管活躍蓬勃，是書法史上的高原時段，但實質上卻未能擺脫初步開發的局限性和粗糙性。如做爲意象孕育主要成分的想像力之馳騁範圍、方式都相當單純；如做爲意象孕育催化力量的情感投入，也只停滯在鍾情的地步，直到末期才略有寓情的出現，至於移情和縱情，卻完全沒有迹象；如對美的指認，除了「體勢」和「筆勢」的命題受到認同外，其餘仍少發掘；如對技巧的探究，似乎尙處於試驗階段，並且頗爲拘謹，以致草書的嘗試依然未得開放。如此種種與後世的過分推崇，實有一些出入，値得釐清。

㈢「晉人尙韵」之說，做爲現象的描述，不失爲簡切實錄的用語；若做爲仰讚企慕的說法，則對整個書法發展的程序推進上，未必有實質的效益。

㈣經過漢末、魏晉的掙扎和努力，雖然扭轉了書體在工具思維的形式下生存發展的質性，牽引到藝術思維的範圍中，但書法的純藝術形態，卻未嘗出現於當時。

㈤若是不以前述爲主觀苛求，則魏晉是中國書法發展史上的轉型時期的認定，當亦非無稽之說。而且在這期間埋下的一些種子，先後在唐宋萌生了枝條，畢竟它並沒有辜負歷史交給它的任務。

【附　注】

註一　羊欣《古來能書人名錄》詳見《歷代書法論文選》上册第四一頁－四六頁。（臺北華正書局，七十三年九月初版）此爲筆者統計所得。

註　二　祝嘉《書學簡史》（臺北華正書局，七十二年五月初版）詳見該書第六章，第七章，此爲筆者統計所得。

註　三　參見西林昭一《中國新出土の書》（日本二玄社，一九八九年二月初版）。

註　四　同註三。

註　五　見祝嘉《書學簡史》引述。

註　六　見宗白華《美從何處尋、中國書法裏的美學思想》引述。（臺北成均出版社，七十四年二月）。

註　七　見龔鵬程《文學批評的視野、說「文」解「字」》註十一引述。（臺北大安出版社，七十九年元月初版）。

註　八　見徐復觀《中國藝術精神》第三章第二節第一四八頁。（臺北學生書局，六十八年九月增訂六版）。

註　九　同註八第一四七頁。

註一〇　同註七。

註一一　詳見朱光潛《啓蒙運動的美學》第五章。（臺北金楓出版公司，一九八七年七月初版）

註一二　引見孫過庭《書譜》（臺北金楓出版公司，一九八六年十二月）。

註一三　崔瑗、蔡邕、衞恒諸語及全文，均見衞恒《四體書勢》載於《歷代書學論文選》上册。

註一四　「遷想妙得」爲東晉畫家顧愷之爲繪畫所提之美學命題。

註一五　引自傳爲衞爍所著《筆陣圖》。

註一六　同註一五，又王羲之亦論及。

註一七　見皮朝綱《意象與審美》引述。（四川師院學報，一九八三年第一期）。

註一八　見衞恒《隸勢》。

註一九　見傳爲王羲之《筆勢論十二章》

註二一　見劉熙載《藝概、書概》引述。

註二一　同註一一

※作者王仁鈞現爲淡江大學中文系教授。

唐代意境論初探

——以王昌齡、皎然、司空圖為主

黃景進

前言

自從王國維《人間詞話》問世以來，「意境」（或境界）（註一）的問題就成為學者們熱烈討論的對象，論者甚至謂意境是中國古典美學的一個重要範疇。（註二）而隨著這股熱潮，唐人意境論也引起學者們的重視，蓋以意境論詩實起於唐人，若說唐人奠定意境論的基礎，實不為過。經過幾十年的努力，的確，學者們已經掌握了許多資料，並且也形成一些共識，但是，由於古人的言語比較簡略，其中仍有一些疑點有待解決，亦是事實。筆者原擬對唐代意境論作通盤的探討，因限於篇幅，遂以主要的三家，即王昌齡、皎然、司空圖的理論為主。

一、「境」字的用法

既然要研究意境論，則最具關鍵性的「境」字，其用法如何，有必要先作討論。

根據學者們的考察（註三），已可肯定地說，「境」原指疆界，有時亦稱「境界」，如《商君書、墾令》：「五民不生於境內，則草必墾矣。」《荀子、富國》：「入其境，其田疇穢，都邑露，是貪主矣。」《列子、周穆王》：「西極之南隅有國焉，不知境界之所接，名古莽之國。」班昭《東征賦》：「到長垣之境界，察農野之居民。」凡此境或境界，皆指疆土、疆界而言，是具體的客觀存在。但是翻譯佛經的人却借用此詞，指稱思想或意識中所達到的領域範圍，如《無量壽經》云：「斯義宏深，非我境界。」《法苑珠林》卷八《六道篇》云：「諸天種種境界，悉皆殊妙。」慧能《壇經》云：「悟無念法者，見諸佛境界。」這些佛家喜用的「境界」，已經不是指外在客觀世界中的疆土，而是指人們或修道者意識中的疆土。由於這一轉用，後來文士也用境界一詞指稱人生的體會或感受，如白居易《題閣下廳》云：「平生閑境界，盡在五言中。」此處境界卽指人生的某種感受。

由於此一轉換，則無論是具體或抽象，是客觀現實或主觀思想，凡指稱某種特定範圍，皆可稱爲境或境界，並可指稱某種風格，如陳廷焯《白雨齋詞話》卷八：「詩有詩境，詞有詞境。」此處之境字一方面是指範圍，但同時也是指風格而言。又如梁任公《飲冰室詩話》：「陳伯巖吏部，……其詩不用新異之語，而境界自與流俗異。」（第一〇則）「要之，公度之詩，獨闢境界，卓然自立於二十世紀詩界中，羣推爲大家，公論不容誣也。」（第三二則）此二則所用之境界皆指特殊風格而言。

以上說明境的一般用法，境是用來指稱某種特定範圍，從而突出某種特色，佛經翻譯者更利用境這個字來代表人的認識對象，如唐僧普光《俱舍論記》云：

但是所緣皆名為境。(卷一)

此言彼者，彼色等境。謂五識身緣彼五境，故言彼識。彼識所依淨色名根。(卷一)

若於彼色等境，此眼耳等有見聞等取境功能，卽說彼色等為此眼等境。功能所託名為境界。如人於彼有勝功能，便說彼為我之境界。(卷二)

又唐僧法寶《俱舍論疏》云：

十二界者，謂六根六識。……於色等境者，謂六根六識等，於色等境之中有功能，故名為境界。(卷二)

若於彼法此有功能者，正理論云：如人於彼有勝功能，便說彼為我之境界。釋曰：有境之法，於自境上。有見聞等遊履功能名為境界。(卷二)

佛家認爲人所以能獲取知識，就是因爲人的心靈有六種認識能力：卽眼識耳識鼻識舌識身識意識等「六識」(識謂了別)。但六識要獲得認識必須有所依，也就是要依眼根耳根鼻根舌根身根意根等「六根」(根謂淨色，卽生理上的感覺神經)。除此之外，還必須有外境可「緣」，這外境相對於六識六根，卽是色境聲境香境味境觸境法境等「六境」。當眼識依眼根去接觸外境時，它可以了別外境中之色境而產生眼識，其它五識可依此類推。根據《俱舍論》的說法，六識與六根等有取境的「功能」，而六境所以稱之爲境界，卽因可爲這些功能所託。所託也卽是「所緣」(見前引《俱舍論記》卷一)，換言之，卽可以活動的範圍，故云「有見聞等『遊履』功能名爲境界」，「遊履」二字相當形象化，說明色境等六種境界是六識六根等可以活動的範圍，且每個範圍其性質各不相同，故稱爲境或境界。佛家將人的認識對象稱之爲「境」或境界，卽以境爲認識客體，而與認識主體的心識相對，這正是唐人意境論的根據。唐代詩論家認爲詩人在創作時是依感興設立一個境作爲「思」的對象，然後由境中取出「意象」，故唐人重視「取境」。（「取境」亦見前引《俱舍論記》卷二文）可見詩論中「境」字的提出與佛家的認識論有密切關係，觀唐代重要的詩論家每與方外結交，甚且本人卽爲方外之人（如皎然），卽可知以「境」論詩並非偶然。

二、王昌齡之意境論

以「境」論詩，公認始於盛唐詩人王昌齡。屬名王昌齡之論詩著作，今存有《詩格》與《詩中密旨》，唯此二書內容是否眞爲昌齡詩說，學者頗有懷疑。由於日本弘法大師《文鏡秘府論》仍保存有王昌齡之詩說，且較無可疑，故學者每據《秘府論》判斷該二書之眞僞。據學者們之比較（註四），《秘府論》中之天卷（《調聲》）、地卷（《十七勢》、《十四例》、《六義》）、南卷（《論文意》）皆有王昌齡之詩說而與《詩格》及《詩中密旨》內容有相近者，由於《詩格》與《詩中密旨》不可能抄襲《秘府論》，由此可以推論，二書卽非全眞，亦不能全僞。唯《秘府論》中所收王昌齡詩說亦多有二書未收者，故本文論王昌齡之意境論以《秘府論》之資料爲主，間採《詩格》與《詩中密旨》，（註五）則以能與《秘府論》相發明者爲限。

關於王昌齡詩論之產生背景，王夢鷗先生曾作過深入考察。據王先生云，王昌齡在唐天寶中曾任江寧丞達七年之久，由於他詩名甚著，故來問詩者甚多，而他亦不吝傳授，故有「詩家夫子」之稱。傳世之昌齡詩說即是當時訪客各記所聞而彙集成編，並非昌齡本人之著述，此亦可以說明何以傳世之幾種昌齡詩說頗有重複、文字不一致，甚或誤謬之處。值得注意的是，昌齡頗多方外之交，故其論文意中頗多禪語，且其詩說之記錄、流傳與保存，亦多賴於江南之禪僧。由今存中晚唐人詩說仍多方外人製作，可見昌齡之影響力頗爲深遠。（註六）

昌齡論詩首重立意。《文鏡秘府論》南卷特立《論文意》，專收王昌齡與皎然之說，而以昌齡詩法特多。據《論文意》云：「凡作詩之體，意是格，聲是律，意高則格高，聲辨則律清，格律全，然後始有調。」「不看向背，不立意宗，皆不堪也。」詩貴立意無疑是昌齡宗旨，但所謂立意，是指何而言？案昌齡對此已有說明，《詩格》云：

> 詩有三宗旨：一曰立意，二曰有以，三曰興寄。立意一：立六義之意，風、雅、比、興、賦、頌。有以二：王仲宣《詠史》：「自古無殉死，達人所共知」，此一以譏曹公殺戮，一以許曹公。興寄三：王仲宣詩「猿猴臨岸吟」，此一句譏小人用事也。

此謂立意是立六義之意，而六義是「風雅比興賦頌」。案《文境秘府論》地卷有「六義」，在每一義之下皆繫有「皎（然）云」與「王（昌齡）云」，如「一曰風」之下，有王云：「天地之號令曰風。上之化下，猶風之靡草，行春令則和風生，行秋令則寒風殺，言君臣不可輕其風也。」如衆所熟知，詩有六義是《毛詩序》總結先秦至漢朝儒家詩論的精華，目的是希望詩歌能爲政治服務，產生改良政治教化的作用，王昌齡既然提倡立六義之意，似乎與唐朝所興起的復古運動有關，據唐人顧雲《唐風集序》云，唐詩人戴叔倫、劉長卿與王昌齡等皆曾受陳子昂之復古詩風所影響，(註七) 此說頗值得注意。但王昌齡除了重視立意之外，也重視聲律，如前引《論文意》云：「凡作詩之體，意是格，聲是律，意高則格高，聲辨則律清，格律全，然後始有調。」《論文意》中並且保留有王昌齡所謂調聲之術，如云：

> 夫用字有數般：有輕、有重；有重中輕，有輕中重；有雖重濁可用者，有輕清不可用者。事須細律之，若用重字，卽以輕字拂之，便快也。
> 夫文章，第一字與第五字須輕清，聲卽穩也；其中三字縱重濁，亦無妨。如「高臺多悲風，朝日照北林」。若五字並輕，則脫略無所止泊處；若五字並重，則文章暗濁。事須輕重相間，仍須以聲律之。如「明月照積雪」，則「月」「雪」相撥；及「羅衣何飄飄」，則「羅」「何」相撥，亦不可不覺也。

案殷璠《河嶽英靈集》選王昌齡詩最多 (註八)，而璠之自序云「開元十五年後，聲律風骨始備矣」，據此，則齊梁至唐初講求聲律之詩風與陳子昂所提倡的「漢魏風骨」詩風，是到了盛唐之玄宗時代始有完美結合，而在殷璠心目中，王昌齡應是盛唐最具代表性之詩人。由於昌齡論詩主張結合立意與聲律，故王夢鷗先生評之爲「他的觀點不但修正了初唐過分張揚齊梁的詩體，同時亦修正了陳子昂盧

藏用一夥人一味復古的詩觀。恰好代表了從初唐過渡至中唐之關於詩法的要求。」（註九）

昌齡重視立意，但詩人之意必須由具體的形象表現出來，故他特加說明，謂立意是指立「六義」之意。這種具體的意，卽是六朝人所謂的「意象」。但意象不會突然出現而必須由具有感情意義的環境中產生，這種具有感情意義的特殊環境，昌齡卽稱之爲「境」。有了境自然會有意象，並且，有很新奇特殊的境才會有新奇的意象，故設境非常重要，而詩的創作過程，簡言之，卽設境與取象而已。《文鏡秘府論》南卷《論文意》曾說明此創作過程：

> 夫作文章，但多立意。令左穿右穴，苦心竭智，必須忘身，不可拘束。思若不來，卽須放情却寬之，令境生。然後以境照之，思則便來，來卽作文。如其境思不來，不可作也。
>
> 凡屬文之人，常須作意。凝心天海之外，用思元氣之前，巧運言詞，精練意魄，所作詞句，莫用古語及今爛字舊意。改他舊語，移頭換尾，如此之人，終不長進。為無自性，不能專心苦思，致見不成。凡詩立意，皆傑起險作，傍若無人，不須怖懼。古詩云：古墓犁為田，松柏摧為薪。及不信沙場苦，君看刀箭瘢是也。
>
> 詩有傑起險作，左穿右穴，如古墓犁為田，松柏摧為薪。

這幾段話不僅强調立意的重要性，而且强調應超越古人，不用陳言舊意，因此要敢於左穿右穴，深入險境，以取得新奇的意象詞語。當然，這往往須要苦心竭智，專心苦思。案王昌齡《詩格》（下簡稱《詩格》）於「詩有三格」條下云「久用精思，未契意象（下略）」，可證苦思的目的是要取得意象。但《論文意》又云「思若不來，卽須放情却寬之，令境生。然後以境照之，思則便來，來卽作文。如其境思不來，不可作也」，此卽謂若經苦思而意象亦不來，卽須放鬆身心等待「境生」，有了境，才能「照」出意象，此時再用思便可得意象，然後可以作文。由此看來，境是意象的母體，是產生意象的根源，故作詩時必須懂得如何設境取象。《論文意》又云：

> 夫置意作詩，卽須凝心，目擊其物，便以心擊之，深穿其境。如登高山絕頂，下臨萬象，如在掌中。以此見象，心中了見，當此卽用。如無有不似，仍以律調之定，然後書之于紙，會其題目。山林、日月、風景為真，以歌咏之。猶如水中見日月，文章是景，物色是本，照之須了見其象也。

《詩格》中有幾段話，可與此相發明：

> 詩有三境，一曰物境，二曰情境，三曰意境。物境一：欲為山水詩則張泉石雲峰之境極麗絕秀者，神之于心，處身于境，視境于心，瑩然掌中，然後用思，了然境象，故得形似。情境二：娛樂愁怨皆張于意而處于身，然後馳思，深得其情。意境三：亦張之于意而思之于心，則得其真矣。
>
> 詩有三格：一曰生思，二曰感思，三曰取思。生思一：久用精思，未契意象，力疲智竭，放安神思，心偶照境，率然而生。感思二：尋味前言，吟諷古制，感而生思。取思三：搜求于象，心入于境，神會于物，因心而得。

王昌齡的詩論可以稱爲意境論，不僅因爲境與意象居於創作時的核心地位，也因爲境與意有密切的關係，可以說沒有境就沒有意。上引幾段文字就是說明設境取象的創作過程。首先是設立一個具體情境，如欲寫山水詩，則先設想一幅極爲秀麗的泉石雲峰之境，並「處身于境」，將自己置身於山水之中去體會其秀麗美妙。其次是對此境「用思」，詩人彷彿置身高處對境觀察，「如登高山絕頂，下臨萬象，如在掌中」「視境于心，瑩然掌中」。由於對境中現象一目瞭然，便可集中精神仔細觀察境中之形象，終於達到透徹了解的程度，此卽所謂「深穿其境」「了然境象」。在達到透徹了解的程度時，再由境中取象，此時所取之象必是最能表現此山水秀麗及詩人感受的意象。

在前幾段文字中，「思」字的重要性不下於「境」字。思卽六朝人非常重視的「神思」（見前引「詩有三格」條下），昌齡視爲搜求意象的心靈作用，認爲必須思與境合作才能取得意象，若「境思不來」，意象亦不來，則「不可作（文）也」。昌論且進一步將所有詩境歸納爲三個範疇：物境、情境、意境（合稱三境）。物境是指以自然景物爲境；情境是指以引起娛樂愁怨等情感的狀況爲境。至於意境，則《詩格》並無說明，或許是指以某種具有義理的情況爲境（註一〇），如《詩格》「常用體十四」，其九曰「理入景體」，舉顏延年詩「淒矣自遠風，傷哉千里目」；而其十曰「景入理體」，舉謝玄暉詩「天際識歸舟，雲中辨江樹」，可能卽是指「意境」而言。三境說包括寫物、抒情、明理，確乎是包括了詩的重要主題。對於思的作用，昌齡亦歸納爲生思、感思、取思三種。「生思」是指放鬆心情讓「境」自然產生，然後用思的方法；「感思」是指藉前人作品感動自己，然後用思。「取思」

則似指在現實生活環境中去尋找意象。

正如前面所述，王昌齡非常重視如何集中精神去觀察「境」中之「象」，他的目的就是要「了然境象」，如此呈現詩中的意象才能達到形似逼眞，故《論文意》云：「然後書之于紙，會題目。山林、日月、風景爲眞，以歌咏之，猶如水中見日月，文章是景，物色是本，照之須了見其象。」此謂文章中所寫物象如水中之景，是以大自然之物色爲本，應求清楚逼眞。很明顯的，這說法頗有「反映論」的味道，它似乎也啓發了後來嚴羽《滄浪詩話、詩辨》所謂的：「詩者，吟詠情性也。盛唐詩人惟在興趣，羚羊掛角，無跡可求。故其妙處透徹玲瓏，不可湊泊，如空中之音，相中之色，水中之月，鏡中之象，言有盡而意無窮。」由於要求形似，昌齡進一步要求寫物應合乎天然眞實，如《論文意》云：「詩有天然物色，以五彩比之而不及。由是言之，假物不如眞象，假色不如天然。如此之例，皆爲高手。中手倚傍者，如『餘霞散成綺，澄江淨如練』，此皆假物色比象，力弱不堪也。」此處批評謝朓名句「餘霞散成綺，澄江淨如練」，以爲描寫自然景物而用上人造品羅綺與素練來比喻餘霞與澄江，這種假借的物色，不如天然的物色具有眞實感人的力量。此種「本色」論，又顯然與鍾嶸「直尋」說及王國維「不隔」說相近。

上述意境論並不是王昌齡所獨創，稍作比較卽不難看出，王昌齡的意境論與六朝的神思論有密切的關係，甚至可說，「境」字的提出正是爲了解決神思論的一個難題。六朝人論文藝構思，以陸機《文賦》爲最早，亦最詳細，而陸機作《文賦》的原因則是「恒患意不稱物，文不逮意」，可見如何去捕捉景物的意義並用正確的文字形象表現出來，爲構思的重點。這個由物到意，由意到文的過程，也就是《文心雕龍、神思篇》所最關心的問題，（註一一）故云：「思理爲妙，神與物遊，神居胸臆，而志氣統其關鍵；物沿耳目，而辭令管其樞機。樞機方通，則物無隱貌；關鍵將塞，則神有遯心。」這段話就是說明，爲了使意能稱物（卽掌握景物的眞正意義）是必須有充足的精神，而要將此意義表達出來，則又有賴於運用語言文字（卽辭令）的能力。依照《神思篇》的說法，構思有兩個階段，前一階段是「神與物遊」，此時會「登山則情滿於山，觀海則意溢於海」，亦卽因爲神（心）與物遊的關係逐漸形成一些情意。而下一個階段卽是以形象與聲律來表達這些情意，故云「然後使玄解之宰，尋聲律而定墨；燭（一作獨）照之匠，窺意象而運斤」。由《神思篇》看來，如何將情意轉化爲意象與聲律正是「神思」的重要作用，但這個作用如何完成却是相當難以理解的。王昌齡提出「境」字，恰好解決了六朝神思論的一個難題——就是如何將情意轉化爲意象。王昌齡的意境論認爲，創作的開始，必須先等待「感興」產生，（註一二）有了感興才有要表達的感情，此時就可依此感情去設「境」，境就是最適合產生此種感情的環境，它剛好是將情感轉化爲意象的關鍵。經過設境這一道過程，則朦朧的情意才能轉化爲具體的形象，此時再用「思」去境中取象，則必是含有豐富感情的「意象」。《神思篇》謂意象的取得靠「燭照之匠」，而王昌齡亦重視設境之後，「思」所發揮的「照」的功能，故云「以境照之」或「心偶照之」。《神思篇》謂照的目的是要使「物無隱貌」，而王昌齡亦謂用思的目的是要「了然境象，故得形似」。《神思篇》將意象與聲律並論，而王昌齡亦云「意是格，聲是律，格律全，然後始有調」，凡此皆可證二者之關係。

王昌齡將設「境」作爲「思」的對象，顯然是應用佛家認識論的觀念，且將詩境歸納爲物境情境意境等三境，亦似佛家所謂六境。由於昌齡與方外頗有交往，且其詩說本是對方外說法，故這種現象是不難理解的。

三、皎然的意境論

皎然通常被稱爲「中唐」詩僧，唯其早歲曾投寄江寧長干寺多年，而其時適逢王昌齡在江寧丞任內，且王氏之詩說卽在此時流傳，故王夢鷗先生認爲，皎然必曾聽聞王氏之詩論且深受影響。（註一三）皎然之著作，除見於《文鏡秘府論》者外，傳世者尚有一卷本五卷本之別，又其名稱有《詩式》、《詩議》、《評論》等，情況頗爲複雜，究竟原貌如何，恐難證明。玆爲討論方便起見，除採用《秘府論》南卷《論文意》之資料外，大抵以許清雲先生《皎然詩式輯校新編》爲主。（註一四）

《秘府論》南卷《論文意》只收王昌齡與皎然二家詩說，可見二人最爲重視文意，而皎然之說應是受到王昌齡之影響。（註一五）皎然的說法被放在《論文意》後半部，其中有云「但古人後于語，先于意」，此爲皎然《評論》之文，可見皎然論文亦以「意」爲優先，同於昌齡。昌齡論立意應苦心竭智，而皎然亦極稱「苦思」之重要，如《論文意》云：

或曰：詩不要苦思，苦思則喪于天真。此甚不然。固須繹慮于險中，采奇于象外，狀飛動之句，寫真奧之思。夫希世之珠，必出驪龍之頷，況通幽含變之文哉？但貴成章之後，有其易貌，若不思而得也。

許清雲先生輯校本收皎然《評論》云：

評曰：或云：詩不假修飾，任其醜朴，但風韻正，天真全，卽名上等。予曰不然。無鹽闕容而有德，曷若文王太姒有容而有德乎？又云：不要苦思，苦思則喪自然之質。此亦不然。夫不入虎穴，焉得虎子？取境之時，須至難至險，始見奇句。成篇之後，觀其氣貌，有似等閑，不思而得，此高手也。有時意靜神王，佳句縱橫，若不可遏，宛如神助。不然，蓋由先積精思，因神王而得乎？

以上三則內容相近，都是在提倡苦思精思，要求取境之時，須至難至險，所謂「不入虎穴，焉得虎子」，與昌齡提倡苦思，並謂「左穿右穴」，可謂如出一轍。《秘府論南卷》又云：「凡詩者，雖以敵古爲上，不以寫古爲能。立意于衆人之先，放詞于群才之表，獨創雖取，使耳目不接，終患倚傍之手。」此處極稱道立意應求獨創，不應依賴古人，亦如昌齡所謂：「凡詩立意，皆傑起險作，傍若無人，不須怖懼。」皎然《詩式》上又云：

夫詩者衆妙之華實，六經之菁英。雖非聖功，妙均於聖。彼天地日月玄化之淵奧，鬼神之微冥，精思一搜，萬象不能藏其巧。其作用也，放意須險，定句須難，雖取由我衷，而得若神表。至如天真挺拔之句，與造化爭衡，可以意冥，雖以言狀，非作者不能知也。

此亦謂「放意須險，定句須難」。昌齡與皎然皆一再强調寫作應有冒險精神，蓋凡險地皆是前人較少涉足之境，故唯有進入至險至難之境才能取得新奇的意象。

皎然論詩喜用「作用」一詞，對學者們頗造成困擾，是一個應該解決的問題，玆先列舉「作用」一詞的使用情形如下：

其五言，周時已見濫觴，及乎成篇，則始於李陵、蘇武二子。天與真性，發言自高，未有作用。十九首辭義精炳，婉而成章，始見作用之功。（《評論》）

康樂公早歲能文，性穎性靈，及通內典，心地更精。故所作詩，發皆造極，得非空王之道助邪？夫文章天下之公器，安敢私焉！曩者嘗與諸公論康樂為文，真於情性，尚於作用，不顧詞彩，而風流自然。（《評論》）

作者措意，雖有聲律，不妨作用。如壺公瓢中，自有天地日月，時時抛鍼擲線，似斷而復續。此為詩中之仙，拘忌之徒，非可企及矣。（《詩式上》）

意度盤礴，由深於作用。（《詩式上 》）

案郭紹虞對「作用」的解釋是「指藝術的構思」，徐復觀不同意這個解釋，他的看法是，用是對「體」而言，故皎然所謂作用，是說不要直接說出某事某物的自身，而應言某事某物所發生的意味、情態、精神、效能等作用。（註一六）黃保眞亦同意「用」是相對於「體」而言，但他却認爲皎然之所謂「作用」是指人的自覺的努力，就創作言，則指精思窮搜的過程，亦卽陸機所謂的「用心」，劉勰

所說的「神思」，亦卽藝術思維。（註一七）

對以上的解釋，不妨舉皎然《評論》中的一段話來加以驗證。

> 古今詩中，或一句見意，或多句顯情。王昌齡云：「日出而作，日入而息，謂一句見意為上。」事殊不爾。夫詩人作用，勢有通塞，意有盤礴。勢有通塞者，謂一篇之中，後勢特起，前勢似斷，如驚鴻背飛，却顧儔侶。卽曹植詩云：「浮沈各異勢，會合何時諧。願因西南風，長逝入君懷。」是也。意有盤礴者，謂一篇之中，雖詞歸一旨，而興乃多端。（下略）

此段大意是說，詩有時是一句見意，但亦有多句顯情，在多句顯情的情況下，眞正的情意隱在言外，而文字表面的意象則顯得似斷若連，例如曹植詩「浮沈各異勢，會合何時諧。願因西南風，長逝入君懷」，卽因後二句較爲突出，造成前二句似若中斷，此謂之「勢有通塞」。而另有一種詩，則以幾件事情來說明一意以造成氣勢，而這些事件彼此並無關連，此謂之「意有盤礴」。凡此似斷若連，意在文外的情況，皎然認爲，完全是詩人「作用」造成的。就此例看來，徐復觀的解釋顯然是不適用的，反而是郭紹虞的解釋較爲正確。「作用」卽是「構思」，詩有經過構思，其意境會更加深化，此是皎然採取「作用」一詞的用意。如《詩式》云「作者措意，雖有聲律，不妨作用」，卽是指嚴格的聲律並未妨礙作者之構思措意，蓋作者能在聲律的嚴格限制下採取似斷而實連的表現法，故云「如壺公瓢中，自有天地日月，時時抛鍼擲線，似斷而復續」。又如皎然評蘇武李陵詩，謂「未有作用」，卽因二人只是直抒胸臆，未能進一步構思以深化意境，必至古詩十九首之作者「始見作用之功」，亦卽懂得構思以造成意境的深化。至於稱讚謝靈運「尙於作用」，亦是稱其精於構思。

「作用」一詞，與王昌齡皎然等所提倡的「苦思」「精思」有密切關係，故《詩式》云：「其作用也，放意須險，定句須難。」黃保眞謂「作用」等於劉勰之「神思」，非常正確，但他並未說出所以然。其實，正如「境」字的特殊用法來自佛家，將「思」看成「作用」亦是來自佛家，且二者皆出於《俱舍論》的注疏。唐僧法寶《俱舍論疏記》卷四云：

> 《論》：「思謂能令心有造作」。《正理論》云：「令心造作善、不善、無記。成妙、劣、中性，說名為思。由有思故令心於境有動作用。猶如磁石勢力能令鐵有動用。

此處引《因明入正理論》，謂「由有思故令心於境有動作用」，不僅證明了作用是指「思」而言，而且證明了所謂「作用」是指思在「境」上產生作用。此條資料頗足珍貴，蓋由此更可得出結論，卽王昌齡與皎然的意境論實是受到唐代俱舍論的啓發，故可謂唐人意境論乃是六朝神思論與唐代俱舍論結合的產物，其原意是要說明文藝構思。

雖然皎然論詩深受王昌齡影響，但皎然亦有不滿王昌齡之處。如前引《評論》一段話中，皎然卽批評王昌齡「一句見意」之說。他認爲詩固有一句見意，但亦有多句顯情，所謂多句顯情當指意在言外，故他特別指出「池塘生春草」卽是「情在言外」。由此看來，特別重視言外之意確爲皎然有別於昌齡之處。王昌齡比較重視的是如何精確地刻劃物象，故他一再强調要「了然境象」，而且一再使用「照」字，他的目的就是要由「了然境象」而「得其形似」。就其三境說看來，他對「物境」的說明最為詳細，似乎說明了他深受六朝山水詩論之影響，因而重視「巧構形似之言」。當然，不能因此推論王昌齡不知道言外之意，二人理論上的主要不同，應在於昌齡是從作者的角度論詩，而皎然則有時從讀者的角度論詩。從作者的角度論詩，自然偏向於解釋意象的創造過程，並且比較强調如何精確刻劃意象；對作者而言，幾乎不發生言外之意的問題。但是站在讀者的立場，很容易從閱讀經驗中感受到言外之意的問題，正如皎然所舉「勢有通塞」「意有盤礴」之例，讀者很容易發現在意象與意象之間，在言與言之間，有許多裂縫空白，有待於讀者自己去加以塡補，使這些空白之處「具體化」(concretizing)。正如作者須要神思，讀者則須要神會，故皎然《評論》云：「兩重意以上，皆文外之旨。若遇高手如康樂公，覽而察之，但見性情，不覩文字。」蓋唯高手才能發現語言底層的黑盒子——「重意」。

皎然論詩每兼顧作者與讀者立場，故其有名的「取境」論云：「夫詩人之銳思初發，取境偏高，則一首舉體便高；取境偏逸，則一首舉體便逸。」取境本是作者的問題，但謂取境會影響作品的「高」或「逸」等風格，則是採用讀者的立場。也因為皎然頗從讀者立場論詩，故又提出詩的有味無味問題。皎然所提言外之旨、取境風格論，以及「味」的問題，都影響後來的司空圖。(註一八)

四、司空圖的意境論

司空圖是晚唐詩人，且是極負盛名的詩評家，其《詩品》及論詩之語，自唐宋以來就深受重視，聲名之盛遠超過王昌齡《詩格》與皎然《詩式》。這種傳統觀念其實須要修正(註一九)，因爲奠定意境論的基礎是王昌齡與皎然，司空圖的貢獻只是將二人的說法融和起來，尤其是《詩品》更以詩的方式描寫二十四種詩境，以此作爲範例以告訴學詩者什麼是「思與境偕」，對於闡釋王昌齡等的詩論甚有幫助。

司空圖在《與王駕評詩書》中提到「思與境偕，乃詩家之所尙者」，這二句話獲得學者們高度重視，但學者們似忽略了《書》中對王昌齡致最高推崇所具有的意義。司空圖在《書》中評論自唐初至晚唐的許多詩人，有褒有貶，而他所致最高敬意者，則爲王昌齡與李白、杜甫，如云「國初，主上好文雅，風流特盛，沈、宋始興之後，傑出於江寧，宏肆於李、杜，極矣！」後人也許注意到司空圖對王昌齡詩作的推崇，却未注意到司空圖詩論與王昌齡詩論的關係，以致對所謂「思與境偕」產生一些誤解，如云：

「思」是詩人主觀的感情、意緒和觀念，「境」卽借以寄意的客觀環境或景物。詩人在進行創作時融情入景，寄意於象，達到主觀與客觀、感情和景物的高度和諧一致。其實這就是古代詩歌傳統的情景交融的藝術方法。(註二〇)

用情景交融解釋「思與境偕」，在學者間相當普遍，就結論而言，並不算錯誤，但一般將「思」字解釋爲詩人的思想感情，却失於望文生意。正如上述，思與境的合作是王昌齡意境論中的重點，思乃指文藝創作中取得意象的構思活動。依照王昌齡的說法，爲了取得好的意象，必須先設立具有某種感情意義的特殊環境，例如爲了表達「閨怨」，就必須先設立某種能產生閨怨的具體情境，然後運用神思去仔細觀察此境中的形象活動，深入去了解這些形象活動的感情意義，在「深穿其境」「了然境象」之後，就可從境中去選取最具感情意義的形象，並且要能運用正確的文字將這些形象準確的刻劃出來，如此就是具有感染力的「意象」。司空圖所謂「思與境偕」，正是指思與境的合作而言，蓋承王昌齡的說法，指出構思時應先設立某種對應於感情的「境」，如此才能有好的意象。司空圖褒貶唐代詩人，就是根據他們在構思時是否有設立一個相應的情境，(註二一)而他所以推崇王昌齡與李杜，就是因爲他從這些詩人的詩中領悟到設境的重要性。

司空圖的二十四詩品雖負盛名，却被公認爲「意旨渾涵，猝難索解」的作品，(註二二)當代學者之研究甚多，筆者所見不廣，不敢妄斷。唯就王昌齡與皎然的意境論，以及司空圖所謂「思與境偕」等觀念看來，二十四詩品所描寫的正是二十四種詩境，正確的說，應是二十四種設境的範例。例如王昌齡論「物境」，舉山水詩爲例，認爲欲寫山水詩則應「張泉石雲峰之境極麗絕秀者，神之于心，處身于境，視境于心，瑩然掌中，然後用思，了然境象，故得形似」，而司空圖之二十四詩品，卽有幾則是類似昌齡所謂「極麗絕秀」之境，例如第三品《纖穠》：

采采流水，蓬蓬遠春。窈窕深谷，時見美人。碧桃滿樹，風日水濱。柳陰路曲，流鶯比鄰。乘之愈往，識之愈真。如將不盡，與古為新。

又如第六品《典雅》：

玉壺買春，賞雨茆屋。坐中佳士，左右修竹。白雲初晴，幽鳥相逐。眠琴綠陰，上有飛瀑。落花無言，人淡如菊。書之歲華，其曰可讀。

二十四詩品應是二十四個設境的範例，目的在說明構思時如何依感情的需要而設境，其實也就是「思與境偕」的具體說明。因爲二十四詩品本是二十四種詩境，故作者採用詩的形式來表現也就不足爲怪。

從二十四詩品可以看出，司空圖所設的這些境是爲詩而設，它們都是經過藝術加工的美化之境，與現實的景物有所不同，也因此，讀者由詩境中所體會的滋味必然與面對現實景物有所不同，故司空圖《與李生論詩書》云「辨於味，而後可以言詩也」。他認爲李生若要作絕句，應先能分辨這種醇美的味外之旨，其實也就是强調應懂得設境，蓋詩有意境才能讓讀者感受到「近而不浮、遠而不盡」的韻外之致。無疑的，司空圖所指味外之旨卽西方美學家所謂的美感經驗或純粹性。(註二三)

司空圖《與極浦書》云：「戴容州云：詩家之景，如藍田日煖，良玉生煙，可望而不可置於眉睫之前也。象外之象，景外之景，豈容易可談哉？然題紀之作，目擊可圖，體勢自別，不可廢也。」這裏分別兩種詩，一種是出於藝術品味的詩，一種是題詠紀實之作。題詠紀實之作目的在報導實況，故不必太過考慮美感經驗的有無問題，但藝術作品則不能止於報導實況。藝術性的詩，其中亦有景物，且與現實景物亦頗相似，但却有所不同，蓋這些經過提煉的景物只保留現實景物中帶有美感訊息的部分，而拋棄了那些不帶美感訊息的部分。比起現實景物，詩家之景正是「象外之象，景外之景」，蓋詩家所傳送的只是一些美感訊息，並不是外物的眞實形象，(註二四)故詩家之景總讓人有不容易捉摸把握之感，正如藍田日暖，良玉生煙，雖似淸楚可見，却無法實際加以捕捉。

王昌齡已經說過，文章所寫的物象如水中之景，但他强調此物象是根據大自然物色而來，應求形似逼眞。但至皎然則提出「境象非一，虛實難明」（見《秘府論》南卷《論文意》），進一步指出境中的意象是若虛若實，難以捉摸，它們就如可覩而不可取之影，或可聞而不可見之風，是虛象而非實象。同時皎然亦重視詩味有無的問題，凡此似皆影響到司空圖。當然，就區分詩境與現實世界這點而言，司空圖的講法比前人淸楚，故其影響亦較大。

五、結　論

唐人論意境雖不限於上述三家，然應以此三家爲最重要，而且此三家的詩論每有互相發明之處，故必須一起合論。

最早提出意境論的是王昌齡，而最能將意境解釋淸楚的也是王昌齡，原因是王氏融和了六朝的神思論與唐代佛學中的名相分析。但王氏的意境論最先是爲了說明他的立意觀而提出的。王氏再三强調作文章應求超越古人，故應苦思精思以求另闢險境。正因爲他重視立意，故他利用俱舍論中「心識」與「境」的關係，提出一個境字來說明意象的產生。他要求作者應根據感興而設立一個具體的環境，然後由此環境中去尋找意象。可以看出，境剛好是意與象的橋樑，有了境則感興才能轉化成意象，如此正好解決了六朝神思論中一個難題。意境論原是一種創作論，故王氏著力處卽在解釋如何精確的刻劃意象。至於意象能否盡意，則他並未深論。

皎然受到王昌齡影響甚深，故亦主張苦思以立意，但有時站在讀者的立場，注意到象與象之間仍有裂縫空隙，因而主張應重視言外之意。他注意到有些詩是以景勝，而有些詩則以情勝。（註二五）由於站在讀者的立場，故他亦注意到美感經驗（卽「詩味」）的有無問題。（註二六）

司空圖的貢獻就在於他融和了王昌齡與皎然的詩論。他將王昌齡的意境論簡單地概括爲「思與境偕」，同時又設了二十四種詩境，以實例告訴人如何設境。另外，司空圖又繼承皎然「境象非一，虛實難明」的說法，指出詩家之景是象外之象、景外之景，與現實之景有所不同。由此進一步指出，詩味是在酸鹹之外，終於將意境的終極意義點明出來，蓋意境原屬於審美範疇，其目的在提供審美訊息，而非現實的紀錄。

意境論與後人所謂「詩中有畫、畫中有詩」，意義是相通的。詩應透過具體生動的形象以提供美感訊息，故云「詩中有畫」；畫家並不以如眞實的事物爲滿足，而是以捕捉如詩般的審美訊息爲滿足，故云「畫中有詩」。所謂詩中有畫，司空圖的二十四詩品已提供了最佳的證明。

〔附　註〕

註一　本文採取「意境」一詞而不用「境界」一詞，是因爲目前的美學界傾向於採用前者。其次，境字雖等於境界，但唐人重視詩中的境界却是與重視立意分不開，故稱之爲意境論更能顯示其用意。

註二　例如張文勛云：「意境，是我國古代特有的具有鮮明民族特色的美學概念。」（《儒道佛美學思想探索》，頁一三〇）葉朗亦云：「意境是中國古典美學的一個重要範疇。」（《中國美學史大綱》上册，頁二六三）而葉祖蔭《中國古代文藝美學範疇》即特設一章《意境論》）。

註三　此處論「境」的本義及其引伸義，資料頗多取自范寧《關於境界說》（收入姚柯夫編《人間詞話》及評論滙編》、成復旺黃保眞等撰《中國文學理論史》（二册，頁一二三）、佛雛《王國維詩學研究》。另外，如葉嘉瑩《王國維及其文學批評》及註二引張文勛著作，亦有所參考。

註四　如吳鳳梅《王昌齡詩格之研究》（政大中文研究所碩士論文），日本興膳宏《王昌齡の創作論》（收入汲古書院，岡村繁教授退官記念論集《中國詩人論》）。

註五　本文所根據者爲王利器《文鏡秘府論校注》，及岳麓書社出版《中國歷代詩話選》所收王昌齡《詩格》與《詩中密旨》，唯亦參考《詩學指南》所收王氏著作。

註六　參見王先生《王昌齡生平及其詩論》及《試論皎然詩式》（均收入《中國古典文學論探索》）。

註七　見王夢鷗先生《王昌齡生平及其詩論》引顧雲《唐風集序》。

註八　見呂光華《今存十種唐人選唐詩考》（政大中文研究所碩士論文），頁五九。

註九　見王夢鷗先生《中國古典文學論探索》，頁二七〇。

註一〇　案范寧以爲「意境」是指想像幻想中的事物（見註三引文），而黃保眞則云，意境是以明理爲主的一格（同註三引書，頁一二五），黃氏說法似較可取。

註一一　與膳宏《王昌齡の創作論》對王昌齡意境論與陸機《文賦》及《文心雕龍》的關係亦有所論述，可以參看。

註一二　《文鏡秘府論》南卷《論文意》有幾段王昌齡論感興的話，他指出作文不可勉强，必須等待「興發意生」才可作文。這種重視感興的觀念正是得自六朝的神思論。

註一三　見註九引書，頁三〇一。

註一四　關於皎然著作，日本船津富彥曾作過仔細考察（收入其《唐宋文學論》，汲古書院發行）。國內則以許清雲用力最深，其《皎然詩式輯校新編》，由文史哲出版社出版。許氏又有《皎然詩式研究》亦由文史哲出版社出版。

註一五　關於皎然論詩所受王昌齡之影響，及皎然與昌齡詩論之異同，王夢鷗先生有深入探討，請讀者參閱註九引書。

註一六　見徐先生《皎然詩式「明作用」試釋》（收入《中國文學論集續篇》）

註一七　見註三引書，頁一一九—一二〇。

註一八　皎然對司空圖的影響，可參看許清雲《皎然詩式研究》第四章。

註一九　葉朗《中國美學史大綱》（頁二六五）對此亦有論及。

註二〇　見羅仲鼎、吳宗海、蔡乃中等編著《詩品今析》（江蘇人民出版社）「前言」，頁二一。

註二一　呂興昌先生曾根據皎然「取境」之說解釋司空圖之「思與境偕」，謂此乃指「詩人之『思』初發時，必須尋找一個相稱的『境』。」（《司空圖詩論研究》，頁六二）比起其他說法，呂先生此解較為正確。

註二二　見鄭之鍾《詩品臆說序》，引自趙福壇《詩品新釋》（花城出版社）「前言」，頁五。

註二三　由意象所體會的情感與現實情感不同，請參閱王夢鷗先生《文學概論》第二十二章《純粹性》及第二十三章《境界》。

註二四　對於司空圖所謂「象外之象，景外之景」，黃葆眞說，前一個「象」與「景」是指客觀存在的自然與社會生活中的景體事物；後一個「象」與「景」，則是指「物化」於聲律、詞采之中（即詩中）的「意象」，也就是經過藝術思維熔鑄而成，並表現在一定藝術形式中的境界和形象。（《論司空圖的詩歌哲學》，載《古代文學理論研究》第七輯），唯筆者並未看到此文，這裏是根據張國慶《論意境說的源流》（《古代文學理論研究》第十三輯））雖然有人不同意這個解釋（如張國慶），但我認爲這個解釋比較正確。

註二五　有人問皎然，謝靈運詩「池塘生春草」與「明月照積雪」二句的優劣。皎然答云，池塘生春草是「情在言外」，而明月照積雪則「旨冥句中」，二者風力相等，只是「取興各別」，故未能優劣。（見皎然《評論》——許清雪輯校本頁三三）據此，則一以景勝，一以情勝，故未易優劣。

註二六　皎然以「味」論詩皆見其《評論》（見許清雪輯校本頁一七及頁三三）。

宋易之美

——以象數圖書學爲範疇

劉瀚平

壹、楔子

程明道曾說：

天地萬物之理，無獨必有對，皆自然而然，非有安排也，每中夜以思，不知手之舞之，足之蹈之也。（註一）

張行成也說：

康節先生謂圖雖無文，吾終日言而未嘗離乎是，蓋天地萬物之理，盡在其中矣！謂先天圖也。先生之學祖於象數二圖。（註二）

程、邵二氏曷以對天地（陰陽）、萬物之理，終日以言，中夜以思，樂得手舞足蹈，我曾謬以顛狂、虛涉，等嘗試玩弄揣摹多年，稍略其意，也常興歡喜贊嘆之喟。

這時，才知來氏知德窮畢生之力以學易，敍其讀易心得所說：學易且莫看爻辭、繫辭並程傳本義，且將圖玩，玩之既久，讀易自有長進。雖然我們大可不必一定排斥爻辭、繫辭程傳本義，但他窮二十九年之力而成易經圖解一書，其言當非虛起。近人治易甚有卓見的杭辛齋、端木國瑚，也從圖書中反覆置意，而有憬悟。清漢學者像黃梨洲、王夫之、毛西河、胡詘明詆爲黃冠祖氣之邪說、攻訐之甚，無與倫比。杭氏對於論易之書幾無不讀，對漢學者這種看法認爲是據門戶之見，或以儒術自高，在易學筆談中，辯說不遺餘力，其實圖書學之出於道家，前人已不避諱。朱熹說：

> 易只是箇陰陽，莊生曰，易以道陰陽，亦無不見。如奇偶剛柔，便只是陰陽做了易。等而下之，如醫技養生家之說，皆不離陰陽二者。魏伯陽參同契，恐希夷之學，有些自其源流。（註三）

後代人一聽說出于二氏，便認爲來歷不正。我們今日更不必有此觀念，只要說得有道理，有價值，無論出於何家，都有可取，何況漢學家們雖詆毀甚勤，他們也都認爲「此中別有至理」存焉，不能妄斥爲非。

關於宋易之美，可以談的範圍極廣，本文是擬從宋易不同於漢易的象數圖書學中，擇取一些對宋以後易圖學，有決定性、原則性的理論出發。這些本來是宋道學家，想要表達其對宇宙生發、建構、原委，以及人文秩序的全套思想進路，也是道學家們的宇宙論，雖然漢人也重象數，但是漢儒多半舍理言象，宋人則理數兼崇，而格物窮理，也往往較幽微。（註四）

其實漢易和宋易是不能截斷的同流異脈，甚至宋易在某些題眼上泰半是沿襲了漢易而加以一番陶冶熔鑄後，予以一番精妙的演化。像劉勰在文心雕龍提到的「旁通」、「互體」、「爻變」、「四象」（註五）都資用漢易的主要名目，倘若我們細心探賾這些名目在整個易學體系裏所呈示的結構活動，和它所發射出來的美學含義，作爲中國美學意念「含蓄」的說明，是極其淸楚的，祇是宋代的義理易（對應宋象數易言）是鮮取各爻的應承的，即使是爻變、互體之說也罕及之，它不是宋易的重點，而圖書派所顯示出來的意義和價值便容不得我們忽視。大體言之，宋易自外道之圖（丹）訣，變造了以後，加以理想主義的釋義（Idealist inscriptional interpretation）亦即象徵性之詮述（Symbolic nterpretation）是自物質義層轉迭爲心理學上的象徵涵義，再遞衍爲哲學上的象徵義。這是因爲宋儒著意在天人之際的形上課題，以圖象來釋理，可以幫助語言文字的不足，而圖文兼釋，尤可收一目了然之功，提供學易的人一個更寬廣、更深邃的優游空間。

貳、易中第一義—畫前有易

嚴羽滄浪詩話提出詩的極則第一義，而宋易學家邵雍首先提出易中這個觀念。在他認爲《周易》的法則是先於卦爻辭和卦畫面而存在的，他說：

須信畫前元有易，自從刪後更無詩。（註六）

先天之學，心也。後天之學，迹也。出入有無生死者，道也。（註七）

邵雍以爲這是伏羲氏畫卦之原始，他在《觀三皇吟》說：

許大乾坤自我宣，乾坤之外復何言。初分大道非常道，才有先天未後天。（註八）

這麼說不就否定了象數和圖書的價值嗎？其實不然。他說：

> 君子於易，玩象，玩數，玩辭，玩意。象起於形，數起於質，名起於言，意起於用。有意必有言，有言必有象，有象必有數，數立則象生，象生則言彰，言彰則意顯。象數則筌蹄也，言意則魚兎也。得魚兎而忘筌蹄則可也。舍筌蹄而求魚兎，則未見其得也。（註九）

按照《繫辭》「書不盡言」章王弼的解釋，只講言、象、意三者的關係，而邵雍加了數，並提出「數立則象生」。他以數爲象的根源，而數的法則藏於聖人的心中。王弼主張廢棄象數以顯義，邵雍主張借象以顯義，程頤吸收兩家觀點後提出「假象以顯義」。

劉牧以中宮天五之數爲變化之主，萬數之宗，邵雍仿此，提出「先天圖者，環中也」。認爲其先天圖式，像河洛中五之數衍爲河洛圖式一樣，「皆自中起」，卽從圖中太極開始，衍爲整個圖式。這居中的太極就其橫圖言，是指「一動一靜之間者」，因居中，卽非動非靜，故爲太極。就圓圖說，指圖中之白地，如洛書河圖之中五居中心一樣，在六十四卦之中，是指坤復之際，卽天根處，此處無象，稱爲無極，但萬象又從此處興起，故爲太極。居中的太極，亦卽人心，因此他把先天學稱爲心法：

> 先天之學，心法也。故圖皆自中起，萬化萬事生於心也。
>
> 圖雖無文，吾終日言而未嘗離乎是。蓋天地萬物之理，盡在其中矣。（註一〇）

此心所具備形成先天圖的法則，如一分爲二，二分爲四等，按此法則而成的圖式，雖無文字但，天地萬物之理，如天圓地方，四時運行，萬物之興衰，人事的推移，皆在其中。《觀易吟》說：

> 一物其來有一身，一身還有一乾坤。能知萬物備於我，肯把三才別立根。天向一中分體用，人於心上起經驗。天人焉有兩般義，道不虛行只在人。（註一一）

他把數學的法則和心法結合在一塊，就具備了普遍的規律性，爲宇宙的本源。就認識論言：數的概念是不變的，一就是一，二就是二，一加一，方爲二，一可以分爲二，但一自身不能包含二，這種非此卽彼的數學思惟路線，後來有人訾爲是「破作兩片」的形上宇宙結構論，但是他又肯定宇宙的原始狀態爲太極元氣，又不影響他先驗論的性質，一氣和兩儀對稱，只是便利說明天地萬物生成的過程，具體事物的形成乃是氣化的過程，如同一年節氣的變化乃陰陽二氣變化一樣，而其變化的法則和程序則基於人心，因心法是一分爲二，所以一氣分而爲陰陽，形成天和地，《觀物吟》說：

> 一氣才分，兩儀已備，圓者為天，方者為地。變化生成，動植類起。人在其間，最靈最貴。

（註一二）

我們參考他對大衍數中五及叄天兩數爲太極的解釋，就可發現：太極之數其自身展開爲天地之數。按此觀點，如果太極爲一，此一應包含兩儀、四象、八卦之數，兩儀、四象等乃太極自身的開展。這一論點在其子邵伯溫得到發揮：

> 有太極則有兩儀，四象，八卦，以至於天地萬物，固已備矣，非謂今日有太極而明日方有兩儀，後日乃有四象生八卦，其實一時具足，如有形則有影，有一則有二有三，以至於無窮皆

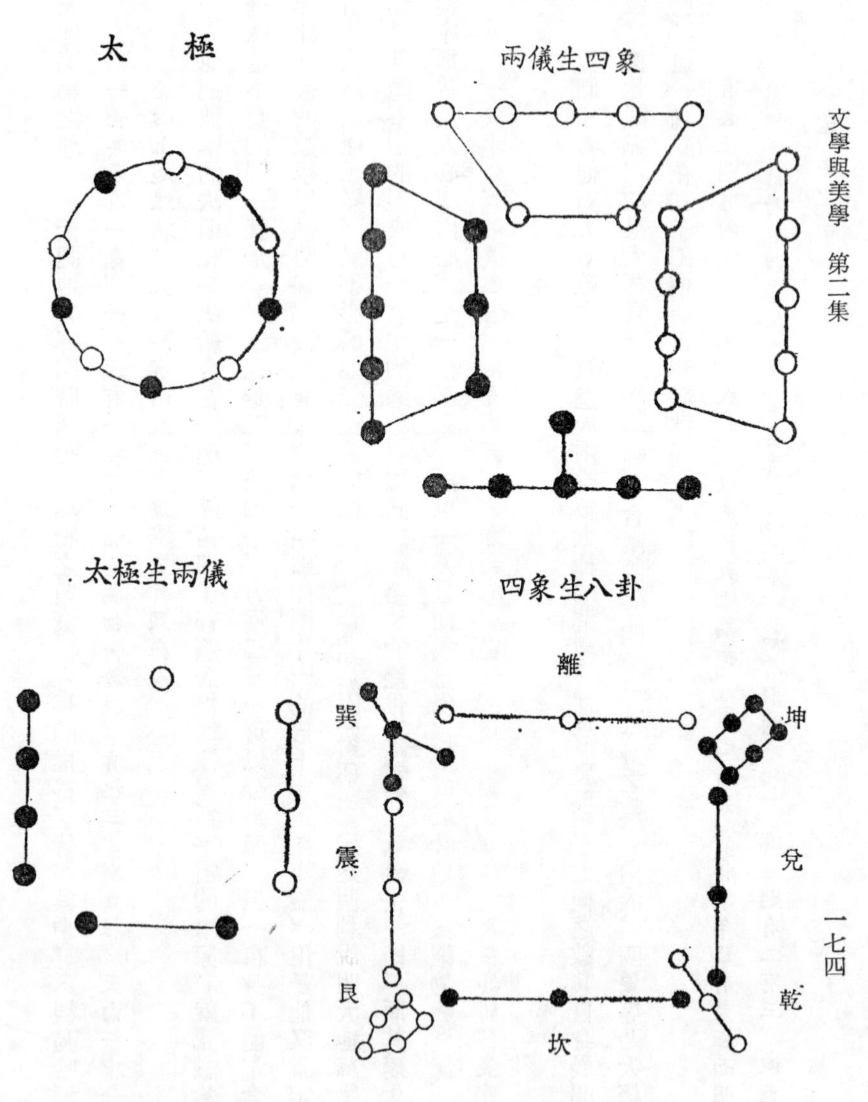
太極
兩儀生四象
太極生兩儀
四象生八卦
離
巽
坤
震
兌
艮
乾
坎

然。（註一三）

這麼說，太極和兩儀便不是母生子的關係，而是母懷子的關係，子生於母中而仍不分，他們涵蘊着「一本散萬殊，萬殊歸一本」的關係，如同形影一樣，「一時具足」。這個說法在宋明易學史上展開了長期的爭論，透過這個爭論，在哲學上，將劉牧和邵雍的宇宙生成論，導向了本體論的範疇。

朱熹解釋邵雍的先天學說：

蓋一圖之內，太極兩儀四象八卦，生出次第、位置、行列，不待安排而粲然有序；以至於第四分而為十六，第五分而為三十二，第六分而為六十四，則其因而重之，亦不待用意推移，而與前之三分焉者，未嘗不胞合也。比之並累三陽以為乾，連疊三陰以為坤，然後以意交錯而成六子，又先畫八卦於內，復畫八卦於外，以旋相加而後得六十四卦者，其出於天理之自然，與人為之造作，蓋不同矣！（註一四）

又說：

八卦是皆自然而生，瀵湧而出，不假智力，不犯手勢，而天地之文，萬事之理莫不畢具，乃不謂之畫前之易，謂之何哉？（註一五）

其曰畫前之易，乃謂未畫之前，已有此理，而特假手於聰明神武之人，以發其秘，非謂畫前已有此圖，畫後方有八〇也，此是易中第一義也。（註一六）

倘若我們從歷史發展看易經四聖，代天立言，則已不甚意義，從哲學意義看，此說確有可取的地方，周易許多卦象、爻象倘若硬生生地指涉爲某實際事物，總會有扞格難通之處，所以先天圖象，雖僅一圖而天地萬物之理，陰陽始終之變可以具以表述，所謂「天地只是不會說，請他聖人出來說，若天地自會說話，想更說得好在，如河圖洛書，便是天地畫出來底」。朱熹及後人的說法（註一七），大體上是符合邵雍的意思。

叁、形由象生，象由數設

河圖洛書本來是古代的一種神話傳說。（註一八）根據《論語》和《管子》的說法，河洛本是古代傳說中的兩種祥瑞。河洛兩個辭，最早見於《尚書・顧命》。（註一九）孔子以不見祥瑞現象，故有其學說已不能推行的慨嘆，鄭玄取義爲受命爲王的象徵。正如後人所說符命這類東西。劉勰在《文心雕龍・正緯》中也採這種說法。

首先將河洛同《周易》聯繫起來的是《繫辭傳》：

河出圖，洛出書，聖人則之。

易傳的作者以爲：八卦是「聖人」依據河圖、洛書推演出來的，但是並未說明河洛爲何物。此說到了漢代有了進一步的發展：

孔安國說：

河圖者，伏羲氏王天下，龍馬出河，遂則其文以畫八卦。洛書者，禹治水時，神龜負文而列於

背，有數至九，禹遂因而第之，以成九類。（註二〇）

僞孔傳的這個說法，是據劉歆以八卦釋河圖，以《洪範》釋洛書。

伏羲氏繼天而王，受河圖而畫之，八卦是也。禹治洪水，賜洛書，法而陳之，九疇是也。河圖、洛書相為經緯，八卦、九章相為表裏。（註二一）

禹治洪水，賜洛書，法而陳之，洪範是也。《漢書・五行志》

揚雄進一步視河洛爲《周易》的來源。他說：

大易之始，河序龍馬，洛貢龜書。（註二二）

把黃河龍馬所負之圖爲河圖，洛水神龜背上之書爲洛書，作爲《周易》的本源。

劉歆揚雄的說法，被緯書吸收，將河洛發展成兩種著作，並把《周易》中九六之數同河洛牽扯在一塊。可見河洛在漢代是很流行的。

但是龍馬神龜所負的圖式究竟如何？同周易究竟有何種密切的聯繫？同卦象又有什麼系統牽連？漢魏晉唐的易學家，不但沒有具體的說明，也沒有圖式加以疏釋。宋代象數學派，在道敎易學的影響下，首度揭發了這一奧秘，將《繫辭》中的大衍之數，天地之數同河洛聯繫起來，並製定了不同的圖式，來說明《周易》的原理，形成了圖書學派。人的內部和外在世界潔淨精微，無形無象的交通軌迹，本來就是從五官的感覺中攝取出來的，而超絕形象天道人事理式的表達本來是很困難的，宋象數易學最耀眼、最圓滿的功績是前所未有的將象數運用到這一不易知不易見，可受而不可傳的領域。

陳摶是宋代象數之學和圖書學派的創始人。陳氏易學的特徵是以圖式解易。邵伯溫的《經世辨惑》說：

希夷易學，不煩文字解說，止有圖以寓陰陽之數，與卦之生變。

陳摶脫胎於道教解易的系統，用黑白圈點表示陰陽奇偶，白圈代表天數，黑圈代表地數，天數在上，地數在下，像天地之象，導引出易龍圖的變化法則，天地之數，經過一變天地未合之數，二變天地已合之位，三變爲龍馬負圖之形，而天地之數卽《繫辭》所言「天地之數五十有五」，針對這章所作的解釋，講天地之數的變化和組合，用以說明八卦卦象起於龍圖。

陳摶龍圖序說明作龍圖的根源時說：

況夫天之垂象，的如貫珠，少有差，則不成其次序矣。故自一至於盈萬，皆累累然，如繫之於縷也，且若龍圖便合，則聖人不得見其象，所以天意先未合而形其象，聖人觀象而明其用。是龍圖者，天散而示之，伏羲合而用之，仲尼默而形之。

根據陳摶的龍圖易，劉牧企圖將九宮說和五行生成說納入天地之數五十有五之中，並且認爲河洛二圖式皆出「天地自然之數」。他引《繫辭》「大衍之數五十」的說法說明二圖的總數都是五十。河圖之數呈現四十五，少了五，是「兼其用而不顯其成數也」，雖然隱而未見，但功用並未減少，洛書之數呈現五十五，多了五，是「虛五以成五行藏用之道」，擺在虛位，用而未用。對於河洛形式的不同，他解釋說：

河圖之數惟四十有五，蓋不言土數也。不顯土數者，以河圖陳八卦之象，若其土數則入乎形數矣，是兼其用而不顯其成數也。洛書則五十五數，所以成變化而著形器者也。故河圖陳四象而不言五行，洛書演五行而不述四象，然則四象亦金木水火之成數也。在河圖則為老陽老陰少陽少陰之數是也，在洛書則金木水火之數也，所以異者，由四象附土數而成質，故四象異於五行矣。（註二三）

河圖中五不配土數（其數四十五）爲在說明八卦之象，八卦生於四象，只講四象而不言五行；洛書卽五行生成圖在說明五行，不講成卦之象，所謂「演五行而不述四象」，所以中五配上了土數，卽五與十相合（其數爲五十五）。劉牧這樣說明無非是要陳明四象和五行雖都是五行生成之數奇偶（陰陽合和），但兩者有微著的不同，萬物的形成是從微而著，卽從無形到有形，他所謂「必以微著爲漸」，或「以微著爲次」，從四象到五行，意味著「有生於無」、「著生於微」，卽由道而器，從象到形。在這之前諸家解易，不明此理，都不能解釋五行之數所以能生和能成的原因，所謂「蓋由於象與形不析有無之義也，道與器未分上下之理也。」河圖祇陳述四象而不言五行，是因爲四象屬於形而上的道，尚未成爲形體，故不言土數；洛書所以演五行而不述四象，是因爲五行屬於形而下的器，已成形體，所以附以土數十，二圖缺一不可，他說：「易者韞道與器，所以聖人兼之而作易」。

易數鈎隱圖序說：

夫易者陰陽氣交之謂也。若夫陰陽未交，則四象未立，八卦未分，則萬物安從而生哉？是故兩儀變易而生四象，四象變易而生八卦，重卦六十四卦，於是乎天下之能事畢矣。夫卦者，聖人設之，觀於象也，象者，形而上之應。原其本則形由象生，象由數設。舍其數則無以見四象所由之宗矣。是故仲尼之贊易也，必擧天地之極數，以明成變化而行鬼神之道。則知易之為書，必極數以知其本也。

那麼，天地之極數是什麼呢？卽「天地之極數五十有五之謂也。遂定天地之象者，天地之數旣設，則象從而定也。」照說《繫辭》的「極其數遂定天下之象」是就揲蓍求卦說的，而劉牧卻用來論證八卦的象來自河洛之數或天地之數，有此天奇地偶之數，才有天圓地方之象，天五之數與一二三四之數相合，配成七八九六之數，有此數才能生成八卦之象，有七八九六之數加上天五之數才有水火木金土五行之物，萬物之生成又出於五行之數，就像他所說：「生萬物者木火之數也；成萬物者，金水之數也。」

劉牧也運用繫辭文「易有太極，是生兩儀，兩儀生四象，四象生八卦」的句子，圖解了凡天地萬物，有形之物，都出於天地「陰陽」之數演變，陰陽二氣卽寓於五行之中，萬物賴其而成形體，凡天地所生的個體事物，包含人類，都由五行所構成。

在劉牧構築的世界圖式中，天地萬物是太極元氣本身分化和演繹的產物，「易有太極」是象徵陰陽二氣混然爲一，其後分爲陰陽（淸濁）二氣，卽「是生兩儀」。尙未成形以前，不稱其爲天地，一升一降，形成天和地，二氣相交則生五行，五行備具，萬物於是焉成形。他說：

夫氣之上者輕清，氣之下者重濁。輕清而圓者天之象也。茲乃上下未交之時，但分其儀象耳。若二氣交，則天一下而生水，地二上而生火，此則形之始也。五行既備而生動植焉，所謂在天成象，在地成形也。

至於陰陽二氣如何演變成五行呢？他提出「中和之氣」作爲中間樞紐，他說：「至於天五則居中而主乎變化，不知何物也，強名之曰中和之氣，不知其所以然而然也。」一陰一陽合和，然後運其妙用而成變化，四象因之而有，萬物由之而生，他說：

若夫獨陰獨陽者，天地所稟（天獨陽，地獨陰），至於五行之物則各含一陰一陽之氣而生也。所以天一與地六合而生水（中經中和之氣而成質），……此五行之質各稟一陰一陽之氣耳。至於動植物又含五行之氣而生也。

一切生物都含陰陽五行之氣，乃至於人類。他說：

至於人之生也，外濟五行之利，內具五行之性，五行者木火土金水也。木性仁，火性禮，土性信，金性義，水性智，是故圓首方足最靈於天地之間者，蘊是性也。

他的天地之數和五行生成之數都具現在他的河洛圖式中，他解釋兩儀生四象時說：

夫天五上駕天一而下生地六，下駕地二而生天七，右駕天三而左生地八，左駕地四而右生天九，此河圖四十有五之數耳，斯兩儀所生之四象。

爲什麼河圖之數，圖中沒有中五之象數呢？那是因爲：

天一地二天三地四，四象之生數也，天五所以斡四象生數而成七九六八之四象，是四象之中皆有五也。則知五能包四象，四象皆五之用也，舉其四則五在其中矣。

四象如何生出八卦？他解釋圖式說：

五行成數者，水數六，金數九，火數七，木數八也。水居坎而生乾，金居兌而生坤，火居離而生巽，木居震而生艮，已居四正而生乾坤艮巽，共成八卦也。

為什麼八卦的數位要如此佈置呢？他說：

一三五七九奇數，陽也，非中央則四正矣！坎離震兌之位也；二四六八耦數，陰也，不得其正而得四陽矣，乾坤艮巽之位也。乾坎艮震，陽卦位也，則左旋，兌坤離巽，陰卦位也，則右轉。奇則先左後右，耦則先右而後左，坎一震三也，兌七離九也；坤二巽四也，乾六艮八也，抑又縱橫之數皆得十五，此非灼有條理，不可移易者乎？

這個圖式中八卦分佈的數位，與京房的八卦方位說是一致的，只是劉牧結合了漢易中的卦氣說、九宮說，和五行說，納之於河洛的圖式，根據數字的排列組合決定象的形式，其中不僅包含了陰陽二氣的變化法則，也包括了五行的生成法則，不僅包括了空間的方位，還包括了時間的進程，天地萬物的變化，都具備在此圖式之中，所謂「生萬物焉，殺萬物焉。」這樣，河洛構築了世界形成和變化的模式，導引出數為天地萬物本原的結論。

肆、結語

宋代易圖的象數表述，和語言文字同具溝通功能和廣義的文（紋）化（花）作用，這些不同的語境，是有內在結構的，這個內在結構隱含着中國傳統文化美學的通觀，象和數的關聯具有認識論和方法論上極爲重要的意義，它和西方美學和文化學的零星概念和理論相比較，它倒有一種深廣博大的文化視野。圖象說從對筮法的解釋，推演爲世界的模式，這個模式，透過奇偶二數的對立倚存關係，說明天地萬物聯繫的過程，加上五行的生尅制化又成了後來用它解釋天文、數學、地理、音樂、物理、醫學等理論的哲學依據。我們用現代術語來說，這些圖象至少同時包括這樣兩個層面的「文」，一是表層的各種象徵符號，甚至用實線勾勒出來的運動作用；一是深層的人倫理則（ritual cultural code）這種深層的「文」是表層「文」的主導象徵符號（master symbols），它們制約了表層的「文」。無論是文字或圖象的「文」一開始就從「天文」中推導出來，象的最早來源是「天垂象」、「河圖洛書」。《文心雕龍·原道篇》開頭一番話便是對中國普遍尋求「文」理方法的寫照：

> 文之為德也大矣，與天地並生者何哉？夫玄黃色雜，方圓體分，日月疊璧，以垂麗天之象；山川煥綺，以鋪理地之形；此蓋道之文也。仰觀吐曜，俯察含章，高卑定位，故兩儀既生矣！惟人參之，性靈所鍾，是謂三才，為五行之秀，實天地之心。心生而言立，言立而文明，自然之道也。傍及萬品，動植皆文……

「心生而言立，言立而文明」，因此人文乃人心所產生，而道之文之所以能顯露出來，是聖人「幽贊神明，易象惟先」，「道沿聖以垂文，聖因文而明道，旁通而無滯，日用而不匱。」(註二四)所以劉氏作文論以「明詩」爲首，且又是「《易》統其首」，這不是偶然的巧合，因爲兩者思惟方式是一致的，錢鍾書也說：

> 是「象」也者，大似維果所謂以想象體示概念。蓋與詩歌之托物寓旨，理有相通。故陳騤《文則》卷上丙：《易》之有象，以盡其意，《詩》之有比，以達其情。文之作也，可無喻乎？章學誠《文史通義》內篇一《易教》下：「象之所包廣矣，非徒《易》而已。……《易》象雖包《六藝》，與《詩》之比興，尤為表裏。(註二五)

概言之，以象的方式來探尋和確定「文」之理，從積極方面說，構成了一個有深遠理論意義的「天人合一」的文化結構，由於以自然界的象兆爲認識的出發點，尋求天地之理、人文之理，因此始終把人的整個文化活動置於自然界的大系統中，並傾向於從自然及其變化的角度，來解釋和組織人的活動；而圖象作爲邏輯運演的工具，始終沒有一種精確的定義和使用界域，其意義以先人在當時文化背景上的言論爲轉移，並隨着社會生活的推進，可以無限制的擴大含義，也就是說，每一代人的文化活動所創造的意象，可以無限制的積累其上，同時，新的一代人又可以在自己的文化情境中，賦予它新的意義。中國的圖象思惟方式，不可能簡單地用三段論之類的形式邏輯來建立自己的邏輯方法論，「象」不可避免的要同「數」聯繫在一起，也就是說，要從不同於幾何代數（西方式的「理想型式」）

的數學角度，去尋求自然、社會、人以及人所表現出來的一切，看似毫不相干的文化事實的內在聯繫，就如同中醫的臟象學說和西醫器官生理學的根本區別一樣，中醫的臟象與其說是有關內臟組成因素的「理想型式」，倒不如說是其「功能」即關係和動態活動的理想型式，這個型式不是封閉、孤立的，而是開放的，它和更大的文化系統和自然有着關繫和動態聯繫，是透過一套象（金、木、水、火土之間的生尅制化）那樣的象徵符號運作的。象數圖書學正是我國民族文化中的特產和瑰寶，對它們內在結構及象徵形式的進一步研究，至少在總結這份民族遺產方面，是有意義的，儘管罕有人注意到這方面的問題，但伴隨着文化學、美學的全面性發展，必然是錐處囊中的事了。

【附註】

註一　見《二程遺書》卷十一。

註二　見《周易通變序》。

註三　見《語類》卷六十五

註四　象數的觀念起於春秋時，左傳僖公十五年載韓簡語：「龜象，筮數也。物生而後有象，象而後有滋，滋而後有數。」至於易傳談象數頗詳，可見而非有固定的形體者叫象，「在天成象，在地成形變化見矣」「見乃謂之象，形乃謂之器。」「法象莫大乎天地，變通莫大乎四時，縣象著明莫大乎日月。」（繫辭上傳）「仰則觀象於天，俯則觀法於地。」（繫辭下傳）日月星辰皆是象，器是固定的，象不似器之固定，此是自然之象，而人所擬的象徵也叫象。「聖人有以見天下之賾而擬諸其形容，象其物宜，是故謂之象。」「天垂象，見吉凶，聖人象之。」（繫辭上傳）「易者象也，象也者像也。」所以擬象者，乃因徒語言不能盡量表述一切而無漏，必須立象以補語言之不足。繫辭上傳說：「子曰書不盡言，言不盡意。然則聖人之意其不可見乎？子曰聖人立象以盡意。」此外易傳也談數，天地萬物萬事之變，有數的規律，受一定數目的支配，所謂「叄伍以變，錯綜其數，通其變遂成天地之文，極其數遂定天下之象」（繫辭上傳）大衍之數也談到天地之數可推，萬物之數亦可推。宋人對這些看法都有更進一步的推演自己的觀點。

註 五 《隱秀篇》：「夫心術之動遠矣，文情之變深矣，源奧而派生，根盛而穎峻，是以文之英蕤，有秀有隱。隱也者，文外之重旨者也；秀也者，篇中之獨拔者也。隱以複意爲工，秀以卓絕爲巧，斯乃舊章之懿績，才情之嘉會也。夫隱之爲體，義生文外，秘響旁通，伏采潛發，譬爻象之變互體，川瀆之韞珠玉也。故互體變爻，而化成四象」。

註 六 見《伊洛淵源錄》卷九。

註 七 見《觀物外篇》。

註 八 見《擊壤集》。

註 九 見《觀物外篇》。

註一〇 同上。

註一一 見《擊壤集》。

註一二　同上。

註一三　見《宋元學案・百源學案》。

註一四　《朱子文集》卷卅七，朱子答林黃中（栗）書。

註一五　同上卷卅八，朱子答袁仲機第七書。此外朱子還說：「據邵氏說先天者，伏羲所畫之易也；後天者，文王所演之易也。伏羲之易，初無文字，只有一圖以寓其象數，而天地萬物之理，陰陽始終之變具焉。文王之易，卽今之周易而孔子所作傳是也」。

註一六　同上引。

註一七　王夫之說：「畫前有易，非無易也……畫前有易，故畫生焉，畫者畫其畫前之易也」。焦循說：「學易者，必先知伏羲未作八卦之前是何世界」。是承襲了邵雍的第一義而言。

註一八　《論語・子罕》：「子曰：鳳鳥不至，河不出圖，吾已矣夫。」《管子、小匡》昔人之受命者，龍龜假河出圖，洛出書，地出乘黃。今三者未見有者。」

註一九　《尚書・顧命》：「赤刀，大訓，宏璧，琬琰在西序；大玉，夷玉，天球，河圖在東序。」鄭玄注：圖出於河，帝王者之所受。一有洛書二字。」據鄭氏的說法，漢人看到的《尚書》本子，有的在「河圖」下有洛書二字。

註二〇　孔穎達周易正義引。

註二一　見漢書五行志。

註二二　見《核靈賦》李善《文選》注所引。

註二三　見《易數鉤隱圖》下所引皆同。

註二四　《文心雕龍・原道》。

註二五　見《管錐篇》第一冊。

周、姜詞派的美學世界

呂正惠

在唐、宋詞裏，周邦彥、姜夔、吳文英、張炎等人的作品，具有相當一致的風格，構成一個同質性的藝術世界，這是文學史上盡人皆知的事實。對於這樣一個事實，一般學者或者從詞的發展史的立場來描述其過程，或者從表現技巧的角度來歸納其特質。他們共同的處理方式是，把這一事實限制在「詞」的範圍內加以討論，而很少去考慮到它在整個中國文學中的獨特意義。

本文的出發是：把周、姜詞派的作品看成是中國抒情傳統重要的組成部份，並把它拿來跟其他的重要成份加以比較；從這裏去分析它的美學構成原則，來彰顯出它在中國抒情傳統中的特質與意義。

一、

熟悉中國詩詞的人都知道，中國詩詞所表現的人生經驗常常有許多雷同的地方，譬如下面這兩首詩；

南國有佳人，容華若桃李。朝遊江北岸，夕宿瀟湘沚。時俗薄朱顏，誰為發皓齒？俯仰歲將

暮，榮耀難久恃。（曹植，雜詩六館十四）

蘭若生春夏，芊蔚何青青。幽獨空林色，朱蕤冒紫莖。遲遲白日晚，嫋嫋秋風生，歲華竟搖落，芳意竟何成。（陳子昂，感遇二十八首之一）

這兩首詩都以美人、香草的徒然美好而無人欣賞來比喻賢士的淪落與不偶，像這樣的經驗及其稍加變形的表達方式，在中國詩詞中可以說比比皆是。再譬如下面兩首作品：

六朝文物草連空，天澹雲閒今古同。鳥去鳥來山色裏，人歌人哭水聲中。深秋簾幕千家雨，落日樓臺一笛風。惆悵無因見范蠡，參差煙樹五湖東。（杜牧，題宣州開元寺水閣……）

玉樹歌殘王氣終，景陽兵合戍樓空。楸梧遠近千官塚，禾黍高低六代宮。石燕拂雲晴亦雨，江豚吹浪夜還風。英雄一去豪華盡，惟有青山似洛中。（許渾，金陵懷古）

這兩首詩處理歷史的方式與態度極其相近，它們所表現的人生經驗可以說是同一類型的。

以上這兩個例子的共同特色是，以「固定」的反應方式來表達「固定」的經驗。在曹植、陳子昂的詩裏，賢士的不遇是「固定經驗」，賢士譬如香草、美人則是「固定反應」。同樣的，在杜牧、許渾那裏，「固定經驗」是人對歷史的思考，「固定反應」則是，否定了人在歷史上的積極意義，不認爲人類能夠在歷史過程中留下什麼有價值的痕跡。

我們可以把對於一種「固定經驗」的「固定反應」叫做一種「經驗模式」，因此曹植的〈雜詩〉六首之四和陳子昂的〈感遇〉三十八首之一表現了同一種「經驗模式」，而杜牧的〈題宣州開元寺水閣〉和許渾的〈金陵懷古〉又表現了另一種「經驗模式」。

從這個角度來看，我們可以在中國抒情詩的傳統裏找到一些非常重要的經驗模式。譬如，在漢、魏、晉詩，對於死亡與孤獨感的反省是一種「經驗模式」；在陶、謝、王、孟的作品裏，對於山水與隱逸的處理是一種「經驗模式」；在李商隱的詩和溫庭筠等花間詞人裏，對於愛情上不能得到滿足的深閨女性的描寫，又是另一種「經驗模式」，等等。有一種頗爲流行的看法，認爲中國詩詞不外是「傷春」、「悲秋」，事實上這是對於中國抒情詩的經驗模式較爲廣泛而模糊的歸納。我們可以毫不誇張的說，對於中國抒情詩的主要經驗模式的體會與分析，是進入中國人獨特的抒情世界的不二法門。

二、

在說明了中國詩詞「經驗模式」的構成方式以後，我們就可以來分析周、姜詞派的特質。周、姜詞派的代表作家周邦彥、姜夔、史達祖、吳文英、周密、王沂孫、張炎等人，特別是周、姜、吳、張四家，不論他們個人風格上有多少差異，但卻有一個很明顯的經驗模式貫穿於他們的作品之中，成爲解開他們的精神世界的一把重要的鑰匙。

我們先以周邦彥的名作〈瑞龍吟〉作例子，來說明周、姜詞派這一重要的經驗模式的基本特質；

> 章台路，還見褪粉梅梢，試花桃樹。愔愔坊陌人家，定巢燕子，歸來舊處。黯凝佇，因念個人癡小，乍窺門戶。侵晨淺約宮黃，障風映袖，盈盈笑語。前度劉郎重到，訪鄰尋里，同時歌

舞；惟有舊家秋娘，聲價如故。吟箋賦筆，猶記燕台句。知誰伴、名園露飲，東城閑步。事與孤鴻去，探春盡是，傷離意緒。官柳低金縷，歸騎晚，纖纖池塘飛雨。斷腸院落，一簾風絮。

這首詞所描寫的經驗的核心是：舊地重臨的遊子，對於過去美好的「情事」的懷念，以及對於現在的失意的感傷。這是很容易可以看得出來的。但是，這樣的歸納與描述還不足以道盡這首詞的特質，譬如唐人崔護的七言絕句〈題都城南莊〉：

去年今日此門中，人面桃花相映紅。人面不知何處去，桃花依舊笑春風。

就經驗的基本核心來講，崔護的詩和周邦彥的詞是相同的。因此，我們必須進一步分析，才能更突顯出周詞的「經驗模式」的特殊內容。

關於崔護的這一首詩，《太平廣記》記載了一則本事，如下：

初，護舉進士不第，清明獨遊城南，得村居，花木叢萃。叩門久，有女子自門隙問之，對曰：尋春獨行，酒渴求飲。女子啓關，以盂水至，獨倚小桃柯佇立，而意屬殊厚。崔辭去，送至門，如不勝情而入，後終不復至。及來歲清明，徑在尋之，戶扃無人，因題此詩于左扉……。

如果把這一段七字放在崔護詩之前，並當作完整的「作品」來看，我們會覺得，這一「作品」在精神上更接近周詞。

原因在那裏呢？原因在於，這一段本事對於崔護的「情事」作了較具體的描寫，譬如「以盂水至，獨倚小桃柯佇立，而意屬殊厚」。這種過去的「美好的，令人眷戀的細節」，對照如今的「物是人非」，會有一種更特殊的「不勝淒然」的效果。這一效果正是周邦彥在〈瑞龍吟〉「黯凝佇」那一小段裏，在「個人癡小，乍窺門戶」，在「障風映袖，盈盈笑語」裏所刻意製造的。也就是說，在周邦彥的詞裏，以「賦」的手法細膩的描寫過去「情事」令人懷念的細節，是他獨特的藝術表現不可或缺的一個環節。

但是，周邦彥的詞和崔護的本事還是有一點重要的差異，那就是：「結局」不同，在《太平廣記·的記載裏，崔護和那一女子雖然略有波折，但最後終成眷屬；但周邦彥卻以感傷和落寞之筆來結束他的作品。對〈瑞龍吟〉來講，這一段描寫的重要性比起「黯凝佇」那一小段，只有過之而無不及。必須把「對過去情事的憶念」和「目前失意感傷的心境」綜合起來，才能構成〈瑞龍吟〉藝術表現的整體，兩者相輔相承，缺一不可。

因此，總結來看，構成〈瑞龍吟〉這首詞的基本「經驗模式」是這樣的：

舊地重遊→同憶往日情事→感傷與落寞

當然，在這整個過程中，我們絕不可忘記周邦彥在每一階段所作的細膩描繪的工夫。

三、

周邦彥這一首〈瑞龍吟·所呈現出來的「經驗模式」，在整個周·姜詞派裏是一首最具典型性的「模範作品」。從這裏出發，我們可以在姜夔、吳文英、張炎的作品裏，看到這一經驗模式的各種翻版和變形，我們先來看姜夔的〈暗香〉。

舊時月色，算幾番照我，梅邊吹笛。喚起玉人，不管清寒與攀摘。何遜而今漸老，都忘却，春風詞筆。但怪得，竹外疎花，香冷入瑤席。　江國，正寂寂，歎寄與路遙，夜雪初霽。翠尊易泣，紅萼無言耿相憶。長記曾攜手處，千樹壓，西湖寒碧。又片片吹盡也，幾時見得。

這首詞的表現方式，和周邦彥的〈瑞龍吟〉有兩點小差異。首先，這裏不是舊地重遊，而是由類似的場景（月色與梅花）勾起憶舊之情。其次，在結構上，這首詞並不像〈瑞龍吟〉那樣，把憶舊跟感傷分成兩階段來寫，而是彼此互相滲透；前半以憶舊爲主，但也有感傷；後半以感傷爲主，但也有舊憶。從兩者的關係來看，姜夔的處理方式也許更靈活一點。但不管怎麼說，周邦彥的〈瑞龍吟〉和姜夔的〈暗香〉所呈現的經驗模式是屬於同一類型的。

我們再看吳文英類似的作品：

煙波桃葉西陵路，十年斷魂潮尾。古柳重攀，輕鷗聚別，陳迹危亭獨倚，涼颸乍起，渺煙隨飛帆，暮山橫翠。但有江花，共臨秋鏡照憔悴。　華堂燭暗送客，眼波回盼處，芬豔流水。素骨凝水，柔蔥蘸雪，猶憶分瓜深意。清尊未洗，夢不濕行雲，漫沾殘淚。可惜秋宵，亂蛩疏雨裏。（齊天樂）

這首詞的結構，和周邦彥的〈瑞龍吟〉剛好相反。前半先寫重遊舊地的失意與憔悴，後半再回憶過去佳人的深情，然後再以兩句的傷感結束。不過，它所呈現的經驗模式當然還是和〈瑞龍吟〉極其相似的。

跟周邦彥〈瑞龍吟〉、姜夔〈暗香〉、吳文英〈齊天樂〉有較大差異的是張炎的作品。張炎的寫法有助於我們進一步的了解〈瑞龍吟〉等的經驗模式的變化處理方式及其所代表的意義，因此我們舉兩首來加以比較和分析：

記玉關踏雪事清遊，寒氣脆貂裘。傍枯林古道，長河飲馬，此意悠悠。短夢依然江表，老淚灑西州。一字無題處，落葉都愁。載取白雲歸去，問誰留楚佩，弄影中洲？折蘆花贈遠，零落一身秋。向尋常、野橋流水，待招來，不是舊沙鷗。空懷感，有斜陽處，却怕登樓。（八聲甘州。辛卯歲，沈堯道同余北峰，各處杭、越，踰歲，堯道來問寂寞，語笑數日，又復別去，賦此曲，並寄趙學舟。）

萬里孤雲，清游漸遠，故人何處？寒窗夢裏，猶記經行舊時路。連留約略無多柳，第一是，難聽夜雨。漫驚回淒悄，相看燭影，擁衾無語。張緒，歸何暮？半零落依依，斷橋鷗鷺。天涯倦旅，此時心事良苦。只愁重灑西州淚，問杜曲、人家在否？恐翠袖天寒，猶倚梅花那樹。（月下笛・孤游萬竹山中，閒門落葉，愁思黯然，因動黍離之感，時寓甬東積翠山舍。）

從表面上看，這兩首詞並沒有提到過去的「情事」，和前面提到的〈瑞龍吟〉、〈暗香〉、〈齊天樂〉似乎不同類型；但仔細分析起來，它們在精神上卻有相通之處。首先，〈八聲甘州〉和〈月下笛〉雖然不處理「過去的情事」，但仍然處理「過去」。在〈八聲甘州〉裏，這個「過去」是指張炎和沈堯道等人「玉關踏雪事清遊」的往事；在〈月下笛〉裏，這個「過去」則指張炎尚未浪跡天涯前的那個「家」。那個「家」不只是指遊子思「家」的那個家，更重要的是，它暗指南宋未亡國前那個尚未破碎的家。不論是〈八聲甘州〉，還是〈月下笛〉，張炎在裏面所懷念的「過去」都是「美好」的。相反的，張炎所面對的「現在」則是「失意」的、「飄零」的。這兩首詞所呈現的「過去的美好」和「現在的落魄」相對照的結構，事實上和上舉周邦彥、姜夔、吳文英的作品仍然是類似的。唯一不同的是：這一「過去的經驗」指的是「情事」，還是其他的事情。所以，從「經驗模式」上來看，張炎和周、姜、吳等人是同一類型的，至少是屬於一個更廣大的類型的。

四、

綜合上面所說，在我們所討論的周、姜、吳、張作品的主要「經驗模式」中，我們可以看到一個結構性的對比，即「現在」和「過去」的對比。在這一對比裏，過去總有一些美好而令人懷念的地方，而現在則是落魄、失意、感傷的。

如果要解開這一對比性的「經驗模式」的謎，並深入的了解其意義，我們就要進一步的分析周、姜、吳、張等人如何面對「現在」。先看下面兩首作品：

風老鶯雛，雨肥梅子，午陰嘉樹清圓。地卑山近，衣潤費罏煙。人靜烏鳶自樂，小橋外，新綠濺濺，憑欄久，黃蘆苦竹，疑泛九江船。　年年，如社燕，飄流瀚海，來寄修椽。且莫思身外，長近尊前。憔悴江南倦客，不堪聽，急管繁絃。歌筵畔，先安枕簟，容我醉時眠。

（周邦彥，滿庭芳）

修竹凝妝，垂楊駐馬，憑欄淺畫成圖。山色誰題，樓前有雁斜書。東風緊送斜陽下，弄舊寒，晚酒醒餘。自消凝，能幾花前，頓老相如。傷春不在高樓上，在鐙前攲枕，雨外熏鑪。怕艤遊船，臨流可奈清臞，飛紅若到西湖底，攪翠瀾，總是愁魚。莫重來，吹盡香緜，淚滿平蕪。

（吳文英，高陽臺）

在〈滿庭芳〉裏，面對「午陰嘉樹清圓」，「人靜烏鳶自樂」的夏日清景，周邦彥想到的是自己的憔悴，是自己如社燕船飄流瀚海的身世，因而表現出頹唐的心境，想在急管繁絃的歌筵上「醉眠」一番。而在〈高樓臺〉裏，面對樓外美景，吳文英卻只想到自己的老大與清曜，西湖的落花與遊魚都成了刺痛他的內心的媒介，因而無奈的吐出「莫重來」的傷痛之語。

我們可以看得出來，在〈滿庭芳〉和〈高陽台〉裏，「現在」是不能面對的，不管（或者「正因爲」）外界景物多麼美好，詩人總會觸景傷情，並聯想到自己落魄無成的一生，因而傷感起來。

如果拿這兩首詞來跟前面討論到的〈瑞龍吟〉、〈暗香〉、〈齊天樂〉、〈八聲甘州〉、〈月下笛〉相比，明顯可以看到，這裏缺少那些作品裏所描寫的令人懷念的「美好的過去」。這裏只有「現在的落魄」，而沒有「過去」和它作爲對比。因此可以說，這兩首詞所呈現的「經驗模式」只有〈瑞龍吟〉等作品的一半，而沒有像〈瑞龍吟〉等那麼「完整」。

然而，正因爲〈滿庭芳〉和〈高陽臺〉徹底的表現詩人「現在」的失意，而沒有以「過去的美好經驗」來作某種調和的作用，我們反倒更淸楚的看出：詩人一生的落魄無成也許正是他整個藝術表現的源泉。正是這一因素促成了他的人格與藝術的發展，使他把「美好的過去」與「失意的現在」的對照放在他所表現的「經驗模式」的核心地位。也就是說，詩人一生的失意與挫敗是「因」，他們作品的主要「經驗模式」是「果」；他們的挫敗是他們所追求的藝術表現的動因——也就是說，他們的美學是一種挫敗的美學。

談到這裏，我們必須簡單討論一下周邦彥、姜夔、吳文英的生平事蹟。關於周邦彥，宋代有許多傳說，涉及他和名妓李師師、岳焚雲的交往，也涉及他是否和「某宗室妾」或「溧水之簿之妻」有情感關係。至於姜夔和吳文英，夏承燾在他的繫年裏則努力證明，前者不能忘情於合肥勾闌中姊妹二人，後者有一蘇州遺妾，一杭州亡妾，詞作中時有提及。

從傳記研究的觀點來看，關於這些事情的考證也許有其價值，但如果太拘泥於「本事」，非要把周、姜、吳三人的作品所涉及的「情事」追究到底的話，那就會產生誤導作用，而不能更深入的了解其意義了。

不論周邦彥、姜夔、吳文英生平中和那些女子有較深的感情，不論這些感情的痕跡有多少紀錄，不論這些紀錄有多少眞實性，就美學角度而言，這些都無關緊要。重要的是：周、姜、吳等人如何把這些「事件」化入他們的「經驗模式」之中，並在這些經驗模式裏發揮了什麼樣的美學作用。

從上面的討論可以看到，周、姜、吳、張等人有一些完全描寫「現在」的失意的作品，也有一些描寫「現在」的失意和「過去」的美好相對照的作品。從現實層次來看，「過去」在眞正發生的那一刻，也許未必像詩人所描寫的那麼「美好」；但從心裏層次來看，當那一刻成爲「歷史」而去加以「回顧」時，那一「過去」就開始「美好」起來而值得詩人眷戀不已了，尤其當詩人現在是落魄失意的時刻。因此，也就是說，當詩人的每一個「現在」都是「不幸」時，他的「幸福」就只存在於他「所懷想中的過去」（不是「眞正」發生的「過去」）。這就是我們所討論的周姜詞派的主要「經驗模式」的眞正意義——他們藉著這一經驗模式，在他們一生的挫敗中，從對「過去」的懷想裏，找到了一個「幸福的替代品」。

德國批評家班雅明（W. Benjemin）在論及○國現代小說家普魯斯特的名著《追尋逝去的時光》時，說：

> 對於幸福的想望具有雙重性，這是幸福的辯證法：一種是讚美式的，一種是悲歌式的，一種是前所未聞的、未有前例的、最高的幸福；另一種則是永恒的重複、永恒的回復到那最初的幸福。就是靠著這二種的悲歌式的幸福的概念……普魯斯特把存在轉化成回憶。

悲歌式的幸福的概念，把幸福放在過去，從不斷的回憶中去享受那種幸福，並把這種享受看作是人生最有價值的部份。用班雅明的話來說，就是：人存在的目的就是爲了回憶，從回憶中享受那原初的，一去不可復返的幸福。

周、姜詞派的作品在哲學的內涵上當然不能跟普魯斯特的小說相比，但是它們對於「悲歌式的幸福」的執著卻和《追尋逝去的時光》有相通之處。周、姜、吳、張等人，當他們面對「現在」時，他們有的只是挫折、失意與無奈。因此，他們「永恒的回憶」到過去的幸福之中。表面上，他們好像在對過去幸福的不可復返感到遺憾的痛苦，實際上，在回憶之中他們感受到一種「淒涼的美」，這種「美」是他們對抗這一可厭的「現在」的唯一憑藉。他們所追求的「幸福」具有一種「悲歌」的性質，這正是他們心甘情願的，因爲他們寧可不去面對那不可征服的「現在」。

生活在回憶之中，在回憶之中捕捉過去的幸福，這不只是一種「生活態度」，而且，也是一種「美學態度」。對於這一種「回憶」，班雅明也有一段精采的分析，他說：

> 我們知道，在他的作品中，普魯斯特並不是在描寫實際的生活，而是在描寫回憶中所想到的過去的生活（由經歷過這一生活的人所回憶起來的），但是，這樣的說明還顯得太粗糙，不夠精確。因為，對於正在回憶的作者而言，重要的不是過去他所經歷過的事，重要的是他在回憶中所編織的網路……

回憶的迷人並不在於「事件」本身，而在於回憶者所重塑起來的細節。譬如，在周邦彥的〈瑞龍吟〉裏，我們看到「個人癡小，乍窺門戶」和「障風映袖，盈盈笑語」；在姜夔的〈暗香〉裏，我們看到「喚起玉人，不管清寒與攀摘」和「攜手處，千樹壓，西湖寒碧」；在吳文英的「齊天樂」裏，又看到「眼波回盼處，芳豔流水」。所有這一些「回憶中所編織的網路」，不只是「原初的幸福」的化身，也是藝術和美的化身。也就是說，回憶中的重塑（甚至可以說「創造」），不只是悲歌式的追懷過去的「幸福」，也是表達一種藝術和美學理念——「美」，是在回憶中產生的東西，回憶中的「美」是至高的美。周、姜詞派的作品無疑的也具現了這樣的理念，只是在層次上不及普魯斯特那樣精深、高妙罷了。

西廂記戲曲藝術對後世的影響

陳慶煌

《西廂記》的戲曲藝術，不惟源遠流長，而且其藝事經營之工、人物展現之妙、聲辭靈動之美，尤非他劇所能匹；所以在戲曲文學史上遂居集大成的地位，誠屬實至名歸。此外，它對於後世孕毓之鉅，更不是筆墨所能詳，玆就因襲之作、續貂之作、翻新之作、名家詮評之作，以及餘論等五者，分述其影響如後：

壹、因襲之作

（一）

元人鄭光祖的《㑳梅香騙翰林風月》，與元末明初無名氏的《董秀英花月東牆記》，無論曲白、關目，大都類襲《西廂》，其爲《西廂記》的仿作，應屬無疑。

一、元鄭光祖《㑳梅香騙翰林風月》

在元雜劇中，兒女風情戲之以《西廂記》爲粉本者，首推鄭光祖的《㑳梅香騙翰林風月》。鄭字德輝，山西平陽人。其《㑳梅香》情節略爲：唐晉國公裴度，在征討淮西之役時，爲賊所困。幸得白敏中的父親白參軍，當時是裴度的步將，苦戰救脫，由於白參軍身被六創，竟以不治而死。彌留之際，請求裴度代爲照拂敏中。裴度感念他的恩德，遂以其女小蠻許字敏中，並贈玉帶作爲憑證。及參軍歿後不久，晉國公裴度也相繼謝世，敏中乃攜玉帶往探晉國夫人。夫人韓氏，是吏部韓侍郎愈的姊。既相見，命小蠻與敏中以兄妹之禮相稱，而絕口不提姻事。小蠻私下以香囊侑詩送敏中，敏中竟然相思致病，於是託侍女樊素通辭，約小蠻深夜一會。甫見面而夫人卽來到，知係樊素之謀，遂痛加鞭斥。想不到樊素反而責怪夫人四大罪狀，謂一不能依從相國遺言，二不能治理家政，三不能報白氏之恩，四不能蔽骨肉之醜。夫人聞言，遂不了了之，乘便激使敏中入朝應擧。臨行之時，小蠻贈敏中玉簪、金鳳釵各一支。敏中入京，及第爲翰林。尚書李絳奉朝命，令敏中爲裴婿，敏中以夫人韓氏從前曾冷落過他，故見韓時不行禮，就好像陌生人一般，幸賴樊素屢加疏導，才得歡然如初。

案：鄭氏此劇，故事乃襲《西廂》，如〔聽琴〕、〔問病〕、〔寄書〕、〔佳期〕、〔拷問〕、〔逼試〕等，每一情節都很相似；只不過變易張生的姓名爲白敏中，鶯鶯爲小蠻，紅娘爲樊素罷了。明人王世貞《藝苑卮言》云：「《㑳梅香》雖有佳處，而中多陳腐措大語；且套數出沒、賓白、全剽《西廂》。」清人梁廷枬《曲話》也說：「《㑳梅香》如一本小《西廂》，前後關目、插科、打諢，皆一一照本模擬。」梁氏更進而列擧其關目科白與《西廂》雷同的二十事，如「張生以白馬解圍而訂婚姻，白生亦因挺身赴戰而預聯姻好；鄭夫人使鶯鶯拜張生爲兄，裴亦使小蠻見白而改稱兄妹，二同也；張生假館於崔而白亦借寓於裴，三同也；鶯鶯動春心，不使紅娘自知，樊素亦逆揣主意而勸使游園，四同也；張生琴訴衷曲，白亦琴心挑逗，五同也；張生積思成病，白亦病眠孤館，六同也；張生向紅娘訴情，白亦於樊素前盡傾肺腑，七同也；張生跪求紅娘，白亦向樊素折腰，八同也；張生倩紅傳寄錦字，素亦與白密遞情詞，九同也；鶯鶯窺簡佯怒，小蠻亦見詞罪婢，十同也；紅娘佯以不識字自解，樊素亦反問詞中所語云何？十一同也；紅見責而戲言將告夫人，樊亦被詰而詐爲出首，十二同也；鶯鶯答詩自訂佳期，小蠻亦答詩私約夜會，十三同也；張生誤以紅娘爲鶯鶯，白亦誤將樊素作小蠻，十四同也；鶯鶯燒香，小蠻亦燒香，十五同也；崔夫人拷紅，裴亦打問樊素，十六同也；紅娘堂前巧辯而歸罪於崔，樊素亦據理直權而諉過於裴，十七同也；崔夫人促張應試，裴亦使白赴京，十八同前也；鶯鶯私以汗衫、裹肚寄張，小蠻亦有玉簪、金鳳贈白，十九同也；張衣錦還鄉，白亦狀元及第，二十同也。」以證其並非無心的偶合。雖是鄭光祖有意類襲，然而寫樊素的乖覺，奇情跌宕，動人心弦，較《西廂》中的紅娘，其巧黠敏慧，有過之而無不及。加以曲辭流麗，尤能傳神繪影，如第一折〔寄生草幺〕云：「他曲未終，腸先斷，俺耳纔聞，愁越增。一程程捱入相思境，一聲聲總是相思令，一星星盡訴相思病。不爭向琴操中，單訴著你飄零，可不道窗兒外，更有個人孤另。」如此筆墨，香艷而不落於俗套，雖出自侍女之口，然而含蓄有致，並無浮淺俚俗的描寫和塵下的語句。（註一）至其通篇結構，也流鬯有序，頗見精警，如末折「挺學士傲晉國婚姻」一段，即其主題所寄，乃是《西廂》所無，而爲鄭氏所自創者，已開後世明清傳奇「洞房疑陣」關目的先聲了。（註二）至於劇中人物，白敏中乃白居易從弟，樊素、小蠻也是居易姬人，皆係作者妄引。

鄭氏爲元劇作家中，屬於所謂「中期」人物，《錄鬼簿》將他列入「方今已亡名公才人余相知者」一類。則其襲仿《西廂記》，極爲顯然；因爲鄭氏時代在後，《錄鬼簿》又深惜其「所作貪於俳諧，未免多於斧鑿，此又別論焉。」既有如此不甚全美的評騭，並明言其「多於斧鑿」，略爲抄襲實甫的關目，此類情形，自無足怪。

二、無名氏《董秀英花月東牆記》

無名氏的《董秀英花月東牆記》，現存於脈望館鈔校本《元人雜劇》及《孤本元明雜劇中》。原不分折，隋樹森先生依其曲文及賓白，析爲楔字一，折五。楔字在第一折之前。情節略爲：

馬彬，子文輔，臨陽人。其父馬昂，曾爲三原縣令，與松江府尹董鑋爲至友。鑋女秀英，與文輔自幼卽訂有婚約，但未及成婚而馬父已棄世，音問遂疏。文輔長大後到松江訪親，這時董父也死了，於是借住在山壽家的花木堂，所居恰與秀英爲鄰，僅隔一東牆而已。某日，文輔攀牆賞花，正好與秀英相遇，彼此有情，却無法互通款曲；文輔相思成疾，於是操琴遣悶並爲之而歌唱道：「明月娟娟兮，夜永生涼。花影搖風兮，宿鳥驚慌。有美佳人兮，牽我情腸。徘徊不見兮，只隔東牆。佳期無奈兮，使我遑遑。相思致疴兮，湯藥無方。托琴消悶兮，音韻悠揚。離家千里兮，身在他鄉。孤眠客邸兮，更漏聲長。」秀英聽了深受感動。就命侍女梅香爲她遞簡傳情，約文輔到海棠亭相會，想不到却讓母親撞見，大怒之下，梅香乃直陳根由，懇求夫人就此成合，以便遮掩家門之醜，董母無可奈何，只好應允，立刻逼文輔上京赴試。幸得狀元及第，並授翰林學士，才正式成婚。

案：本劇除了沒有鄭恆的錯綜關係，使後半的事情變爲單純、平衍，和更易於美滿的結束外，所有關目及鋪敍，幾乎沒有一種不是模襲《西廂》的，（註三）如鄰房借寓、隔牆酬和、月下聽琴、數番遞簡，以至於訂幽期的詩句，梅香的勸諫夫人，立卽上朝取應等。設若認定它是受了《西廂》的影響，無寧直謂其剽竊《西廂》。因爲它本身並沒有獨特的傳奇情節，祇不過是《西廂》簡單的重複與撙縮，僅男女主角的名姓，加以變易，如此而已。

考《東牆記》，雖只五折一楔字的篇幅，但敍次却凌雜而極不勻稱，賓白草率生硬，曲文也很平常，並無俊美之處。結構更無安排，如第二折旦末下場後，忽而插入馬文輔命山壽討花一場，顯然與元劇中角色上場。來去交代，條理謹嚴的不成文規律衝突。末旦兩方面出場的頻繁，倏上倏下，觀來尤不順眼。第四折寫董秀英的傷情思憶，所占分量與他折相衡，輕重之間，也不太調和。李郎中一段，殊覺無謂。故品評全劇，則陳言舊套之外，別無所有。（註四）因此，鄭師因百在〈元劇作者質疑〉中辯其非白樸作，其文云：「蓋一劇二本，或爲元明間人依仁甫原本重作，綜其論據，共有三端：此劇曲白、關目，與《西廂記》及《㑳梅香》雷同之處極多，而曲白則掇撦拼湊，關目則草率拙劣，鈔襲之跡顯然。《西廂記》作者王實甫年輩晚於仁甫，《㑳梅香》作者鄭德輝則爲元後期作家。且今所得見之《西廂記》，實爲元末明初人增改之本……。《㑳梅香》及今本《西廂記》行世之時，仁甫已近百齡，墓木拱矣，又何從而鈔襲之？更不必論作《梧桐雨》手筆之不肯鈔襲他人作品也。此其一。此劇時而生唱，時而旦唱，時而貼唱，大違北劇一人獨唱之例。此例元人守之甚嚴，現存元劇百餘種從無例外，有之自今本《西廂》始。是爲元、明之間，北劇受南劇影響而生之變化。元初作者守律既嚴，南戲亦未流行，仁甫實無從嘗試爲此例外之作。且主角稱生而不稱末，亦是南戲規矩。此其二。全劇筆墨甜熟，麗而不淸，似雅實俗，是元劇末期風格，非初期面目。此其三。據此三事，劇爲元末明初之《東牆記》，非白仁甫之《東牆記》，蓋可斷言。」今天我們姑且不論《東牆記》爲何人所作，然而它係《西廂記》的摹本，應是無可懷疑了。

三、其　他

此外，若《錄鬼簿》所載元人睢景臣《鶯鶯牡丹記》，其內容蓋同《寶文堂書目》著錄的《宿香亭記》，亦卽《警世通言》卷二十九的《宿香亭張浩遇鶯鶯》，似乎與《西廂記》無涉。然而僅就上述二家剿襲的程度來說，我們也可以概見實甫此劇影響的深遠了。

（二）

南調《西廂》，元人嘗有舊撰，其詞散載於《雍熙樂府》、《南音三籟》、《嘯餘譜》、《南詞定律》、《九宮大成譜》及《南九宮譜》等。然而大抵古曲零落，雖偶有流傳，但既失主名，又經俗工的竄改割裂，已很難尋知其舊目。今日能獲見其全本者：祇有明人李日華及陸采的南《西廂記》了！（註五）

一、明李日華《南調西廂記》

《南調西廂記》，相傳爲明海鹽崔時佩編集，吳縣李日華新增（註六），凡三十八齣。其情節穿插，悉本《西廂記》，蓋以張生與鶯鶯離合之事爲經，而以紅娘的撮合爲關目。今崑劇所演〔遊殿〕、〔鬧齋〕、〔惠明〕、〔跳牆〕、〔着棋〕、〔拷紅〕、〔長亭〕、〔驚夢〕諸齣，均爲此《南調西廂記》的曲辭。

案：李日華字實甫，江蘇吳縣人，（註七）生平事蹟，今無可考。大約明嘉靖元年前後在世。與浙江嘉興李日華同姓名，其實並非同一人。而崔時佩卽李的友人，字、號不詳，生平事蹟亦無可考，僅知係浙江海鹽人，約爲明中葉以前時人。見《九宮正始》引注。《南調西廂記》全劇，係將王實甫北劇翻爲南曲。其所以翻者，是因爲北調鏗鏘，南調宛折；北曲只便於絃索，而不利於笙笛；只便於弋陽俗腔，而不利於崑調雅奏。況且元劇每折皆一人獨唱到底，而《西廂》人物，係以張生和鶯鶯、紅娘爲主，而紅娘的的唱曲尤其多；如果未稍加變通，則勢必不能洽，雖是善歌者難繼其聲。所以日華不得不變易元曲爲明，更改北調而爲南啊！（註八）然而歷來論者，殊多誹議。明人梁辰魚《南西廂題辭》云：「崔割王腴，李奪崔席，俱堪齒冷。」祁彪佳《遠山堂曲品》也說：「觀其中不涉實甫處，亦儘自堪造撰，何必割裂北詞，致受生吞活剝之誚耶？然此實崔時佩筆，李第較增之。人知李之竊王，不知李之竊崔也。」而騷隱居士《衡曲麈譚》却爲之辯說：「麗曲之最勝者，以王實甫《西廂》壓卷，日華翻之爲南，時論頗弗取。不知其翻變之巧，頓能洗盡北習，調協自然；筆墨中之爐冶，非人官所易及也。」騷隱居士雖然雅愛《南西廂》，但仍不能阻止大家的非議；到了後世，責難尤甚。

清人李漁《閒情偶寄》〈詞曲部〉〈音律第三〉直毁之云：「詞曲中音律之壞，壞於《南西廂》，……千金狐腋，剪作鴻毛；一片精金，點成頑鐵。」又云：「取《西廂》南本一閱，句櫛字比，未有不廢卷掩鼻而怪穢氣薰人者也。……玷《西廂》名目者此人，壞詞場矩度者此人；誤天下後世之蒼生者，亦此人也。」闕隴《輿中偶憶編》謂：「《西廂》一記，李日華以北賡南，可稱輕妄，猶之臧晉叔刪訂四夢，將元本佳處，反多淹沒，不免斷鶴續鳧之誚。」而吳梅《顧曲塵談》也說：「其詞庸劣鄙俚，至無足道。又說：「以北詞之句讀，改作南詞之音律，可謂煞費苦心。顧以字句之勉强，本宮套中不能聯絡者，往往借別宮調中與北調原文句法相類之曲，任塡一曲，乃至套式前後，高亢不倫。」吳氏之言，實中肯綮。

不過若就其所改曲辭的意境來看，日華南曲也是別具匠心，如第二十七〔重訂佳期〕齣，紅娘送鶯鶯來到張生的居處，生旦逐下，而紅娘接唱出其歡愛之情，更覺得含蓄有致。至於實甫北劇，則由張生、鶯鶯二人直接演其其偷情之景，不免有傷風化，索然無味了。今人叢靜文氏《南北西廂記比較》所說：「南《西廂》因襲北《西廂》，實非囫圇呑棗，照章抄襲可比。已經融化變通，或濃縮、或聯綴，或敷以新辭，時抒己意，而被以南曲。意在促使戲曲的演出形式日新月異，非一般剽竊皮毛，妄作主張的形式主義之作；更不可以斷鶴續鳧譏之。可謂瑾瑜生輝，兩美兼備。」實爲持平之論。

二、明陸采《南西廂記》

陸采（一四九七—一五三七），字子玄，一作子元，號天池，自號淸癡叟，明江蘇吳縣人。個性豪宕不羈，日夜與好友劇飲歌呼，不修舉業，東登泰、岱，南踰嶺嶠，遨遊武夷山。嘗讀《西廂記》，恨李日華翻改紕繆，猛然自爲握管，直期與王實甫爲敵，其間俊語不乏。每常自詡說：「天與丹靑手，畫出人間萬種情。」(註九) 且又自序其《南西廂記》云：「李日華取實甫之語，翻爲南曲，而措辭命意之妙，幾失之矣。予自退休之日，時綴此編，(註一〇)固不敢媲美前哲，然較之生吞活剝者，自謂差見一斑。」所以《曲品》稱之云：「天池湖海豪才，烟霞仙品，壯託元龍之傲，老同正平之狂，著書而問字旗亭，度曲而振聲林木。」然而它的關目大抵一仍北《西廂》之舊，但不用其辭罷了。《遠山堂曲品》謂：「天池以李日華《西廂》翻北爲南，剽竊爲詞，氣脈未貫，握管作此，不涉王實甫一字，但韵襍耳。」《南音三籟》謂：「陸天池作《南西廂》，悉以己意自創，不襲北劇一語；其關目一仍《西廂》之舊，但易爲南調云。志可謂悍矣！然元調在前，豈易角勝耶？」此評已盡之矣、

案：陸采嘗作《明珠記》、《懷香記》等傳奇，詞華精妙，追踪臨川，錢謙益說：「天池爲校官弟字，不屑守章句，年十九，作《王仙客劉無雙傳奇》，其兄子餘助成之，曲旣成，集吳門敎師精音律者，逐腔改定，然後妙選梨園，登場敎演，期盡善而後止。」據此，則陸氏必是不肯割裂前人之作，盜竊詞人之名的啊！(註一一)今觀《六幻西廂》所收李、陸之作，陸貴自創，豪則豪矣；然而李的區區小心，也頗有足稱者。這就是李的《南西廂》獨行於戲場，而陸的劇作反而無法流傳的原因了。《曲品》推賞陸的作品說：「願梨園亟演之」，然而後來所上演的，仍卽日華之本，這一切的一切，

豈是勉强得了的呢？

三、其 他

上述二家，其改作的動機，蓋以當時北曲漸不流行，乃翻實甫北劇爲南曲，使演於戲場，故其所以保存原作的關目、曲辭，當不外乎對於原作的敬意。他如明人李景雲所編的《崔鶯鶯西廂記》（註一二），李壽卿的《南西廂》，以及清人高宗元的《新增南西廂》（註一三）等，亦皆如是。至於王百戶《南西廂記》，雖祇見於《徐氏家藏書目》，不過就其書名卽知應屬南調無疑。我們在此，也就更加相信王《西廂》的深入人心了。

貳、續貂之作

自從有了《西廂記》以來，續者不一而足，卽此亦可看出實甫的才華。大抵續作的《西廂》，關目完全改變，要而分之，可別爲二大類：一爲續本的改變者，一爲五本的全變者。有關五本全變的《西廂》，已屬翻新之作，容有專節探討，現在先述續本的改變者於次：

一、明周公魯《錦西廂》

周公魯，字公望，江蘇崑山人，約明崇禎元年前後在世。其《錦西廂》，原本已佚，《曲海總目》有此本的提要，《曲錄》據《傳奇彙考》〈標目〉著錄，誤作《翻西廂》，其他戲曲書簿未見記載。此本大致據《鶯鶯傳》：崔鶯鶯已經委身於人，張生往訪，鶯鶯作詩以絕之。又據他書有云：

「鶯鶯所嫁卽鄭恆」者；因而截去草橋以後數折不用，說是紅娘代鶯鶯嫁給了鄭恆，其詩也是紅娘所作，而嫁名於鶯鶯的。翻改面目，錦簇花攢，所以稱作《錦西廂》。其情節略爲：

鄭恆高中狀元，奉勅與崔氏完婚，乘傳車到了蒲州，鶯鶯誓死不從，於是以紅娘代嫁，而自己則潛回博陵。這時，張珙也落第歸來，尋訪崔氏不遇，惘然自失，還宿草橋。恰遇孫飛虎妻圍店指名欲索張珙，珙害怕，將自裁，琴童改換張珙的衣冠出見，不得遁去；而琴童因與孫妻定情，遂被奉爲盜魁。珙脫困後，遂往訪鄭恆，紅娘着舊妝出會，却絕口不提代嫁之事，而一味的責讓張珙來遲，以致錯過了前約。從袖中出示「自從消瘦減容光」詩一首，說是奉了鶯鶯之命留與張郎的，而且催他速速離去。珙慚愧極了，遂辭別鄭恆入京，往投白居易。正好德宗有意重搜落卷，得到張珙的詩，頗爲激賞，問白居易：「是否認識其人？」對以：「適在臣處。」召見，用前題命作古體詩，頗爲稱旨，遂賜他進士及第。這時，正遇吐蕃入寇，鄭恆嗾使張延賞以將才薦舉張珙往討，終賴琴童與七紘的力量，大敗敵軍。捷報傳來，白居易甚喜，更加的詰問崔、鄭之事，紅娘心知不能再隱，於是向鄭恆吐出了實情。後來由白居易反映上去，乃詔鶯鶯歸於張珙，而鄭恆這時也攜了紅娘前來謁見，老夫人遂認爲母女云。

案：此劇所述的情節，皆不是漫然引入的，不過似此崔、張鴛鴦譜，究竟何干於千百年後人的事，却强爲之撮合呢？文人的好事，實在太可笑了。(註一四)然而，卽此也可想見其受《西廂記》感染的深厚啊！

二、清碧蕉軒主人《不了緣》

清碧蕉軒主人，姓名、字號、里居，俱不可考。其雜劇《不了緣》，凡四齣。《曲海總目提要》、《傳奇彙考》、《今樂考證》、《曲考》及《曲錄》皆著錄，曲文今存於鄒式金所編的《雜劇三集》中。正名作：「兩錯怨雙文恩斷，單相思君瑞情癡；〈會眞詩〉西窗投遞，《不了緣》蕭寺提撕。」所載崔、張故事，據《鶯鶯傳》後段，崔已委身於鄭恆，而張生却冒充外兄的身分求見，崔賦詩與張生云：「棄置今何道？當時且自親；還將舊來意，憐取眼前人！」因此，張生祇好斷了重續舊情的念頭，而崔、張從此爲不了之緣。情詞悽楚，意境蒼涼，董、王而外，固不可缺少這樣的別調啊！其情節略爲：

暮秋時，張生落拓歸來，再尋蕭寺，適值長老赴齋去了，寺中祇留下一香火道人。訊之，才知鶯鶯已改適他人，而紅娘也隨之而嫁了。悵惘之餘，遂往鄭府，以外兄的名分要求見鶯鶯一面，崔氏却暗中賦了一詩云：「自從消瘦減容光，萬轉千廻懶下牀；不爲旁人羞不起，爲郎憔悴却羞郎。」竟不與他相見。後數日，張生將離開，崔氏又賦一章來謝絕他，最後還是避不出面。

案：劇中崔氏所嫁的卽是鄭恆，乃據《西廂記》中姓名，而非元稹《鶯鶯傳》所有。以鄭恆墓誌所娶崔氏爲鶯鶯，《西廂》各種，皆取與鶯鶯完配，大抵是據元稹《鶯鶯傳》前半而翻易其後半。作者以爲後半乃係實蹟，而《西廂》面目全改，於是續成此折，以鶯鶯歸鄭恆，而崔、張爲不了之緣。觀「棄置」一詩，有「憐取眼前人」的句子，則是元稹已娶了韋氏之後。其詞雖然哀怨，而相戀的情

意恐怕是免不了的。「不了緣」之名，大致是佛法所謂「招因帶果」，又添了一重公案。(註一五)

三、其　他

大抵續作的《西廂》，皆加以或多或少的改易，自成面目。除上述二家外，見於著錄的，還有元人楊訥的《翠西廂》，明人屠畯的《崔氏春秋補傳》、盱江韻客黃粹吾的《續西廂昇仙記》、無名氏的《錦翠西廂》(註一六)，以及清人薛旦的《後西廂》、周杲的《竟西廂》、石龐的《後西廂》、楊國賓的《東廂記》、王基的《西廂後傳》、湯世潆的《東廂記》、周聖懷的《眞西廂》、查繼佐的《續西廂》、陳莘衡的《正西廂》。又另有乾隆刻本張錦撰《新西廂》，他若清吳國榛也有《續西廂》殘稿本四齣。續作之多，眞乃罄紙難書，不勝枚舉，我們在此更可得見《西廂記》的偉大，較之《紅樓夢》，並無遜色。玆略去無名氏的《錦翠西廂》，而述其他續本於次：

㈠《翠西廂》　楊訥撰。訥原名暹，字景賢，一作景言，號汝齋。本爲蒙古人，家於浙江錢塘，因從姐夫楊鎭撫，人以楊姓稱之。《傳奇彙考》標目別本楊氏名下著錄有《翠西廂》雜劇。

㈡《崔氏春秋補傳》　屠畯撰。屠氏一名本畯，字田叔，浙江鄞縣人。《遠山堂劇品》著錄其《崔氏春秋補傳》，並注云：「北四折」。《讀書樓目錄》略作《崔氏春秋》。又《遠山堂劇品》評云：「傳情者，須在想像間，故別離之境，每多於合歡。實甫之以〔驚夢〕終《西廂》，不欲境之盡也。至漢卿補五曲，已虞其盡矣。田叔再補〔出閣〕、〔催粧〕、〔迎奩〕、〔歸寧〕四曲，俱是合歡之境，故曲雖逼元人之神，而情致終遜於譜離別者。」

㈢《續西廂昇仙記》盱江韻客撰。案：《遠山堂曲品》僅記《昇仙記》簡名，著錄於黃粹吾名下。盱江韻客或卽黃氏的別號，不過其里居、生平皆未詳。此劇明崇禎間來儀山房刋本，《古本戲曲叢刋初集》本卽據此影印，其他戲曲書簿未見著錄。凡二卷二十齣。其家門作：「小紅娘翻然悟道，崔小姐死矣復蘇；《續西廂》化爲西竺，願南贍共證南無。」演迦葉尊者點化張生、鶯鶯、紅娘悟道。謂紅娘成佛，而鶯鶯因妬，鄭恆訴之於陰官，鬼使欲擒鶯鶯，幸得紅娘前來救援。意在懲淫勸善，可惜詞意未能雅妙。《遠山堂曲品》云：「情緣盡處，立地成佛，以此爲《西廂》註脚，亦是慧眼一照。但鶯娘千古艷香，忽然消滅，其如色界之寂寞何？且成佛又何必在紅娘後也？」

㈣《後西廂》薛旦撰。旦字既揚，號訢然子，一作聽然子。江蘇長洲人。約清康熙中前後在世。《新傳奇品》稱其曲如「鮫人泣淚，點滴成珠。」《今樂考證》著錄其《後西廂》。不過《曲考》、《曲海》、《曲錄》俱列入無名氏。

㈤《竟西廂》周杲撰。杲字坦綸，號果庵，一號西疇老圃，江西崑山人。《新傳奇品》稱其曲如「老僧談禪，眞諦妙理。」所作《竟西廂》、《今樂考證》、《新傳奇品》、《曲考》、《曲海目》、《曲錄》並見著錄。佚。

㈥《後西廂》石龐撰。龐字晦村，號天外生，安徽太湖人。生平未詳。著有《天外談》。《傳奇彙考》標目別本補有此目，注云：「見《天外談》。」案：《今樂考證石外天名下所著錄的《後西廂》一本，疑卽此本。

㈦《東廂記》　楊國賓撰。楊氏，字號、里居，生平皆未詳。所作《東廂記》、《今樂考證》、《曲考》、《曲海目》、《曲錄》，並見著錄。

㈧《西廂後傳》　王基撰。基字太御，號梅庵逸叟，江蘇吳縣人。知音律。鄭振鐸《西諦善本戲曲目錄》於「《西廂後傳》鈔本」下，署「梅庵逸叟撰」者，蓋卽王基之作。

㈨《東廂記》　湯世瀠撰，湯氏字鶴汀，江西南豐人。所撰《東廂記》，有道光間刊本。凡十六齣，也是《西廂》翻案作品之一。主旨在矯正崔、張二人私合之非。其總目作：「張君瑞痛前非潛修拒色，崔鶯鶯不再適卿恨皈空；小紅娘傷薄倖悔擔作合，老蒼天嘉改過特賜團圓。」

㈩《眞西廂》　周聖懷撰。周氏名號、里居，生平皆未詳。《今樂考證》著錄其《眞西廂》，原本已佚。

(十一)《續西廂》　查繼佐（一六〇一——一六七七）撰。查氏字伊璜，號與齋，學者稱敬修先生。浙江海寧人。崇禎年間舉於鄉，甲申後不復出，所作詩文詞曲，皆未經人道語。《今樂考證》、《曲考》、《曲錄》均有著錄其《續西廂》雜劇，今存《雜劇新編三十四種》本。全劇計〔應制塡詞〕、〔因風託素〕、〔白馬堅盟〕、〔紫綸合玉〕等四折。謂張生中舉後，應制賦詩，題爲〈明月三五夜〉，張生卽將鶯鶯所贈的詩寫入，朝廷詰問，張生具奏其事，並且乞爲河中府尹，以便成婚。又篇中增夫人欲將紅娘匹配給鄭恆，紅娘不許，而想自縊，事皆蛇足，曲也拙陋的很。其餘與實甫關目多所雷同。

㈢《正西廂》 陳莘衡撰。陳氏名號、里居、生平皆未詳。《今樂考證》著錄其《正西廂》，原本已佚。

㈣《新西廂》 張錦撰。錦字菊知，山西太原人，生平未詳。其《新西廂》係乾隆刊本。凡十六齣。前後離合，仍同《西廂》舊本，而於崔、張淫褻之處，却極力的翻改。

㈤《續西廂》 吳國榛（？——一八八六）撰。吳氏字聲孫，號一蘧居士，清江蘇長洲人。吳梅卽其公子。少好音律，嘗讀《鶯鶯傳》，頗覺張、崔不情，而有所憾，繼讀《續西廂》，更加覺得粗俗；因爲一般人所注意的祇在團圓的結局而已，這還不足以爲張生補過啊！是故另續〈旅思〉、〈死別〉、〈悼亡〉、〈出家〉四齣，現存《甓勤齋殘稿》本。

叁、翻新之作

續本作了改變的《西廂》，上節已述及，至於五本全變的《西廂》，如明人卓人月的《新西廂》、硏雪子《翻西廂》，以及清人程端的《西廂印》，皆一反董、王《西廂》原有的關目，像這種五本全變的《西廂》，當可視爲翻新之作，玆分述於次：

一、明卓人月《新西廂》

卓人月，字珂月，浙江仁和人。約明末前後在世。才情橫溢，詩文詞曲莫不精工，與孟稱舜、袁于令相善。其《新西廂》〈自序〉云：「崔鶯鶯之事以悲終，霍小玉之事以死終，小說中如此者，不可勝計，乃何以王實甫、湯若士不能脫傳奇之窠臼耶？余讀其傳而慨然動世外之想；讀其劇而靡然與俗內之懷；其爲風與否？可知也。《紫釵記》猶與傳合，其不合者，止復甦一段耳，然猶存其意。《西廂》全不合傳，若王實甫所作，猶存其意，至關漢卿（？）續之，則本意全失矣，余所以更作《新西廂》也。」又云：「段落悉本《會眞》，而合之以崔、鄭墓碣，又旁證之以微之年譜，不敢與董、王、陸、李諸家爭衡，亦不敢蹈襲諸家片字。言之者無飾，聞之者足以歎息。蓋崔之自言曰：『始亂之，終棄之，固其宜也。』而微之自言曰：『天之尤物，不妖其身，必妖于人。』合二語可以蔽斯傳也。」(註一七)據此，則卓氏《新西廂》的大概，已約略可知。然而崔、張的不克團圓，恐難饜足衆多觀場者的心理，而舊時傳奇能不擺脫團圓套數的，十不一見，所以也可想見作者用心的獨特了。

二、明研雪子《翻西廂》

研雪子，江蘇吳縣人，其姓氏及生平事蹟，均不可考。近人姚景瀛謂「研雪子」乃清人沈謙的別署，惟證據仍嫌薄弱(註一八)。案：研雪子所撰傳奇凡二種，《翻西廂》卽其一，標爲：「識閒堂第一種翻西廂」，凡三十三齣；另一種《賣相思》，則未見流傳。研雪子嘗云：「天下事，有因理而求其跡者，亦可因跡而求其理。稹與崔兄弟也，與鄭亦兄弟也；藉令崔非令女，禮爲親者諱，稹固不得而言也。張亦何與？于稹豈有無故爲人作記，而反汚兩中表之名節家風乎？閨房鄙事，又曖昧難知，稹當日鑿之條晰，果得之所見乎？抑得之所聞乎？若以爲已實爲之，張固托名也。稹嘗附宦官，後猶悔之；稹非不自愛者，乘至親喪亂，而誘于弱女弟，此禽獸之行，稹愈不欲自白其汚矣。況常人之情，私己者則悅，若崔果私禎，禎後卽欲補過絕之，則亦已矣。極力毀之，豈人情也哉！藉曰毀之，非仇于乞姻，亦必有他故，予誠不得其解也。」又云：「予考其跡如此，推其理又如此；故歷序當年誣謗始末，作爲《翻西廂》，爲崔、鄭洗垢，爲世道持風化焉。」（註一九）據此，則其作《翻西廂》的本意已明，進觀其內容，則前後情節，完全和實甫《西廂》北劇相異。竟將鶯鶯寫成甘爲鄭恆從一而終；係以崔、鄭離合之事爲經，反而以張珙的阻難爲其關目。故以生飾鄭恆，以丑飾張生。謂鄭恆、張生皆與崔家爲中表親，當時鶯鶯已經許配鄭恆爲妻，鄭居西廂別室，朝夕思念而不得會面，某一天在花園吟詩，詩云：「細雨收殘夜，微雲綻碧天；那堪孤客影，翻對月光圓。」鶯鶯聽了，和云：「兩地殷勤望，清光共一天，年年十二度，何用此回圓？」情意眞切而不及於亂。這時張生正暗戀著鶯鶯而不可得，先唆使孫飛虎搶親未遂，後來才作《會眞記》，說他自己經由紅娘傳書遞簡，跟鶯鶯已有了私情。事情傳到鄭恆那裏，遂欲退婚；鶯鶯受到誣陷也割臂以示貞潔，終於由老尼周旋，事情才眞相大白，崔與鄭和好如初。就其詞境而論，可以說是意深筆遠，窮研極態，清幽淒冷，令人欲絕。眞乃王《西廂》外，又一傑出之作。今國立中央圖書館所保管的係朱希祖舊藏本。

三、清程端《西廂印》

程端，江蘇常熟人，其字號、生平未詳。《曲海總目提要》著錄《西廂印》，說是近時人程端所作，則其年代應稍早於黃文暘，或者相近。《西廂印》的內容，原本於王實甫、李日華二劇，而其情節則以自撰的居多，〔停喪〕齣，增加一位老院子，易法聰爲法充。〔寺警〕齣，紅娘請代小姐而嫁，以及張生獨自前往蒲關求救兵，而不用惠明投書。〔遞簡〕齣，以「待月西廂下」詩爲夢中所作；而紅娘私下給與張生。〔佳期〕齣，以紅娘代鶯鶯和張生假合。〔設詭〕齣，以鄭恆殺寄書的使者而套其書信。有的與本傳不同，有的與王、李二本相異（註二〇）。可惜此劇未見傳世，已亡佚。

肆、名家詮評之作

《西廂》乃是有元一代的傑作，而爲歷代才子輩所翫賞，其間容有詮釋、校訂，更從而評點者，無慮有數十人之多，如唐寅、徐渭、何良俊、王世貞、李贄、謝世吉、余瀘東、羅懋登、陳大來、李贄、謝伯美、朱朝鼎、何璧、蕭鳴盛、余文熙、屠隆、孫鑛、湯顯祖、陳繼儒、徐逢吉、金鑾、胡應麟、王驥德、沈璟、袁黃、汪廷訥、魏浣初、李裔蕃、徐奮鵬、凌濛初、黃嘉惠、王思任、陳實庵、沈寵綏、卓人月、鄭國軒、陳長卿、封岳、金人瑞、吳人、陳同、談則、錢宜、尤侗、毛奇齡、李漁、焦循、吳蘭修、朱璐、戴問善、許嘯天、楊瞿、王毓駿、王季思、陳志憲、吳曉鈴、張燕瑾、彌松頤諸家，幾乎更僕也難以計數。玆擇李贄、金人瑞二大家，略述於次：

一、明李贄批評《北西廂記》

李贄（一五二七——一六〇二），號卓吾，又號宏甫，別署溫陵居士、百泉居士等，明泉州晉江人。曾主張小說戲曲能雅俗共賞，感人至深，其佳者不但可觀，而且能够移風易俗，與先王的教化相等。所以他論《西廂記》說：「當其時必有大不得意於君臣朋友之間者，故借夫婦離合因緣以發其端。」又說：「小小風流一事耳，至比之張旭、張顛，羲之、獻之而又過之。堯夫云：『唐虞揖讓三杯酒，湯武征誅一局棋』，夫征誅、揖讓，何等大事也，而一杯、一局，覷之至渺小矣。」李氏推《西廂》爲「化工」至文，因此「小小風流一事耳」，而可從「小中見大，大中見小，舉一毛端建寶王刹，坐微塵裏轉大法輪」(註二一)。雖不免有「變亂是非，顚倒天理」之譏，(註二二) 然而此中自有其道理存在，並非一般遊戲的論調。

案：李贄所批的《西廂記》，凡二卷，各十齣，標爲〔佛殿奇逢〕、〔僧房假寓〕等名目。評語在夾行內，醉香主人論之極詳(註二三)，其〈題卓老批點西廂記〉云：「往陶不退語余，家藏卓老《西廂》，爲世所未見，因舉『風流隋何』、『浪子陸賈』二語，疊用照應，呼吸生動，乃許之曰：『一用妙』、『二用妙』，三用以至五用，皆稱『妙絕、趣絕』。又如『用頭巾語甚趣』、『帶酸腐氣可愛』，往往點出，皆人所絕不着意者，一經道破，煞有關情，在彼作者，亦不知技之此極也。」又說：「卓老嘗言：『凡我批點，如長康點睛，他人不能代』。識此而後知卓老之書，無有不切中關鍵，開豁心胸，發我慧性者矣。」《西廂》既是千古雜劇的冠冕，而李氏所批，又爲《西廂》傳神的濫觴，世上不乏特具慧眼者，自有取證在，這是毋庸贅辭的啊！

二、清金人瑞《第六才子書西廂記》

金人瑞（一六〇八——一六六一），本姓張，名采；後來改爲金喟；明亡後又改名人瑞，字聖歎。江蘇吳縣人。他曾說：「天下才子之書有六，而世人不知，所謂六者，一《莊》、二《騷》、三馬《史》、四杜律、五施《水滸》、六王《西廂》。」他想爲這六部書作批評，完成的祇有杜律、《水滸》、《西廂》，此外未及着筆。由於他憤天下人盡把《水滸》、《西廂》作小說戲文看，小視其道，不知爲古今來絕大文章，所以故作驚人之語，特標其名目爲「五才子書」、「六才子書」。

案：金氏評論《西廂記》的主要觀點反映在〈讀第六才子書《西廂記》法〉中。他首先肯定了《西廂》的內容。他曾一再爲《西廂》辯解，謂「《西廂記》斷斷不是淫書，斷斷是妙文……文者見之謂之文，淫者見之謂之淫耳。」（〈讀第六才子書西廂記法〉第二）强調《西廂》中所演者，便是〈國風〉所寫之事，並因而提出「事爲文料說」，將文學之美與現實的道德批判分開。他主張好色與淫穢，藝術與猥褻是有差別的。所以又從作家和讀者兩方面來解說：「蓋事則家家家中之事也，文乃一人手下之文也。借家家家中之事，寫吾一人手下之文者；意在於文，意不在於事也。意不在事，故不避鄙穢；意在於文，故吾眞曾不見其鄙穢。」（〈酬簡〉齣評語）作家着意的是在觀察外界素材之後，如何透過文字的魔力將其美感經驗呈現給讀者，至於素材本身已非重要的事了。從《西廂記》中，聖歎發見王實甫運用了「烘雲托月」、「移堂就樹」、「月度迴廊」、「獅子滾球」、「羯鼓解穢」、「爲大於細」、「爲有於無」、「此來彼來」、「三漸三得」、「二近三縱」、「實寫虛寫」，以及「那輾」、「曲折」與「兩不得不然」等等方法，來作最完美的藝術的表現（expression）。聖歎的《第六才子書》，起初是總評全篇，其次分評各章、各節、各句；內容之外，兼及文詞。可說是晰毛辨髮，窮幽極微，就如燃犀之靈光，揭發了千載的奧秘，眞是够讓人一誦三歎，不再有遺議於其間了。難怪李漁《閒情偶寄》會說：「讀金聖歎所評《西廂記》，能令千古才人心死。」又說：「自有《西廂》以迄于今，四百餘載，推《西廂》爲塡詞第一者，不知幾千萬人，而能歷指其所以爲第一之故者，獨出一金聖歎。是作《西廂》者之心，四百餘年來未死，而今死矣。不特作《西廂》者之心死，凡千古上下操觚立言者之心，無不死矣。人患不爲王實甫耳。焉知數百年後，不復有金聖歎其人哉！」(註二四)不過，隨後笠翁對聖歎也曾不無惋惜地指出：「以予論之，聖歎所評，乃文人把玩之《西廂》，非優人搬弄之《西廂》也。文字之三昧，聖歎已得之；優人搬弄之三昧，聖歎猶有待焉。如其至今不死，自撰新詞幾部，由淺入深，自生而熟，則又當自火其書而別發一番詮解。甚矣，此道之難言也！」(註二五)由於聖歎把王《西廂》當成一首長篇敍事詩來欣賞，聖歎既側重案頭的細讀，深思而後才得知其用意所在，如觀察花瓣火燄，色調變化不定，乃是天下之至妙；又强調須以「靈眼忽然覷見，便疾捉住」，如擲骰要及時放出，稍縱却逝，略早、略遲、稍輕、稍重、偏東、偏西，便不是此六色。且又對劇中女主角全心全意地加以理想化，其心目中氣質矜貴的千金女兒，勢必非一般優伶所能演活。所以他說：「《西廂記》乃是如此神理，舊時見人教諸忤奴於紅氍毹上扮演之，此大過也。」(《讀第六才子書西廂記法》第七十九)此外，聖歎所評的《西廂》也時有荒謬之處。他强作解事，取《西廂記》原文而加以割裂，又以己意妄爲刪改，如〔借廂〕：「軟玉溫香，休道是相偎傍」，刪作「休言偎傍」；〔請宴〕：「請字兒不曾出聲，去字兒連忙答應」，改作「我不曾出聲，他連忙答應」……此等句子皆遠不如原作，宜乎梁廷枏《曲話》要詆其爲：「以文律曲，故每於襯字刪繁就簡，而不知其腔拍之不協，至一牌畫分數節，拘腐最爲可厭」啊！而且鄭師因百在其《西廂記作者新考》中，也指責他是一個「小有才而未聞君子之大道」的妄人。說聖歎批點的《西廂》，「不出八股文窠臼，眼光並不見得高明，而其文字及態度則頗爲『討厭』……他於《西廂記》不但妄批，而且還有許多妄改。」

大致說來，聖歎的《西廂記》批評，是繼承了李贄的文藝批評精神，並汲取了王驥德《西廂記評語十六條》中的一些見解，予以極大的拓開與發展，呈現出嶄新的理論風貌。他批評的長處在「密」，短處在「拘」。「密」則有關藝術構思、形象創造、情節結構、細節描寫等方面，任何的一字一句，無不逆溯其源頭，而且更求出命意的所在，就好像畫龍點睛，金針隨度，使天下後學，完全領悟到《西廂》的眼法、手法、筆法、墨法等是也；「拘」即「密」之已甚，如刪繁就簡，割裂原文，不肯平實地批評，務爲驚人之筆，過分强調主觀詮釋的方法等是也。又他打破從來以儒教主義一貫，不理解文學爲何者的因襲習慣，進而探論戲曲的眞價值，使之與經史爲伍，此大功也。況且比擬的批評也是聖歎所擅場，〔拷豔〕中的三十三〔不亦快哉〕，祇爲紅娘快語所引出，似此爽趣的喻語，在三百多年後的今天，仍然感到十分深刻、十分新鮮，我們在此能不佩服其絕世的銳才嗎？

三、其　他

綜上所述，我們已可略窺前人對於《西廂記》的着意推研了，也足見《西廂》之能照耀千古，爲人所狂愛，並不是一件輕易的事。現在爲了欣賞起見，特別臚列徐渭、李贄、湯顯祖、陳繼儒、魏浣初五家的評語如下。(註二六) 雖是片羽吉光，然而對於揚扢風雅，聲金振玉，品隲古今，一字足爲一史，萬萬不可加以忽視。

〔**驚豔第一**〕第一本第一折

徐：只鄭氏叫小姐閒耍散心一語，做出許多色聲香味折子來。

李：張生也不是個俗人。賞鑒家！賞鑒家！

湯：鶯也、紅也、張也，都是積世情種子，故佛地乍逢，各各關情如火，若聽和尙，便是門外漢矣。

陳：摹出多嬌態度，點出狂癡行模，令人恍然親覩。

魏：窈窕嬌姿，風流狂興，情詞中發出，至今想像，恍如親覩。

〔**借廂第二**〕第一本第二折

徐：假寓蕭寺，乃張生無聊極思。及見紅娘，不覺驚喜，遽爾涉謔；法本不解此情，便鑿鑿認眞。旣而要紅私語，亦是無聊情緒不能已已；猶冀紅娘見憐，反被搶白，而此心終不灰冷，張生固是情癡。

李：無端一見，瞥爾生情，便打下許多預先帳，却是無謂，却是可笑。秀才們窮饞餓想，種種如此，到底做上了所謂「有志者事竟成」也。

湯：老和尙智慧僧也，亦參不徹，跳不出小張圈套裏，却被小張算定全局。

陳：一見如許生情，極盡風流雅致。

魏：記不盡嬌模樣，不索之想外，亦不束之想中，從九廻腸裏扶出的妙竅，入一解，深一解。

徐：崔家情思，不減張家，張則隨地撒潑，崔獨付之長吁者，此是女孩家嬌羞態，不似秀才們老面皮，情則一般深重。

〔酬韻第三〕第一本第三折

李：非但能言人不可得，正索解人亦不可得。

湯：張生癡絕，鶯娘媚絕，紅娘慧絕；全憑着王生巧絕之舌，描摹幾絕。

陳：今夜看燒香，明朝做功德，到虧此生勞神。

魏：（案、此與陳批全同，玆不贅。以下凡有重複者，皆援此例。）

〔鬧齋第四〕第一本第四折

徐：且看羅的要羅，羅的要羅，大是熱鬧，單則夫人、法本，被老字板殺，不作此態，却也曾打從這熱鬧場裏過來。

李：做好事的看樣。

湯：中篝之醜，十有八九從佛境僧房做來，良繇佛法慈悲，以方便爲第一善事也。做呵護最靈，今欲清閨閣之風，須先塞此徑竇。

陳：鬧熱極，莊嚴極，不可思議功德。

魏：（案、此與李批全同。）

〔寺警第五〕〔投書第六〕第二本第一、二折

徐：杜將軍、惠和尚都是護法善神，飛虎將亦是越客猛虎。

李：描寫惠明處，令人色壯。

湯：兩下只一味寡相思，到此便沒趣味，突忽地孫彪出頭一攪，惠明當場一轟，便助崔、張幾十分情興。

陳：如許入手，便不落莫。

魏：張皇惠明處，大爲禪林增采。

〔請燕第七〕第二本第三折

徐：諸人以爲佳，吾從衆。

李：此齣曲，如家常飯，不作意，不經心，信手拈來，無句不妙，所以爲化。

湯：先將請宴一齣，虛描宴中情事，後齣停婚，只消儘摹乍喜乍驚之狀。有此齣，後齣便省多少支離，此詞家安頓法，不可不知。

陳：行雲流水，悠然自在之文。

魏：此等曲，皆不作意，不經心，信手拈來，悠然自在之文。

〔賴婚第八〕第二本第四折

徐：讀此乍喜乍怨之詞，如和風甘雨，淒風苦雨，忽忽從山窓相繼而至。

李：我欲讚一辭也不得。

湯：此齣夫人不變一卦，締婚後，趣味渾如嚼蠟，安能譜出許多佳況哉？故知文章不變不奇，不宕不逸。

陳：若不變了面皮，如何做得出一本《西廂》。

魏：賞功不明者召叛，報德不稱者起怨，怨自外攻，機從內應，如何不敗崔家事！

〔琴心第九〕第二本第五折

徐：這琴定是神物，不然那得感動人心乃爾。

李：無處不似畫，無語不入化。

湯：一曲瑤琴，一聲同去，愁慘慘，牽動崔孃百種情竇，若無好姐姐樹此奇勳，幾乎埋怨老娘狠毒。

陳：纔拜幾拜月，便有好新郎至，豈天道從願如響乎？

魏：如怨如慕，如泣如訴，鶯固多情，描者更是畫筆。

〔前候第十〕第三本第一折

徐：讀靈犀一點，紅是大國手；讀剪草除根，紅是公直人；讀賣弄家私，紅是清廉使客；讀可憐見小子，又是慈悲教主；讀忒聰明數語，又是賞鑒家；讀偷香手數語，又是道學先生。總之，是維摩天女隨地說法，隨處徵心，今而後，余不敢以侍兒身目紅娘矣。

李：曲白妙處，盡在紅口中；摹索兩家，兩家反不有，實際神矣！

湯：紅娘委實是大座主，張生合該稱紅爲老老師，自稱爲小門生。恐今之稱老師，稱門生者，未必知紅娘惓惓接引，白白無私也。

陳：不粧病景，不極相思滋味。

魏：生慧不如鶯，鶯巧不如紅；故生被鶯擒了神魂，鶯被紅持了線索。

〔鬧簡第十一〕第三本第二折

徐：痛喝熱罵，美語甜言，都是皮裏春秋，藥中甘草。

李：嘗言吳道子、顧虎頭，只畫得有形象的；至如相思情狀，無形無象。《西廂記》畫來的的逼眞，躍躍欲有，吳道子、顧虎頭又退數十舍矣。千古來第一神物，千古來第一神物。

湯：崔家孃，風流蘊藉；至誠種，參透了一緘詩謎。張解元，狂魔癡潑；可喜孃，賺得來半戶花魂。哎！若不是撮合山，乾受些摧殘言語，則這道會親符，險些兒人散酒闌。

陳：胸中如鏡，筆下如刀，千古傳神文章。

魏：曲中全是以模索爲工，如鶯、張情事，則從紅口中模索之；老夫人及鶯之意中事，則從張口中模索之。張及老夫人未必實有是事也。的是鏡花水月，以神傳神。（案、此係《西廂》前十齣總批，與容與堂刊李贄本的總批雷同。至於是齣的評語，則全同於陳批。）

〔**賴簡第十二**〕第三本第三折

徐：須看張之熱，崔之媚，紅之冷。熱令人豪，媚令人憐，冷令人達。

李：此時卽便成合，則崔、張是一對淫亂之人，非佳人才子矣。有此一阻，寫出張生怯狀，崔子嬌態，千古如生，何物文人，技至此乎？

湯：看這儒秀才做事，俾我黯然悶殺，恨不得將紅娘克做張生，把嬌滴滴的香美娘扢扎幫便倒地也。

陳：中緊外寬，虧這美人做出模樣來，然亦理合如此，倘一蹴卽從，趣味便爾索然。

魏：（案、此與陳批全同。）

〔**後候第十三**〕第三本第四折

徐：張生受過多許摧挫，只是一味癡癡顛顛，到底也被他括上。故知沒頭情事，越是癡人越做得來。

李：妙在白中述鶯語。

湯：紅娘是個精細人，只因昨夜虛套，賺煞窮神，故今日當場並不敢下一實信語。

陳：眞病遇良醫，良藥雖未曾服，而十病減九矣。

魏：眞病遇良醫，藥未卽服，早已心寬三分，病減七分。

〔**酬簡第十四**〕第四本第一折

徐：疑眞疑假憂思，描摹入聖；乍驚乍喜情事，刻畫傷雅。

李：極盡驚喜之狀。

湯：讀至崔孃入來，張生捱坐，我亦狂喜雀躍。諒風魔酸漢，霍然奇暢，不必索之枯魚之肆。

陳：千里來龍，穴從此結。萬種相思，盡從此處撇。眞令看《西廂》者，熱腸冷氣，一時快活殺。

魏：幽思處，雲愁雨結；懽會時，月朗風和。想之致佳，嘗之味美。

〔拷豔第十五〕第四本第二折

徐：當時那得此俊婢，我生不復見此俊婢。

李：好事多磨。

湯：清白家風，都是這乞婆弄壞，更說那個辱沒家譜，恨不撲殺老狐。

陳：紅娘是個牽頭，一發是個大座主。

魏：（案、此與陳批全同。）

〔哭宴第十六〕第四本第三折

徐：樂極則悲，萬事盡然。

李：盡情描寫，故描寫盡情。

湯：丈夫面目，兒女肝腸，描摹不漏針芥，自是神手。

陳：日暮關鄉何處是，煙波江上使人愁。

魏：（案、此與陳批全同。）

〔**驚夢第十七**〕第四本第四折

徐：駱金鄉云：「第一段如孤鴻別鶴，落寞悽愴；第二段如牛鬼蛇神，虛荒誕幻；第三段如夢蝶初回，晨鷄乍覺，不勝其驚怨悲愁也」。余向來尋常看過，今拈出旅、夢、覺三字，所謂鼓不桴不鳴，今而後，當作一篇絕奇文字看矣。

李：文章至此，更無文矣。

湯：天下事原是夢，《會眞》叙事固奇，實甫旣傳其奇，而以夢結之，甚當。

陳：翻空揭出夢境，的是相思畫譜。

魏：（案、此與陳批全同。）

〔**捷報第十八**〕第五本第一折

徐：太倉大王，首可此套，此雖不及前四本，以後當以此套爲最。

李：寄物都是寄人去。妙，妙。

湯：愁怨動人。

陳：看書處，摹盡喜憂情；回書處，訴盡相思味。一轉一摺，步步生情。

魏：（案、此與陳批雷同，祇不過易「相思味」爲「相思情」而已。）

〔**倩寄第十九**〕第五本第二折

徐：前套因物達誠之意，與此套睹物懷人之思，闞合不差，是極得相思二字深旨而摹之者。

李：妙，妙。見物都是見人來。

湯：極力摹畫處，不乏人工，終傷天巧。

陳：見物如見鶯，描盡得遠書景趣。

魏：（案、魏氏此齣無批，而國立中央圖書館所收長樂鄭氏藏本，有濃墨補批：「借景物因時而變，見人亦然也。思之不已，何也」數語，恐係出自鄭振鐸親筆。）

〔**爭豔第二十**〕第五本第三折

徐：鄭恆是個勢利中刻薄人。

李：紅娘爲何如此護着張生，怪不得鄭恆疑心。

湯：險些兒嬌滴滴玉人去也，又虧殺白馬將軍來也。

陳：護張生甚尖利，罵鄭恆忒狠毒。

魏：頌張生處，是護法善門；罵鄭恆處，是禦侮虎賁。

〔**榮歸第二十一**〕第五本第四折

徐：作《西廂》者，置鄭恆于死地，毋乃狠毒；說謊學是非的不死，要他何用？

李：不得鄭恆來一攪，反覺得沒興趣。

湯：鶯鶯屬鄭，獨不思張乃得之孫飛虎之手，非得之鄭恆也。若非杜將軍來救，鶯鶯定爲孫飛虎渾家矣。鄭恆去向孫飛虎討老婆，少不得也是一個死。

陳：總結處，精密工緻；出鄭恆來，更有興趣。

魏：賞讀短文字，却厭其多；一讀《西廂》曲，反反覆覆，重重疊疊，又嫌其少。何也？何也？（案、此系《西廂》後十齣總批，與容與堂刋李贄本的總批雷同。至於是齣的評語，則全同於李批。）

伍、餘　論

《西廂記》的戲曲藝術，除了引發後世因襲、賡續、翻新與詮評的熱潮而外，我們試從歷來流傳各種版本（有關《西廂記》的版本另有專文論述）的插圖之美、校刻之精、搬演之盛，也可以想見閱讀和觀賞者的衆多，以及影響的深遠了。玆分圖刻、搬演二目述之如下：

一、圖　刻

戲曲小說的興起，擴展了版畫創作的園地，也提供了版畫創作的新內容。對於深入細緻地刻畫人物的思想感情，以及人們的理想與願望，都起了啓發性的作用。同樣地，由於木刻插圖的發展，其創作上的成就，也加强了戲曲小說在民間的影響，因而戲曲小說中的木刻插圖，就成爲一種通俗的羣衆性的藝術形式了。我們從明弘治十一年京師書坊金臺岳家重刋本《全相參增奇妙註釋西廂記》書尾的出版說明：「本坊謹依經書重寫繪圖參訂編次大字本，唱與圖合，使寓於客邸，行於舟中，閑遊坐客，得此一覽始終，歌唱了然，爽人心意。」就知道出版商已完全掌握了讀者的心理。事實上也是如此，因為書籍木刻插圖備受廣大讀者所歡迎，才使版畫得以風起雲湧般的拓展。

周樹人《木刻紀程》〈小引〉說：「中國木刻圖畫，從唐到明，曾經有過很體面的歷史。」的確是如此，到了明代，版畫的發展已臻顛峯，其成就，遠超過了宋、元，也為清代版畫所不及。在明代的版畫中，尤以戲曲小說的插圖梓行數量多，而且銷路也特別廣。當時所有著名的戲曲小說，無不具精美的木刻插圖，就以《西廂》一劇而言，竟有金臺岳家重刊本、少山堂刊謝世吉訂正本、熊龍峯忠正堂刊余瀘東校正本、羅懋登注本、汪光華玩虎軒刊本、繼志齋刊陳大來校本、曄曄齋刊李楩校本、劉龍田喬山堂刊余瀘東校本、起鳳館刊王李合評本、容與堂刊李贄評本、香雪居刊王驥德本、何璧校本、師儉堂刊陳繼儒評本、三槐堂刊重校本、游敬泉刊李贄評本、汪廷訥環翠堂刊本、文秀堂刊本、槃薖碩人增改本、凌濛初刻本、文立堂刊鄭國軒校本、虛受齋刊徐渭題識本、李廷謨重刻本、張道濬校本、天章閣刊李贄評本、仇文合璧本等二十餘種之多。畫家如南宋的陳居中、明代的盛懋、唐寅、仇英、錢穀、汪耕、魏之璜、殳君素、王文衡、陳洪綬、孫鼎、魏先、朱英、曹振玉、陸哲、陸棨、陸善、汝文淑、汝文媛，以及無瑕、隱之、以中、不易、停雲（當為文徵明之別號）、野王孫等，或繪或摹，都曾很熱心的投入。再加上刻工余仁、夏緣宗、黃鏻、黃應岳、黃應光、黃一楷、黃一彬、項南洲、劉素明、劉龍田、劉次泉、陳震衷、陳聘洲等的精益求精，正是夜以繼日地在工作。

尤其像《西廂》此種富於情節性的戲曲，頗能引起畫家繪製插圖的興趣。再由於它是一種家喻戶曉的通俗文學，刻工即使學識低，也可以懂得了。何況這樣反更能提高他們的工作意願。事實上，有些刻工亦即繪圖者。既然，他們熟悉劇情，當其繪刻之際，必然使其所繪刻的作品，寄以更多的生命力（註二七）。如黃一楷所刻起鳳館本及黃應光所刻香雪居本的《西廂記》，其插圖在形象刻畫上，都鮮明的呈現出版畫家對於過去舊禮教的那種憎惡與要求愛情自由的深衷。固然，這是表明版畫家與戲曲的作者抱有同感；但也不能忽視，這也是版畫家對於這一時代的生活的一種看法與體會。（註二八）次如陸縈爲天章閣刊本《西廂記》所繪「碧紗窗下畫了雙蛾」，這幅插圖是表現崔鶯鶯愉快的心情。張生來了，紅娘便去報信，怎教鶯鶯不喜悅呢？這是一次意外的歡喜，所以她曾說：「扶病也索走一遭」，於是急急忙忙的梳妝打扮；作者選取了此一情節，透過鶯鶯的梳妝，凸顯了鶯鶯的一顆赤熱愛戀的心。圖中所作，在疏疏的竹窗裏，鶯鶯對鏡妝扮，兩手張著髮髻，動作是那麼的輕快，與往日相思的愁容癡態，分明是不同了；形象的刻畫也極細膩，所以便生動地表現出少女活潑的風韻來。（註二九）蓋作爲插圖藝術，並不必要求面面俱到，取張生「入夢」、鶯鶯「窺簡」，固可以成爲好作品；但若選取張生心猿意馬念崔孃，或畫鶯鶯筆下寫幽情，亦無不可。插圖是文學的補充、再創作，給人以聯想，是以不全而求全的。（註三〇）不過，也有好幾部《西廂記》插圖中的「遇豔」，都是將普救寺的全景，寺裏寺外，寺中佛殿、僧房，以至兩廂小院，盡收一圖中；好多作品，在對人物的描寫時候，都是窗戶洞開，甚至作了房間的剖面圖。此種表現技法，則係不受空間的局限，這樣對主題內容，才能作充分的交代。

大致而言，所有《西廂記》插圖的刻工，掌握刀刻的剛柔輕重與疾速轉換的技巧。他們的刀刻線條，呈現出一種節奏感，轉折頓挫，點劃起伏以及拂披的刀法，皆能得心應手。所謂「千容百態，遠近離合，具在刀頭之精」，或卽此意。在前擧的刻工中，如徽州黃鏻、黃一楷、黃一彬及杭州項南洲等人的作品，鏤刻線紋，纖細精美，無論人物衣褶、流水或鎧甲，都是平穩流利。在在可以看出技術的精熟。

《西廂記》插圖最多者，應推金臺岳家重刻本。此本每卷冠圖單面，書內採建安「上圖下文」的版式(註三一)，上圖分單元連式，多至七、八面相連接爲一幅長卷，雄偉壯觀。係一本「唱與圖合」的大型戲曲連環圖。據牌記稱爲「重刋印行」，當有原本，然現知最早附圖的《西廂記》，當爲此本。所繪人物服飾、建築家具、山水景物，以及繪刻作風皆和萬曆以後的版畫不一樣，是明中葉北京版畫的代表作品。(註三二)

在所有插圖畫家中，筆者最欣賞的是陳洪綬（一五九九—一六五二）。陳氏所繪《西廂》插圖，至少有三種不同的版本：一是李廷謨重刻本的二十頁插圖；一是張道濬校本的六幅插圖；一是天章閣刋李贄評本二十幅（今存十幅有半）插圖中的兩幅。刋於崇禎四年（一六三一）的李廷謨重刻本《西廂記》，大約是洪綬崇禎三年（一六三〇）秋至四年夏之間所完成，其用筆造形，代表了洪綬早年的風格。其插圖係採用「月光型」的版式，首有鶯娘像，表現十分大膽，半袒著胸脯，形象已非嬌弱者可比，有幾分潑辣，似乎頗具反抗精神。線條圓柔，衣飾儉約，人物造型深受周昉的影響，依然表現著豐肌肥頤的盛唐仕女畫風。插圖分正、副二種，右圖爲副圖，畫些與原書內容漠不相關的山水或花鳥、博古之類的圖樣。筆簡形具，是董其昌之類美學觀點的體現。不過正圖則按曲意布圖，一絲不苟，是乃精心之作。但由於崇禎十二年（一六三九）張道濬校本及十三年（一六四〇）天章閣刋李贄評本《西廂記》的推出，顯現了洪綬個人畫風已因他第三次進京縱觀大內藏畫，而趨於成熟。圓柔細勁的線條，典雅華貴的衣飾，楚楚動人的姿態，在在與六、七年前李廷謨重刻本的作風迥異。而張道濬校本的這六幅插圖尤爲盡善盡美。首幅「雙文小像」中的人物造型，單憑線條而能創出如此維妙維肖的人物，足可印證洪綬是時白描工夫的造詣。其餘五圖係洪綬由每本中抽取富有關鍵性的一折而將之具像化，既對《西廂》原書內容作了重點式的闡明，又能完整地貫穿全局而引人入勝，喚起讀者更多的想像，此卽其匠心獨到之處。「目成」一圖，洪綬以他所慣用的完全省略背景之技法，巧妙地給心思各異的每一個人物預留一大片可以運作思緒的空間，而凸顯了鶯鶯春心初動却又矜持含蓄的神態。「解圍」一圖，則利用圖案化的山木泉石，掌握了眞實的空間；暗示著大軍駐紮曠野的情景，也說明了洪綬對空間的再現，是「非不能也，實不爲也。」還有兩位武士甲冑上那種純以線條構成的繁密的幾何文飾，其剛健有勁，直可謂鐵畫銀鉤。「窺簡」一圖，凸顯了「窺」這個動作和神態。他利用四折金碧輝煌的屏風，由左向右伸展。將兩個單頁上的人物作了視覺上的聯繫，强化了鶯鶯和紅娘兩人在情緒心思上的關聯。並且烘托出相國千金的矜貴嬌媚：內心急於想看，同時又要自我掩飾；知道了簡帖內容後心裏十分喜悅，但還是想自我掩飾。藉著鶯鶯下眼眶那一筆的微波，就把佳人口不應心、含嗔微怒的表情刻畫無遺。「驚夢」一圖，則將眞實的景物與虛幻的夢境置於同一空間，對實景採精簡筆法，對夢境則用寫實而細膩的筆法來加以描述，省略了現實的空間而捕捉夢境的空間，暗示了張生旅途的孤寂冷清。似此實中有虛、虛中有實的技法，充分表露了對人生若夢，夢如人生的感慨。最後一圖「報捷」，洪綬掌握了觀衆的視點，經由四個圖案化的繁密佈景而停留在中央空白之處——鶯鶯含情、喜悅交織的神態和其所凝注的玉簪之上——達成了捕捉焦點的功能，此卽所謂關鍵正在著墨無多處也。至於天章閣刋李贄評本《西廂記》的圖形，則一如李廷謨重刻本，係「月光型」的版式，前已述及，玆不贅。不過必須說明的是：洪綬在人物的線條上，使用的是諧和一致的高古游絲描，細勁淸圓、流暢生動。仕女的身材造型已趨修長，而且還加上了喇叭狀寬幅的下襬，表現出女性亭亭玉立，楚楚動人之美。特別是對不同畫面的同一人物之表情刻畫尤能各隨心境情緒的不同而作種種細微的變化，同時又兼顧到其像貌上的統一性。可見此時的洪綬，於人物情緒之掌握與再現，已達出神入化的境界了。(註三三)

此外，如仇英爲《西廂》而精心繪製的二十幅水墨揷圖，則深深結合了仕女畫與山水畫的長處。就畫面說，是比任何一種明刋本的揷圖來得開闊；層次很深，具有高度的透視基礎。仇氏爲求整體的美感，儘量地迴避了不雅觀的動作或容易流於庸俗低劣的場面。像「夫人停婚」齣的揷圖，他就一反所有明刋本祇在老夫人房中的陳設以及席面上的酒杯、菜餚等可有可無之物布局的俗套；而畫上老夫人房門口的那條小徑，由紅娘護送著神情沮喪的張生歸去。並藉著樹的濃蔭，水的微波作襯托，遂使欣賞者感受到較高的意境。尤其仇作因係明刋本中獨一無二的水墨畫眞蹟，是民國初年輸入珂羅版印刷術後纔複製翻印的，所以天色的晨昏、距離的遠近、層次的前後上下，都能如實反映，有著濃淡、深淺等等變化；不是一般祇具線條與輪廓的版畫所能比。因此，任何的明刋本《西廂記》插圖皆望塵莫及(註三四)。

又：明刋王驥德《新校注古本西廂記》與閔刻閔評《西廂會眞傳》卷首，皆附有宋畫院待詔陳居中摹的「崔孃遺照」，據陶宗儀的題跋說：在金章宗泰和七年（一二〇七），亦卽南宋開禧三年，有十洲種玉宜之，因路經蒲東普救寺時，好奇地到傳說中的西廂憑弔一番，居然發現了崔鶯鶯的畫像，卽命曾任畫院待詔的陳居中臨摹一幅。到了一百十三年後的元代延祐七年（一三二〇），又有璧水見士其人，在東平這地方見市上賣的「雙鶯圖」（卽「鶯鶯遺照」），驚爲神品，認定係陳居中的眞蹟，而且也考證出「宜之」是金代的趙愚軒。又過了若干年，陶宗儀在杭州也親睹了這幅畫，於是就請當時流寓在嘉興魏塘鎭的盛懋加以臨摹。萬曆二十六年（一五九八）繼志齋刋《重校北西廂記》與萬曆三十八年（一六一〇）王、李合評本《元本出相北西廂記》卷首皆有汪耕摹唐寅的「鶯鶯遺照」。而天啓元年（一六二一）槃薖碩人的《西廂定本》卷首則祇署「唐伯虎」，而無「汪耕摹」等字樣。唐寅（一四七〇—一五二三）的「鶯鶯遺照」，其完成的時代大致晚於南宋陳居中的「崔孃遺照」將近三百年，但却早於另一著名畫家陳洪綬（一五九九—一六五二）約一百年。在他們三人之間，陳居中所畫的鶯孃身材淸癯秀挺，頸下部位露出較多，兩袖袖口相攏，一雙玉手就藏在裏頭；唐寅所畫的鶯鶯較爲豐腴，頸部以下袒露較少，左手藏在袖中，右手以五指托頤。陳洪綬的三幅「雙文小像」，並不是摹自陳居中或唐寅，無論造型、角度或服飾，均有其特出之處(註三五)；因已見前述，玆不贅。

當然，《西廂》挿圖所以如此的多而且美，必有賴上舉諸多優秀的畫師，以及世代相傳技藝專精的刻工之積極參與；而畫師與刻工之所以能合作無間，這還得靠出版家如金臺岳家、固陵孔氏、胡少山、徐逢吉、熊龍峯、汪光華、陳邦泰、劉應襲、劉龍田、曹以杜、朱朝鼎、蕭騰鴻、王敬喬、游敬泉、周居易、凌濛初、閔齊伋、諸臣、李廷謨、陳長卿、毛晉、顧玄緯等人的居間聯繫與幕後推動。甚至其中有些既是畫家，又是刻手，同時亦兼爲搨印者；製作挿圖時，三位一體，更能得心應手，使它確然成爲一種藝術品。因而贏得廣大讀者的喜愛和支持，遂使《西廂記》的圖刻藝術得以迅速地、順利地發展，而達顚峯。

二、搬　演

戲曲是文學和藝術的結合體，文學寄託於劇本之中，藝術則展現在舞臺之上。有關《西廂記》戲曲的舞臺藝術，我們由賈仲明《續錄鬼簿》〔凌波仙〕詞所云：「風月營密匝匝列旌旗，鶯花寨明颭颭排劍戟，翠紅鄉雄糾糾施謀智。作詞章風韻羨，士林中等輩伏低。新雜劇、舊傳奇，《西廂記》天下奪魁。」卽可知其在明永樂前成果已相當的輝煌了。

《西廂》搬演見於著錄的有《堅瓠二集》卷四載：「明弘治（一四八八—一五〇五）中，泉州府學某教授，南海人，頗立崖岸；一日，設宴於明倫堂，演《西廂》雜劇；有人書聯於學門云：『斯文不幸，明倫堂上，除來南海先生；學校無光，教授館中，演出《西廂》雜劇。』某出見之，赧然自愧，故能頓除。」由於衞道者皆以《西廂》爲淫媟之戲，亟宜放絕；(註三六) 自不容在宏敷教化的明倫堂演出。然而沈德符《萬曆野獲編》卷一錄有楊文襄於正德（一五〇六—一五二一）末年武宗南巡駕幸其宅第時所作詩句：「漫衍魚龍看未了，梨園新部出《西廂》」，則是帝王也曾躬自觀賞士大夫家宅演出的《西廂記》了。又據明無名氏《燼宮遺錄》載：「崇禎五年（一六三二），皇后千秋節，諭沈香班優人，演《西廂記》五、六齣。」則是《西廂記》也曾在宮中御前爲祝壽而獻演了。

「上有好之者，下必甚焉。」明朝的帝王既如此愛好《西廂記》，自無怪乎其士大夫的風靡了。舉凡官場應酬、文士宴集，無不借演劇以助興，戲劇已成爲他們生活中不可或缺的部分了。試觀馮夢禎快雪堂萬曆三十年（一六〇二）十一月二十六日日記所載：「赴包鳴甫席……屠氏梨園演《雙珠記》，找《北西廂》二折，復奏琵琶。」(註三七) 同年十一月三十日又記：「今日龔明、冲暘先生作主，家梨園演《北西廂》。」又萬曆三十二年（一六〇四）六月初六日記：「楊蘇門與余共十三輩，請馬湘君，治酒于包涵所宅。馬氏三姊妹從涵所家優作戲。晚，馬氏姊妹演《北西廂》二出，頗可觀。」又：《明語林》載天啓元年（一六二一），經魁王昭平，於榜發之時，「方雜梨園演《會眞記》（草橋驚夢）齣，去張君瑞。關目未竟，移宮換羽間，促者婁至，遂着戲衣冠，周旋賀客。」卽此，蓋可知矣。

在演戲之風如此盛行的明代，稟以「色」、「藝」事人的妓家，若不精於演劇，又怎樣能夠應官身、侍酒宴呢？所以徐樹丕《識小錄》〈識餘〉卷二謂當時多半「以娼兼優」，而且幾幾乎皆爲勾闌名角，「清歌妙舞，悉隸是中。」如《十美詞紀》所載：陳圓「演《西廂》，扮貼旦紅娘脚色，體態傾靡，說明便巧，曲盡蕭寺當年情緒。」又有吳門妓李蓮，因病不見客，祇等知心友來了，纔「撥絃索，唱《西廂》〔草橋驚夢〕，歌徹首尾，宛轉瀏亮」；直到病勢沈重時，還爲知己「歌〔新水令〕闋」，終至「氣短而止，持袂嗚咽不勝」，沒幾日就離開了人世。

不僅此也，甚至「衝冠一怒爲紅顏」，在歷史上留下了罵名的吳三桂，也蓄有六燕班歌童十幾人，而且親自教導家樂，並且曾在商賈宴前「欣然爲演『惠明寄柬』一折，聲容台步，動作肯要，座客皆相顧愕眙。」（註三八）

至於《金瓶梅詞話》第四十二回：「逞豪華門前放烟火，賞元宵樓上醉花燈。」載西門慶叫王皇親家一起扮戲的二十名小厮來西廂房扮《西廂記》；又孟稱舜《貞文記》傳奇〔謀奪〕齣中的賓白：

（丑）我到他家說親，唱戲吹酒……

（小生）……唱的甚麼戲？

（丑）唱的是《伯喈》、《西廂》……色色完全。

（小生）怎麼做得許多，敢是唱些雜劇？

這雖祇是小說中述及的扮唱、搬演而已，但卽此亦可想見《西廂記》在當時風靡之一斑了。

還有，在焦循《劇說》中，曾錄載了乾隆二十九年（一九六四）西洋人貢銅伶十八人演《西廂記》之事。焦氏此說係引自袁枚的一部專記怪異之筆記小說——《新齊諧》，若所載未失實，則西洋所貢者雖非眞正的演員，祇是十八個可以由人操縱的「銅伶」而已；但這已說明《西廂記》除了由伶人演出之外，西方人也曾因對此劇的雅好而研製出「銅伶」來搬演了。

由《西廂記》的古典作品到電影，這中間雖經多次改竄編寫；但情節內容，大都沿襲王實甫的劇作。最先搬上銀幕的《西廂記》電影，是民國十六年（一九二七），由上海民新影片公司攝製，侯曜編導，李旦旦、林楚楚、葛次江主演。當時各家電影公司，正在競拍古典小說與民間故事；民新公司就將此部傳頌千古的佳構，交付給了侯氏來精心製作，上映後還頗獲好評。

到了民國二十九年（一九四〇），上海國華影片公司又開拍了《西廂記》電影，由范煙橋編劇、張石川導演，周璇、白雲、慕容婉兒主演，片子拍攝得柔美感人，佳評如潮。電影中由周璇所唱，金玉谷作曲的揷曲〈拷紅〉，更是膾炙人口，風靡一時，原詞是：

夜深深，停了針繡和小姐閒談吐；
聽說哥哥病久，我倆背了夫人到西廂問候。
他說夫人恩當讎，教我喜變憂；
他把門兒關了我只好走，
他們心意兩相投。
夫人你能罷休便罷休，又何必苦追究。

一不該言而無信把婚姻賴，
再不該女大不嫁留在深閨，
三不該不曾發落這張秀才。
如今是米已成飯難更改，
不如成其好事，一切都遮蓋。

紅娘以聽說、埋怨、勸解的情感來表達，很能顯現戲劇的情景，也很能引起觀衆的共鳴。

後來，香港邵氏兄弟公司也拍了部《西廂記》，由王月汀編劇，岳楓導演，凌波、李菁、方盈主演，並穿插有黃梅調歌唱，情節全以王實甫雜劇爲藍本，稍有不同的是開始佛殿相逢，電影中改爲鶯鶯與紅娘在園中追撲彩蝶，張生遊寺而撞見，看來雖然俗氣，但還算有動感；再就是齋供之日，正在崔、張眉目傳情之時，忽傳孫飛虎率衆圍寺，影片將這兩件事併在一起，使在同一時間發生，此皆爲求緊湊，適應電影特性而改編的，全片拍攝尙稱嚴謹，頗具氣氛。

民國六十八年初，又有當代影業公司拍攝《新西廂記》，由貢敏編劇，廖祥雄導演，翁倩玉、楊麗花主演，同樣是以《王西廂》爲依據，片頭係由陳師立夫題字，首先介紹王實甫編寫《西廂記》，接著再說明全劇的時代背景，使得以後發生的情節，有一連貫的脈絡。最後以紅娘假充鶯鶯而嫁與鄭恆，使得全片圓滿收場。(註三九)

《西廂記》除了曾以雜劇、傳奇及電影的方式演出外，還有崑劇、徽劇、川劇、京劇、豫劇、越劇、歌仔戲、布袋戲、傀儡戲、皮影戲，以至話劇、廣播劇、電視劇等，差不多皆有整本的《西廂記》或者「佳期」、「拷紅」等單齣的演出。像民國五十四年時，姚一葦所發表的《孫飛虎搶親》三幕劇，卽其一例。又大陸上很多著名的演藝人員如荀慧生、張傳芳、童芷苓、常香玉、袁雪芬、傅全香、金彩鳳、呂瑞英、競華、潘鳳霞等，都有根據《西廂記》雜劇而改編的各劇種的代表作。在國外也有改編，韓國古時候就曾有人完全根據《西廂記》的形式和結構，用來反映春香的故事，而寫成《山水廣寒樓記》。蘇聯也曾改編《西廂記》爲《傾杯記》。至於我國民間剪紙、泥塑、牙雕、年畫等藝術形式中，也廣泛地採用《西廂記》爲題材。從這些，在在可以看出其對後世影響的深遠；由於《西廂》戲曲藝術廣爲世人所熱愛，益信其被推爲雜劇的冠冕，蓋良有以也。（案：有關《西廂記》對於《臨川四夢》、《金瓶梅》、《紅樓夢》的影響，另有專文論述，茲不贅。）（本文作者現任敎於淡江大學中文系）

〔註釋〕

註一　見羅錦堂先生《現存元人雜劇本事考》頁四四〇所敍。中國文化事業公司排印本。

註二　見嚴敦易先生《元劇斟疑》中，〈東牆記〉一目所言。上海中華書局，一九六〇年五月版。

註三　見《文史雜誌》第二卷第五、六期載隋樹森〈東牆記與西廂記〉一文所論。民國三十一年六月十五日，商務印書館重慶版。

註　四　同註二。

註　五　案：南調《西廂記》，在李、陸之前，嘗見《永樂大典》及《南詞敍錄》著錄有宋元南戲文《鶯鶯西廂記》；但是其曲文今已不可考，因此本文專述李、陸二本。至於其他所改編的，一概列入「續貂之作」之例。

註　六　此據高儒《百川書志》〈戲曲目〉著錄。又《遠山堂曲品》、《今樂考證》、《曲錄》並見著錄，不過後二者俱誤以爲嘉與李日華作。今存明富春堂刋本，凡係李增入者，下皆注「新增」字樣，《古本戲曲叢刋初集》本，卽據此影印。明萬曆間刋本則有梁辰魚題辭。此外，又有明周居易校刋本，明末閔遇五校刻汲古閣刋本，《西廂六幻》本、暖紅室重刋本。

註　七　案：呂天成《曲品》，原有明萬曆間刻本，但已不傳。今國立北京大學圖書館所藏書口有「清河郡」字樣的黑格鈔本，可能成書在清康熙以後。而近年重印的《曲苑》本、暖紅室刻本、吳梅校本、重訂《曲苑》本、增補《曲苑》本，又都是同出於曾習經見到的一部舊鈔本。雖然清河郡本列李日華於第十八，《曲苑》本列第十九。均無「實甫」二字，僅注明「吳縣人」，但其後評皆有「李實甫斗膽翻詞」一句，可見「實甫」應爲李日華字號無疑。

註　八　見黃文暘《曲海總目提要》頁二九八，「南西廂記」條所敍。臺北新興書局影印本。

註　九　引自明呂天成《曲品》，見《中國古典戲曲論著集成》册六頁二三一。

註一〇　案：陸采《南西廂》，有明萬曆間周居易刋本，明末閔遇五校刻《六幻西廂記》所收本，暖紅室重刋本，《古本戲曲叢刋初集》本據周居易校本影印。夷考《六幻西廂記》本，凡三十七齣；上本十九，下本十八。末附《園林午夢》。

註一一　見吳梅《顧曲麈談》頁一七六所述。臺灣商務印書館「人人文庫」本。

註一二　案：李景雲，元時人，字號、籍里，無從查考。其《崔鶯鶯西廂記》，《永樂大典》戲文十九、《南詞敍錄》均有著錄。《宋元戲文輯佚》本，存殘曲二十八支。惟《南詞敍錄》以李景雲爲明人，有誤，《宋元戲文輯佚》考之甚詳。至於鄧綏寧先生序《南北西廂記比較》，嘗指李日華卽李景雲，更屬附會之尤。今《九宮正始》所引元傳奇《西廂記》，卽是李景雲的作品。

註一三　案：高宗元，字伯揚，號求誨居士，浙江山陰人。生平無考。《今樂考證》著錄其《南西廂》，並云：「亦屬增改本，佚。」

註一四　見蔣瑞藻先生《小說考證》中，「錦西廂」條所引。臺北環宇出版社影印本。

註一五　見黃文暘《曲海總目提要》頁一九六七，「不了緣」條所敍。

註一六　案：《寶文堂書目》著錄有《錦翠西廂》。

註一七　見焦循《劇說》所引。文收《曲苑》。

註一八　案：今國立中央圖書館所保管前國立北平圖書館的《識閒堂第一種翻西廂》，卷後有近人朱希祖跋云：「此《翻西廂》題古吳研雪子撰，不知其姓氏，謂爲崔、鄭洗垢，爲世道持風化。余讀清初沈謙《東江別集南北曲二卷，中有〈集伯揆商霖是日演余新劇《翻西廂》〉北曲套數一篇，其〔粉蝶兒〕云：『俺將這西廂業案平反盡，費幾許移花鬬筍。止不過痛惜那雙文，根究出微之漏網原因。（則要蓋世間女子防沾露，普天下男兒盡閉門。）』似此本《翻西廂》卽爲謙所撰。惟謙爲仁和臨平人，祖籍湖州武康，不可謂古吳，豈別有一《翻西廂》耶？」持論較爲嚴謹。

註一九　見研雪子《翻西廂》卷首：〈翻西廂本意〉所敍。

註二〇　見黃文暘《曲海總目提要》頁一二〇三，「西廂印」條所敍。

註二一　見李贄《焚書》卷三〈雜說〉所載。漢京文化公司排印本。

註二二　見王驥德《新校注古本西廂記》所附〈評語〉第十五則。

註二三　案：明天章閣刊本《李卓吾先生批點西廂記眞本》卷首，有醉香主人〈題卓老批點西廂記〉一文；而清大業堂刻本《西廂》，則皆以此文作爲康熙己酉年汪溥勳序，而且注云：「右序字字珠璣，語語會心，眞看書之要訣也。今坊刻借作李卓吾本敍者誤。」未知孰是。

註二四　李漁《閒情偶寄》〈詞曲部〉〈塡詞餘論〉所載。臺北廣文書局影印中央研究院傅斯年圖書館藏清刊本。

註二五　同註二四。

註二六　案：此係據明崇禎間彙錦堂刊徐渭、李贄、湯顯祖《三先生合評元本北西廂》、萬曆間師儉堂蕭騰鴻刊《鼎鐫陳眉公先生批評西廂記》及存誠堂刊《新刻魏仲雪先生批點西廂記》校錄。由於金人瑞《第六才子書西廂記》評語過長，而且其書易於取得，因此不予列入。

註二七　參見王伯敏先生《中國版畫史》頁五九，及頁七二—七三。臺北蘭亭書店，民國七十五年九月初版。

註二八　參見前揭書頁六二。

註二九　參見前揭書頁七七。

註三〇　參見周蕪先生《中國古代版畫百圖》頁一六五。臺北蘭亭書店，七十五年九月十五日版。

註三一　案：福建建安的出版活動，自宋元以來，由於余氏等行家的堅持，曾經盛極一時；直到明代，並未稍衰。如雙峯堂所刻的《西廂記》，都極有名。像劉素明等藝人，既是畫家，又是刻手，影響是很深遠的。建安「上圖下文」的版式，始終爲廣大讀者所喜愛。

註三二　參見註三〇所揭書頁五三。

註三三　參見殷登國先生《陳洪綬研究》，頁九九—一〇四，國立臺灣大學歷史研究所碩士論文。

註三四　參見蔣星煜先生《西廂記考證》頁四六—五五，〈仇文合璧西廂會眞記之曲文、繪畫與書法〉，上海古籍出版社，一九八八年八月初版。

註三五　參見前揭書頁一九二—二〇〇，〈明刊西廂記插圖與作者雜錄〉。

註三六　見陶奭齡《喃喃錄》。

註三七　案：屠隆，字長卿，又字緯眞，號赤水，浙江鄞縣人，萬曆五年進士。爲人放誕，於演劇頗爲自負，沈德符《顧曲雜言》謂其「每劇場，輒闌入羣優中作技。」爲青浦令時，常與吳越名士馮夢楨等，江舟置酒，肆筵曲宴，命家樂演戲。又《快雪堂日記》所謂「找北《西廂》」，據王安祈博士《明代傳奇之劇場及其藝術》一書，以爲「是正戲唱完而觀衆興猶未盡，演員遂另外奉贈數齣以饜知音，今口語中有『找補』一詞，卽是『額外添加補足』之意，與『找戲』名義相符。」

註三八　見徐珂先生《曲稗》「六燕班」條。文收《新曲苑》。

註三九　參見魯稚子先生〈談西廂記的小說、戲曲和電影〉，文收《書評書目》七九期，頁四四—四五，民國六十八年十一月版。

從清言看晚明士人主體自由之追尋與呈顯

曹淑娟

一、引言

明季隆慶、萬曆以降，文壇盛行一系列清言作品，它承續唐宋來語錄筆記的傳統，記錄作者讀書、生活的體驗心得，配合着晚明士人普遍退離守默的政治傾向、三教交涉的心性關懷，以及獨抒性靈的文論主張等，發展出較爲特殊的面貌。其中重要作品如：

屠隆　婆羅館清言　續婆羅館清言
呂坤　呻吟語
徐學謨　歸有園麈談
田藝蘅　玉笑零音
彭汝讓　木几冗談
陳繼儒　安得長者言　巖棲幽事　太平清話

李鼎 偶談
洪自誠 菜根譚
吳從先 小窗清紀
陸紹珩 醉古堂劍掃

作者或抬出自我沈思所得，或選取前人嘉言韻語，錄存吉光片羽的體悟，文句較諸傳統語錄筆記尤爲簡短，常以騈對、排比句式出現，可謂「幅短而神遙，墨希而旨永」(註一)之極致表現。此類文字原無定稱，由右舉諸書卽可見其稱謂之多姿，蓋隨作者之意命名；今人論述之際，稱呼亦不一致，處世小品、格言式小品、清言、語錄皆所嘗見，本文呼應陳萬益先生之建議，統稱之以清言。(註二)

歷來對清言文字的詮釋，可大別爲兩條路線，一是強調其對應於暗昧之時代環境，作者之批判精神與教化效用，此一觀點淵源已久，當時讀者卽多作如是觀，如呂坤自序《呻吟語》引友人劉景澤語：「醫病者見子呻吟，起將死病；同病者見子呻吟，醫各有病；未病者見子呻吟，謹未然病。是子以一身示懲於天下，而所壽者衆也。」于孔兼〈菜根譚題詞〉指出：「據所摛詞，悉砭世醒人之喫緊，非入耳出口之浮華也。」任大治〈劍掃引〉亦曰：「蓋憤俗情之沿襲，而斷以慧刀；亦憫世界之沈迷，而渡之寶筏。」《菜根譚》至今仍是普受歡迎的佛教善書之一，可見此一觀點之普遍爲人接受。今人運用宗教、社會學的理論分析《菜根譚》、《劍掃》等書，基本上屬此一觀點的延伸。然而清言中存有大量文字，記載生活閒賞活動之安排，無法完全以時代批判、社會教化加以解釋。

另一詮釋觀點則指出《菜根譚》等小品文字所宣示的處世哲學，本質上卽是鄉愿，不能視爲人生的指導或生活的規箴，而應視爲展現晚明人「隔的美感」之文學作品，「分明是以人生爲談資，爲審美對象的玩味品嘗之言」。循此路線，遂亦不免推出「晚明小品其實是一種怪僻乖誕而且涼薄生活態度中的產物」之論斷（註四）。此一論斷遙遙呼應《四庫全書總目提要》對晚明小品之品評，如評《木几冗談》：「是編乃劄記清言，儇佻殊甚，蓋屠隆一派也。」評《雪菴清史》：「是書皆小品雜言，分清景、清供、清課、清醒、清福爲五門，每門又各立子目，太抵明季山人潦倒恣肆之言，拾屠隆、陳繼儒之餘慧，自以爲雅人深致者也。」如此觀點，頗能道出清言中存有之缺失，但又澈底懷疑撰作者之誠意，難以適當解釋諸多讀者所曾獲得之感動經驗。

兩系觀點分別引帶出對晚明清言不同的詮釋與評價，孰是孰非？抑或皆是皆非？本文無意於自居超然之仲裁地位，亦不願強作調和折衷之論，嘗試在二者之外，提出另一進路，從主體自由之追尋、呈顯的角度，觀察清言作者、讀者羣對生命與生活的關懷。

二、自由「主體」之追尋

自由主體之追尋爲晚明士人之普遍關懷，展現在其處世態度、文學思索、日常云爲上，清言在性靈文論的支持下，記錄了晚明士人此一生命方向。

明代的思想發展，「早期宗守程、朱之學，以卽物窮理爲學道工夫，至王守仁出，從百死千難中解悟致良知之義，以爲「致吾心良知之天理於事事物物，則事事物物皆得其理矣」（《傳習錄》中一三五則），使學者由心外求理返本歸原，卽心卽理，卽知卽行，開示了一條極其簡易精約的道德體驗之途，一掃程朱末學支離外逐的習氣。明人之學自此丕變，逮至明末，大抵皆在王門流風之中。陽明弟子王畿之浙江學派與王艮之泰州學派對晚明學風影響尤大。王畿主張見在良知，以爲良知當下具足，世人當信任自家心中之良知，爲定命安身所在，不假外鑠。《龍溪語錄》卷四〈與師泉劉子問答〉云：

先師提出良知二字，正指見在而言，見在良知與聖人未嘗不同，所不同者，能致與不能致耳。

「能致與不能致耳」的提醒，正召喚著士人對良知主體的追尋。王艮特別注重良知主體在生活日用上的體現，從日常研磨體認中，去感知與鳶魚同一活潑的良知之體，《遺集》卷二〈樂學歌〉云：

人心本自樂，自將私欲縛，私欲一萌時，良知還自覺，一覺便消除，人心依舊樂。樂是樂此學，學是學此樂。不樂不是學，不學不是樂。樂便然後學，學便然後樂。樂是學，學是樂。嗚呼！天下之樂，何如此學！天下之學，何如此樂！

人心本樂，而縛於私欲則不樂，然良知能知善知惡，良知一覺便消除私欲的束縛，人心依舊樂。樂指「道德主體自由之境界」；學卽是「要實現此境界之努力」（註五）。樂此學，學此樂，也召喚着士人對良知主體自由境界的嚮往。李贄私淑陽明，深受龍溪與泰州諸子影響，曾著〈童心說〉揭示其心性觀與文學觀，卓吾的「童心」近於陽明的良知，可說是綜合孟子不失赤子之心與王學致良知說而來之體悟：

> 夫童心者，絶假純真，最初一念之本心也。若失却童心，便失却真人。人而非真，全不復有初矣。童子者，人之初也；童心者，心之初也。夫心之初曷可失也。

人人皆有童心，只因耳目五官不思，在與外物應接中，聞見道理入主其內而童心失，故須「護此童心」，即維護童心的主體地位。「童心說」後文轉而議論著書立言之事，以「童心之言」才是眞文字，下啓晚明性靈文學思想，公安三袁標舉「獨抒性靈」之文學主張，矯正復古思潮舍棄自我，盡從古人的失誤，實際上是貫連整個晚明性靈文學思潮的中心論點，肯定文學創作活動有內發性的本源，強調此內發本源的掌握，有童心、性靈、性情、精光、元神等不同稱謂，都是同一內涵的描述語（註六）。雖然陽明後學參酌佛老，良知主體之道德善惡體認已逐漸淡化，在童心、性靈文論中，道德判斷、善善惡惡之能力進一步被解消不論，但對主體的體認、自由境界的嚮往，卻在王學末流與性靈文學的交互激蕩中，成爲晚明士人普遍關懷的課題。

1.自主性的提出

就現實的存在處境而言，人往往是極不自主、不自由的。病苦老死的威脅、富貴權勢的偶然、愛恨恩仇的糾纏等，人世內容充滿不能自主的無奈，況且韶光易逝、年命有限，對應於廣宇長宙，這蜉蝣過客般的生涯所能締造的意義也令人懷疑，清言中每每也觸及這份無奈與虛幻：「三九大老，紫綬貂冠，得意哉，黃粱公案；二八佳人，翠眉蟬鬢，銷魂也，白骨生涯。」（《婆羅館清言》）紅顏少年，終要銷爲白骨，功業得失，只如黃粱一夢。「甜苦備嘗好丟手，世味渾如嚼蠟；生死事大急回頭，年光疾於跳丸。」（《婆羅館清言》）甜苦備嘗的世味不宜執迷，生死急趨之年光宜早珍惜，不也有著人世幻化，終歸空無的感慨？「宦情太濃，歸時過不得；生趣太濃，死時過不得，甚矣，有味於淡也。」（《安得長者言》）宦時不能不思歸，生時不能不思死，誰也無從廻避人世無常、生死輪替的現實。「權貴龍驤，英雄虎戰，以冷眼視之，如蟻聚羶，如蠅競血，是非蜂起，得失蝟興，以冷情當之，如冶化金，如湯消雪。」（《菜根譚》）人世的權勢功業，得失榮辱，入於其中，可令人憂喜起伏，生死相與；出乎其外，則見其盲昧奔競，竟屬虛幻。人生有限性與空虛性的體認，不免伴隨有蒼茫的悲情，但清言並不陷溺於悲感之中，往往還顯露一絲了悟後的輕快，前引文字中「好丟手」、「急回頭」的建議，「甚矣，有味於淡也」的讚嘆，「冷眼視之，冷情當之」的從容，都透露了無可如何中猶有可爲，不能自主裏猶可自主的端倪。「芳菲林圃看蜂忙，覷破幾多塵情世態；寂寞衡茆觀燕寢，發起一種冷趣幽思。」（《醉古堂劍掃》卷五）視塵情如蜂忙蟻亂，己身實也在觀照之中，「可憐身是眼中人」，王國維不勝其悲情，清言則翻轉出一種冷趣幽思，這份從容的美感來自能「丟手」、「回頭」，可「覷破」、「發起」，轉「冷眼」、運「冷情」的主體自由。「貧不足羞，可羞是貧而無志；賤不作惡，可惡是賤而無能；老不足嘆，可嘆是老而虛生；死不足悲，可悲是死而無補。」（《醉古堂劍掃》卷一）超越不能作主的貧、賤、老、死之悲嘆，致意於能作主而未作主的無志、無能、虛生、無補。這裏提出自主性的省察。「觀世態之極幻，則浮雲轉有常情；咀世味之昏空，則流水翻多濃旨」（《醉古堂劍掃》卷一）在觀幻咀空之際，性靈與浮雲、流水感通。這是提出自主性的觀照。

2. 主體的提出

從無可如何，不能自主裏發現猶有可爲，猶可自主的端倪，那麼如何自主？以何爲主呢？「以我轉物者，得因不喜，失亦不憂，大地盡屬逍遙；以物役我者，逆固生憎，順亦生愛，一毛便生纏縛。」（《菜根譚》後集）強調自我的主體性，轉物而不役於物，它交融了莊子超然物外以得逍遙的思想，與佛家悟者轉法輪，迷者法輪轉的提醒，實也遙承孟子即心言性，心之官能思，耳目之官不思之心性觀而來。試觀「人心有一部眞文章，都被殘編斷簡封錮了；有一部眞鼓吹，都被妖歌豔舞湮沒了。學者須掃除外物，直覓本來，纔有個眞受用。」（《菜根譚》）進一步拈出心來，以心作主，心若迷失，物交物，則引之而已矣，人遂不知人人有貴於己者，掃除外物的牽引，直探本來，才能回復心的主體地位。「耳目見聞爲外賊，情欲意識爲內賊。只是主人翁惺惺不昧，獨坐中堂，賊便化爲家人矣。」（《菜根譚》）主體不立，感官欲意的徵逐，將成爲傷害生命的力量，主體若立，則感官欲意在其引領下，亦各得其位，合理順勢。「主人翁惺惺不昧，獨坐中堂」即是心體的獨立自主。「降魔者，先降自心，心伏，則羣魔退聽；馭橫者，先馭此氣，氣平，則外橫不侵。」（《菜根譚》）心體的觀念主要仍承儒家而來，所以孟子關於大體、小體的分辨，持其志，無暴其氣的工夫提醒，以及橫逆之來，我必自反的內省方向，在淸言中往往可見彷彿相當的言論。

以心體作主，儒家主體性的道德意涵自然也爲清言所包含。「行合道義，不卜自吉；行悖道義，縱卜亦凶。人當自卜，不必問卜。」（《醉古堂劍掃》卷五）在天命不可知的惘惘威脅中，拈出道義作爲自卜的判準，自有其莊嚴。「執拗者福輕，而圓融之人，其祿必厚；操切者壽夭，而寬厚之士，其年必長。故君子不言命，養性卽所以立命；亦不言天，盡人自可以回天。」（同上卷三）不言命、不言天，與前章之道義自卜，都屬孟子性命對揚式的格局，君子選擇仁義禮智天道爲性，盡心知性以知天，存心養性以事天，殀壽不貳，修身以俟以立命。在理想的情況下，修其天爵——仁義忠信，樂善不倦——而人爵——公卿大夫——從之，但在事實上並不必然如此，君子了知它的不可必然，也無妨於其修養德性主體的選擇。清言將宗教福禍報應觀念結合進來，「不卜自吉、縱卜亦凶」之吉凶，除了心安與否之義，不免也帶有屬於命之層次的期許。「其祿必厚、其年必長」、「盡人可以回天」，則顯然以命作爲對性之努力的獎賞，「一念之善，吉神隨之；一念之惡，厲鬼隨之。知此可以役使鬼神。」（《醉古堂劍掃》卷一）是這觀念發展的極致。它對儒家思想來說是歧出，但對普遍信持報應觀念的人世而言，將原本操之在外（鬼神）之吉凶主權，重新拉回自我身上一念之善惡，卻是可以藉由道德主體的確立，來弭平人世許多浮移外放的心緒和作爲。

晚明士人討論心性，多有綜括德性與才性範疇的傾向，既影響着性靈文論的立說，同時也影響着小品文字的寫作（註七），清言自然也反映了這一現象，主體的道德判斷有時隱淡不顯，甚而轉爲主體的藝術品會。「榮枯得喪，天意安排，浮雲過太虛也；用舍行藏，吾心鎮定，砥柱在中流乎！」（《

醉古堂劍掃》卷十）此則實也建立在上文所言性命對揚的義理基礎上，而較顯吾心自主之篤定姿態，不討論善惡判斷。「事理因人言而悟者，有悟還有迷，總不如自悟之了了；意興從外境而得者，有得還有失，總不如自得之休休。」（《醉古堂劍掃》卷一）在道德操持上，有他律與自律之分，他律有守有不守，總不如自律之透澈，在與情悟理上，也有得之於外與自得之的差異，因人言而悟、從外境而得，雖有方便處，但終要尋求內在主體之自悟、自得，方才究竟。「得趣不在多，盆池拳石間，烟霞俱足；會景不在遠，蓬窗竹屋下，風月自賒。」（《菜根譚》後集）正因自悟了了、自得休休，得趣會景之主權不落在外物，所以對象之或多或少、或遠或近，俱無決定力，在尋常蓬窗竹屋、盆池拳石間，領會得飽滿的美感情趣，端在於一顆藝術性主體心靈的活動啊！

三、主體自由在人羣社會中的呈顯

主體的發用，可以從道德的自覺開出儒者的人格氣象，也可以從虛靜的觀照開出道家的逍遙境界；晚明人對主體的追尋盤桓於二者之間，據以呈顯出的人世形象也在似儒似道、非儒非道之間。儒家用舍行藏之行跡，本無定方，道家自然天眞之護持則與人世禮法有「永恆的衝突」（註八），晚明人依違於二家之際，對應於當時暗昧的政治社會，遂普遍採取退離的處世態度。

晚明政治環境令人失望嘆息者多，令人鼓舞擊節者少，即如東林運動，諸君子回歸傳統儒家思想，自負氣節，希望透過道德重建，整頓晚明的政治環境。但是晚明既成的制度與風氣終究不可扭轉，清流領袖紛紛遇害，它未能鼓動士人持續參與的理想，末流甚且演變爲朋黨之爭。類此政治權勢傾軋每每澆熄士人用世之心，袁中道「與丘長孺」書云：「天下多事，有鋒穎者，先受其禍，吾輩惟嘿與謙可以有容。」陳繼儒「文娛序」亦言：「吾與公此時，不願爲文昌，但願爲天聾地啞，庶幾免於今之世矣。」以沈默退離的姿態，拒絕伴隨政治角色而來的身心干擾，就個人與環境的對待關係來看，嚴格地說，是屬不得已的消極呈顯，但就個人道德清明與心境清素的維護而言，則又是積極的自我展現。清言中即多透露這種自我在消極無奈中翻轉出來的積極呈顯，可與時人其他文字並觀。

「棲守道德者，寂寞一時；依阿權勢者，淒涼萬古。達人觀物外之物，思身後之身，寧受一時之寂寞，毋取萬古之淒涼。」（《菜根譚》）以淒涼萬古與寂寞一時比較，似有從利害觀點論事之嫌，然退守的處世態度來自不滿人事網絡上的糾葛，每蘊含無限憤慨，提出道德判斷作爲行事依據時，未必能「求仁而得仁，又何怨」，司馬遷在〈伯夷列傳〉文末以名慰志的心情，也正可據以瞭解此類清言背後的心情。「寧守渾噩而黜聰明，留些正義還天地；寧謝紛華而甘淡泊，遺個清名在乾坤。」（《菜根譚》）聰明未必要黜，但若如周順昌所言「最恨者，方今仕途如市，入仕者如往市中貿易：計美計惡，計大計小，計貧計富，計遲計速」（〈第後柬德升諸兄弟〉），進而與道德相牴觸，則寧守道德主體當家的渾噩狀態。「點破無稽不根之論，只須冷語半言；看透陰陽顛倒之行，惟此冷眼一隻。」（《醉古堂劍掃》卷八）面對荒謬失序的世界，不許自己「折腰卷舌，冥心柔骨」（黃汝亨〈與黃子野〉），冷眼、冷語雖不能成就積極改造之功，卻能護持一清醒潔淨的自我。另如「負心滿天地，辜他一片熱腸；變態自古今，懸此兩隻冷眼。」（《醉古堂劍掃》卷十）「冷眼觀人，冷耳聽語，冷情當感，冷心思理。」（《菜根譚》）都是與世應接時，不肯隨物宛轉，在堅持自我中，與對象劃出距離。

冷形容引退的心態，可與胸中的熱情並存。張鼐爲禮部右侍郎，魏忠賢削其籍，張氏將歸，〈與姜箴勝門人〉書云：「留都散地，禮曹冷官，而乞身之人，其冷百倍」，但仍叮囑「須留一段光明於胸中」、「吾輩口不宜快，而心固不可不熱」。熱是胸中一股不磨的道德勇氣，面對不堪的官僚體系，展現出「其冷百倍」的回應，也即是清言所謂看透變態，黜謝聰明，棲守道德的實例。然而晚明士人之冷並不都由道德主體逼發而出，許多是來自對個人獨立個體的認識與維護，沈承〈與山陰王靜觀〉云：「弟於世間，絕意不望相知，於人前絕意不開相知口」，以「冷冷落落」自狀，鍾惺〈潘無隱集序〉云：「吾於士寧有所不見，見者寧有所不言，甘爲冷，爲不可近，而不悔者也。」我既是一絕對獨立的個體，不須與他人攀引才顯意義，故不須求知於人，亦不須示惠於人，各自負責，各成其獨立存在之本然面貌。由此，很容易轉出二種路徑：一爲愛賞個人超俗姿態，一爲標榜退讓不爭的處世態度，乃至於放棄判斷，不問是非。

愛賞個人超俗姿態，所以袁中道〈陳無異寄生篇序〉主張士人須沾染「風霜冰雪之氣」，才能超出凡品。《菜根譚》云：「袞冕行中，著一藜杖的山人，便增一段高風；漁樵路上，著一袞衣的朝士，轉添許多俗氣。因知濃不勝淡，俗不如雅也。」又云：「山林之士，清苦而逸趣自饒；農野之人，鄙略而天眞渾具。若一失身市井駔儈，不若轉死溝壑，神骨猶清。」逸趣自饒、天眞渾具，即個體護持未受刄糜，它是個人自家事，像沈承、鍾惺的自處，自處嚴時，亦可以舍生而護持之，只是非干成仁，不是取義。既絕交於世人，超越於實際利害關係之外，卻又形成另一種新的關係，以個人姿態爲審美對象，旁人從彼之舍我中愛賞之，故藜杖山人舍衮冕，卻可於衮冕行中受賞一段高風；這愛賞方向不能回轉，山人看衮衮諸公並無美感，雖然中間也有距離在。受愛賞的姿態必要超俗，至於實質生命內容如何，可不深究，「高僧筒裏送信，突地天花墜落；韻妓扇頭寄畫，隔江山雨飛來。」（《醉古堂劍掃》卷九）「武士無刀兵氣，書生無寒酸氣，女郎無脂粉氣，山人無烟霞氣，僧家無香火氣，換出一番世界，便爲世上不可少之人。」（同上）「衲子飛觴歷亂，解脫於樽罍之間；釵行揮翰淋漓，風神在筆墨之外。」（同上）「桃花馬上，春衫少年俠氣；貝葉齋中，夜衲老去禪心。」（同上卷十）無論僧人、女子、俠客、書生，乃至山人，若能超脫俗塵，換出一番世界，便爲暗淡人世多增一段景致。《醉古堂劍掃》所集清言，此類品賞不少，尤見於倩、綺、韻、情諸部，其中，山僧之禪心、豪士之俠情，美人之神彩，每每並舉，可互救個人氣質方向之偏鋒。

有時走偏了，不救亦無妨，偏反顯出一種痴態美感，《醉古堂劍掃》卷二「情」部所收清言，盡多溺於情之描述，如：

罄南山之竹，寫意無窮；決東海之波，流情不盡。愁如雲而長聚，淚若水以難乾。

悲火常燒心曲，愁雲頻壓眉尖。

燕約鶯期，變作鸞悲鳳泣；蜂媒蝶使，翻成綠慘紅愁。

千疊雲山千疊愁，一天明月一天恨。

文中愁、淚、恨，悲交疊而不斥，甚且有眷賞意，小引曰：「語云：當爲情死，不當爲情怨；明乎情者，原可死而不可怨者也。雖然既云情矣，此身已爲情有，又何忍死耶？然不死終不透徹耳。」執情而死，反稱之爲「透徹」，似乎對不死而怨猶有遺憾，此種務求極致發展的心態，與在他處每每勸人割捨、去執的態度不一，如《劍掃》卷一即有如斯之提醒：

大凡聰明之人，極是談事。何以故？唯其聰明生意見，意見一生，便不忍捨割。往往溺於愛河慾海者，皆極聰明之人。

言「溺」、「誤事」應是不稱許之意。這裏浮現了晚明士人一情感盲點，既思性靈免於沾滯執迷，而當執一時，則又從其捨下其他牽扯處着眼。袁宏道「與李子髯書」云：「人情必有所寄，然後能樂。故有以奕爲寄，有以色爲寄，有以技爲寄，有以文爲寄。古之達人，高人一層，只是他情有所寄，不肯浮泛虛度光景。」弈、色、技、文，是世人紛紜的情好傾向，宏道以有寄爲達人，正可理解清言以死情爲透徹。

許多清言被視爲處世規箴，負有社會教化的職責，但是，除了部份由維護主體道德清明出發者外，另有許多清言所提揭之處世法則，並不全然吻合儒家之德性實踐，往往貌似德性實踐，但道德主體性逐漸滑失，而淪於隨物回應，以避免傷害，獲得利益。如《醉古堂劍掃》卷十一：「禮義廉恥，可以律己，不可以繩人，律己則寡過，繩人則寡合。」律己寡過是修養工夫，但不可以繩人以免寡合則是由利害著眼。《菜根譚》云：「徑路窄處，留一步與人行；滋味濃的，減三分讓人嚐。此是涉世一極安樂法。」退讓的姿態，可以留出一段廻旋的空間，建立和諧的人倫關係，爲人世增加幾分詳和，有寬容不爭的教化意義。但不從主體的辭讓之心興發，而外推爲可得安樂之涉世法，終嫌失本。許多教人藏鋒、節度之清言，亦大抵起於利害考量，調整自己。

・名利場中難容伶俐，生死路上正要糊塗。（《醉古堂劍掃》卷一）

・待人而留有餘不盡之恩，可以維繫無厭之人心；御事而留有餘不盡之智，可以提防不測之事變。（同上卷三）

・宇宙內事要擔當，又要善擺脫，不擔當則無經世之事業，不擺脫則無出世之襟期。（同上）

・事係幽隱，要思廻護他著，不得一點攻訐的念頭；人屬寒微，要思矜禮他著，不得一毫傲睨的氣象。（同上卷十一）

《醉古堂劍掃》卷十一「法」部即多著眼於「不偏不倚，期無所泥越則已矣」，蓋取中庸節度之意，法非定格，權衡斟酌，本應在我，因而提出調和之說，但又每不論本質能否調和皆輕易說之，權衡之準又每外放，因而清言之宜否作爲處世規箴，不免令人生疑。

至如《娑羅館清言》云：「老去自覺萬緣都盡，那管人是人非；春來尚有一事關心，只在花開花謝。」斬斷所有與人羣的牽繫，包括是非曲直的論衡，這份心情可與另一則比觀較易了解：「覆雨翻雲何險也，論人情只合杜門；嘲風弄月忽頹然，全天眞且須對酒。」（同上）是非判斷，原是維持社會正義所必須，不管是非，便有鄉愿之虞，但是，是非若只是人情翻雲覆雨之糾纏，無以理之解之，閉門謝絕，維護一方清淨之地，原也無可厚非。《孟子離婁下》云：「今有同室之人鬥者，救之，雖被髮纓冠而救之，可也。鄉鄰有鬥者，被髮纓冠而往救之，則惑也；雖閉戶可也。」清言所論原多傾向整體人羣的思量，採行那管是非，只合杜門的回應方式，亦在「雖閉戶可也」的允許範圍中。然若一旦放失自我主體，極易轉成如下之生活態度：「飽諳世味，一任覆雨翻雲，總慵開眼；會盡人情，隨敎呼牛喚馬，只是點頭。」（《菜根譚》後集）由是非紅塵不到我轉爲順隨是非紅塵，這是淸言在退離的處事態度上不當的歧出，也是淸言墮落的開始。

四、主體自由在生活環境中的呈顯

士人冷然引退自政治機括，社會樊籠之外，若躭溺憤慨不滿之情緒，或孜勤於劃清界線，豈不仍羈絆於其影響之下，況且，豈只人羣組成的環境可能干擾自我，自然山水有時也可成囚啊，晚明人仍將重心引歸自我作主，往往不願受羈於固定對象、固定模式，以追尋較大的自由，時人好稱閒，作品亦常以閒命名，如《閒居百詠》、《閑賞》、《閒情小品》等，原因在此。華淑《閒情小品》自序云：

> 夫閒，清福也，上帝之所吝惜，而世俗之所避也。一吝焉，而一避焉，所以能閒者絕少。仕宦

能閒，可撲長安馬頭前數斛紅塵；平等人閒，亦可了却櫻桃籃內幾番好夢。蓋面上寒暄，胸中冰炭。忙時有之，閒則無也；忙人有之，閒則無也。昔蘇子瞻晚年遇異人呼之曰：「學士昔日富貴，一場春夢耳。」夫待得夢醒時，已忙却一生矣。名墦利壟，可悲也夫。

以富貴春夢的虛幻感來勸警世人，同於《娑羅館清言》：「三九大老，紫綬貂冠，得意哉，黃粱公案；二八佳人，翠眉蟬鬢，銷魂也，白骨生涯。」如何回應這如夢之生涯？華淑並不鼓勵學佛入道，向宗教求解脫，而是呼籲世人轉忙爲閒，從當前生活的名墦利壟中解放出來，尋得自由，而且自由的獲得，不限定於何種身分、環境，布衣常人可有，仕宦大老亦能。華淑並未說明如何能閒，清言則每每拈出「心」的掌握作爲關鍵，《娑羅館清言》尤多有關的心得經驗。如：

- 修淨土者，自淨其心，方寸居然蓮界，學坐禪者，達禪之理，大地盡作蒲團。
- 至人除心不除境，境在而心常寂然；凡人除境不除心，境去而心猶牽絆。
- 虛空不拒諸相，至人豈畏萬緣，是非場裏出入逍遙，逆順境中縱橫自在。竹密何妨水過，山高不礙雲飛。
- 人若知道，則隨境皆安，人不知道，則觸塗成滯。人不知道，則居鬧市生囂雜之心，將蕩無定止，居深山起岑寂之想，或轉憶炎囂。人若知道，則履喧而靈臺寂若，何有遷流，境寂而真性沖融，不生枯槁。

修佛參禪，要向心上用功，才能超越時地形色，通達自在。常人不能自定其心，心隨境轉，居鬧市則囂雜而蕩無定止，居深山則岑寂而轉憶炎囂，無論環境如何，心總受影響牽絆；至人則不然，心常寂然，隨境皆安，是非順逆之環境際遇皆能出入逍遙，縱橫自在。此一至人理想境界來自莊子「至人之用心若鏡，不將不迎，應而不藏，故能勝物而不傷」（《莊子・應帝王》），道家自有其工夫過程，清言只以「除心」、「知道」提示原則，只能說是指點方向，實不能保證境界之必得。

然則，清言作者只是搬弄文字遊戲而已？試觀屠隆親身體驗的描述，頗堪玩味。「答李惟寅」書中揭出「取心冥境」的原則：「大都士貴取心冥境，不貴取境冥心。此中蕭然，則塵壒自寓清虛；內境煩囂，則幽居亦有龐雜。」實與前列諸則清言同一聲調，屠隆以此期許惟寅，並以身示範：

> 舍香之署如僧舍，沈水一爐，丹經一卷，日生塵外之想。蘭省薄牘，有曹長主之，了不關白，居然雲水閒人。獨畏騎款段出門，捉鞭懷刺，回飈薄人，吹沙滿面，則又密想江南之青谿碧石，以自愉快。吾面有回飈吹沙，而吾胸中有青谿碧石，其如我何？……五鼓入朝，清露在衣，月暎宮樹，下馬行輦道，經御溝，意興所到，神遊仙山，托詠芝木。身穿朝衣，心在煙壑，旁人徒得其貌，不得其心，以為猶夫宰官也。（《白榆集》卷十）

任御史職，而官署如僧舍，可焚香、讀經、遐想塵外；騎馬於北京風颷之中，可密想江南青碧山水；五更入朝，可心在煙壑；屠隆的居官生涯深具山林趣味，便在以「在煙壑」之心冥「穿朝衣、任宦職」之境罷！「士貴取心冥境，不貴取境冥心」的主張，不只適用於仕宦與退隱之間，也適用於城居與山居之間。時人言論頗多同調，如顧起元自云對山水情深緣淺，以臥遊為代，以為「足之所踐，未有以過之」，因悟道：「心有天遊，則朝市之與山林，惡至而分靜躁哉！」（〈寒松館遊覽詩序〉）又如王心一有「他日乞得冷曹，借吏隱閒身」（〈淨業寺觀水記〉）的期待。外在形跡上，可以居留朝市，擔任吏職，當然也可以是山林布衣；內在精神上，天遊、吏隱、心在煙壑，都屬退離心態。

案所謂「取心冥境」或「身穿朝衣，心在煙壑」義理上可以有二層次之意，一如向郭注《莊》：「夫聖人雖在廟堂之上，然其心無異於山林之中」（註九），乃屬精神化境，為理想聖人境界，須有個人眞實修養工夫始能企及，非衆人泛泛言說所能體會。另一層意義，則如屠隆之自述。雖居朝職，但經由「密想」、「神遊」、焚香、讀經等行爲方式，將心力投注在煙壑泉石、花鳥貝葉上，以如此的在煙壑之心居位供職，則其任事能力與道德擔當頗令人懷疑，若以儒家「陳力就列，不能者止」的觀點檢查，後一層次極可能造成道德虧負。牟宗三先生即曾指出：

> 其（道家）以「詭辭為用」之方式作用地保持仁聖亦並不真能安立仁義道德以及一切政教禮法。而且此種「作用地保持」亦只有作道家修養工夫達至聖人至人之境地方能有此無碍之境界。此純屬於有主觀修養之聖人個人的事，並無客觀普遍之意義。……此種作用，在客觀政治方面，却只能用之於帝王個人，……若自信雖作官亦可無碍於修行，則轉過來至少亦不可荒廢於公務。宰相、皇帝可以不親吏事，官吏不能不親吏事。身處政治公務之位，而又宅心虛無，不親所司，則老莊與政事兩俱受害。此為老莊學之氾濫，非其本性。（註一〇）

「老莊與政事兩俱受害」，這是晚明士人所未及顧慮的問題，理想人格上，他們嚮往清言所標舉的聖人、至人境界，在實際作爲上，卻只能落爲第二層次的關懷內容的安排。於是任官者利用上朝時分，神遊仙山，而非計慮國事，居留官署之時，焚香讀經，儼然布衣身分（註一一），布衣之士則更傾瀉心力於山水雲煙之追尋與家居生活之種種安排，以追尋一種悠閒的樂趣。清言中此類內容占絕大篇幅，正是這種現象的反映。

> 凡焚香、試茶、洗硯、鼓琴、校書、候月、聽雨、澆花、高臥、勘方、經行、負暄、釣魚、對畫、漱泉、支杖、禮佛、嘗酒、晏坐、翻經、看山、臨帖、刻竹、喂鶴，右皆一人獨享之樂。（《太平清話》）

列舉諸多個人可自怡悅的生活安排，從事這些活動可以一人獨享，不必有求於人羣各種助緣，甚且也不必苛求一定的環境條件，何況各種活動並不同時進行，不須求全責備，焚香之際，不妨試茶，手邊無茶不妨翻經，經書讀罷不妨看山，山爲雲掩不妨候月，月終不出不妨聽雨，雨聲過淒亦不妨高臥，活動中充分享有主權在我的自由。

個人性靈在這些活動中舒展開來，可以與對象和諧交融，彷彿也撫觸到天機流轉的境界。

> 心地上無風濤，隨在皆青山綠樹；性天中有化育，觸處見魚躍鳶飛。（《菜根譚》後集）
>
> 孤雲出岫，去留一無所係；朗鏡懸空，靜燥兩不相干。（《菜根譚》後集）
>
> 水流而境無聲，得處喧見寂之趣；山高而雲不礙，悟出有入無之機。（《菜根譚》後集）
>
> 存心有意無意之妙，微雲淡河漢；應世不即不離之法，疏雨滴梧桐。（《醉古堂劍掃》卷五）

流水相忘遊魚，遊魚相忘流水，卽此便是天機；太空不礙浮雲，浮雲不礙太空，何處別有佛性。（《醉古堂劍掃》卷五）

水到渠成，瓜熟蒂落，此八字受用一生。（《安得長者言》）

孤雲出岫、游魚在水、架上瓜熟、高空鳶飛，是自然界中尋常景象，淸言由自然的生息動靜裏體認天道流行的訊息，並由此解悟人事之理，云可受用一生。如此，自然尋常之景，就成爲人們澄澈心境之投影。淸言好作此描摹，實受時風影響。晚明會合三家思想之風氣甚盛，每將三敎體道境界相互比附，三家精神義蘊固然有別，但聖人順應道體流行之境界則是其所共有（註一二），故從此角度立論，每可溝通三家境界。王門後學有時著重宣揚這種描繪，如王襞〈東崖語錄〉云：「鳥啼花落、山峙川流，饑食渴飮、夏葛冬裘，至道無餘蘊矣。」是描繪至道流行的光景，至道不離尋常見聞與日常感受，但並非尋常見聞與感受便是道，體道須有眞實工夫在，若不配合眞實工夫，便成了玩弄光景。淸言文字並不交待工夫，工夫實亦無法敍述，故所描摹之境界體會爲理之所應有，卻無從驗證是否爲淸言作者、讀者羣自身所必有。因爲理之所應有，故當代及後代讀者可經由淸言想望道體流行之境界；因無從驗證工夫之必有，故淸言難逃玩弄光景之譏。

至於許多純就生活環境、活動之安排落筆的淸言，重點不在呈顯體道境界，只在突顯個體之生活品味：

杏花疎雨，楊柳輕風，興到忻然獨往；村落浮烟，沙汀印月，歌殘倏爾言旋。（《偶譚》）

春日氣象繁華，令人心神駘蕩，不若秋日雲白風清，蘭芳桂馥，水天一色，上下空明，使人神骨俱清也。（《菜根譚》後集）

松澗邊，携杖獨行，立處雲生破衲；竹窗下，枕書高臥，覺時月侵寒氈。（《菜根譚》後集）

花看水影，竹看月影，美人看簾影。（《醉古堂劍掃》卷八）

余嘗淨一室，置一几，陳幾種快意書，放一本舊法帖；古鼎焚香，素塵揮塵，意思小倦，暫休竹榻。餉時而起，則啜苦茗，信手寫《漢書》幾行，隨意觀古畫數幅。心目間覺灑空靈，面上塵當亦撲去三寸。（《醉古堂劍掃》卷五）

甘酒以待病客，辣酒以待飲客，苦酒以待豪客，淡酒以待清客，濁酒以待俗客。（《醉古堂劍掃》卷十二）

此類清言俯拾即是，它突顯了晚明士人安排生活的品味，同時也透露了晚明士人在心境操持上的困限。清初張潮《幽夢影》即賡續了清言這一方向的發展，多生活閒賞的指點語，而少體道的討論與描述。

五、結　語

清言作品部份爲作者自己之創作，如屠隆《娑羅館清言》、李鼎《偶譚》，部份爲採輯前人文字而成，如陸紹珩《醉古堂劍掃》，其或述或作之分辨並不重要，性靈文論支持了以述爲作的創作態度，採輯古人辭章，以我之心目與原作者印合，是第一重作者與讀者關係；然後以此印合我與古人性靈之古人辭章為作品，招徠讀者復以其性靈來相契印，是第二重作者、讀者之關係（註一三）。陸紹珩〈自序〉末引友人之語云：「此真熱鬧場一劑清涼散矣。夫鏌邪鈍兮鉛刀割，君有筆兮殺無血，可題劍掃，付之剞劂。」既點出《劍掃》命名題旨，亦可見出友人實將該書視為陸氏之創作。故本文論述清言並不作分別看待。又清言雖為個人之作，但在當時已引起廣大共鳴，如王宇〈清紀序〉曰：「近日清語，如娑羅園一帙，語多感憤，人共快談。寧野清紀撰述類似。」《醉古堂劍掃》付印前，即已在親友時人間傳閱，獲得熱烈好評，書前刊載近十篇序文，又列參閱姓氏凡八十四人，均可見清言在當時擁有相當數量之讀者羣，書中內容不為少數個人所私有，而有作者、述者與讀者共同的認許，故本文視之為羣體心靈經驗之反映，從中探討晚明士人主體自由之追尋與呈顯。

而清言的撰作與閱讀本身，其實也是主體自由呈顯的方式之一，就撰者而言，如李鼎《偶譚》小引云：「掩關山中，闃然無偶，既戒綺語，絕筆長篇，興到輒成小詩，附以偶然之語，亦云無過三行，蓋習氣難除，聊用自寬耳。」屠隆《娑羅館清言》自敍亦云：「吳郡管登之遺書規我……古至人著書，多自道成名根盡後，子期未至，何急而擊鼓以求亡羊為？余受其誡，秘焉園居，無事技癢不能抑，則以蒲團銷之，跏趺出定，意興偶到，輒命墨卿，曇花彩毫，紛然並作遊戲之語，復有《清言》。」皆自言其撰作情境，掩關山中，秘焉園居，是形跡的收斂；既戒綺語、絕筆長篇，與受誡著書，則包括精神上的約束了，在收斂約束中，自我主體往往更明顯浮升出來，有人可以即此作修養工夫，而清言作者感受到一份不能安於約束的窒困——習氣難除，技癢不能自抑——遂以撰作清言打開一道缺口，在約束局面中取得自由的出口。

就讀者而言，屠隆自信其清言「能使愁人立喜，熱夫就涼，若披惠風，若飲甘露」，時人果「快」其談，陸紹珩言其自讀所錄清言之感受：「今秋落魄京邸……迺出所手錄，快讀一過，恍覺百年幻泡，世事棋枰。向來傀儡，一時俱化，雖斷蛟剸筆之利，亦不過是。」（註一四）閱讀之際，作者在撰作中透露的自由經驗，可透過成功的語文傳遞，讀者亦感受到類似的自由經驗。因而可以解消「熱」、「愁」、「傀儡」之窒困，轉而「就涼」、「立喜」、「一時俱化」了。陸氏在卷八「奇」部之小引，尤可留意：

> 我輩寂處窗下，視一切人世，俱若蠛蠓嬰媿，不堪寓目，而有一奇文怪說，目數行下，便狂呼叫絶，令人喜，令人怒，更令人悲，低回數過，床頭短劍亦鳴，鳴作龍虎吟，便覺人世一切不平，俱付煙水。

在人世俱若蠛蠓嬰媿、不堪寓目的困境中，發現奇文怪說，並未解決人世不堪寓目的問題（大概只有通過教化或正義裁判，才能解決問題以消人不平），只能說發現人世中亦竟有一二可堪寓目者，那麼原先被緊密包圍的孤絕狀態得以打破。牀頭短劍作龍虎吟，不是砍向「蠛蠓嬰媿」，而是打破困限，所以人世蠛蠓嬰媿是否繼續存在或已轉化，便不在意念中，短劍打破孤絕狀態，鬱困之情、不平之氣順此缺口流出，逐漸在宣洩中平撫。這種在讀書中得到自由解放的經驗，應爲清言讀者所珍惜，清言所以得讀者青睞，主要原因也在此罷！

【註　釋】

註　一　鄭元勳編選隆、萬以來之小品文章，成《媚幽閣文娛》初集、二集，唐顯悅所作序文中，引鄭氏之語云：「小品一派，盛於昭代，幅短而神遙，墨希而旨永，野鶴孤唳，群鷄禁聲；寒瓊獨朵，衆卉避色。是以一字可師，三語可掾；與於斯文，樂曷其極。」《文娛》所選包括清言。

註　二　詳見氏著《性靈之聲——明清小品》頁二七四～二七八。民七三，時報文化公司。

註　三　如釋聖印《菜根譚講話》，民四九，臺中慈明雜誌社。鄭志明〈菜根譚的社會思想〉、〈醉古堂劍掃的社會人格〉，分別爲金楓出版公司出版二書之導讀，民七五。

註　四　詳見龔鵬程〈菜根譚・晚明小品・周作人〉，金楓出版公司《明人小品集》導讀，民七六。

註　五　勞思光先生解析心齋〈樂學歌〉之語。見所著《中國哲學史》第三卷第五章，頁五二〇～五二二・一九八〇，香港友聯出版社。

註　六　晚明性靈文論中有關心性體認之解析，詳曹淑娟〈晚明性靈文論之心性基礎〉，收入《晚明思潮與社會變動》，民七六，弘化文化公司。

註　七　詳曹淑娟《晚明性靈小品研究》第四章第一節，民七七・文津出版社。

註　八　牟宗三先生語，詳《才性與玄理》第十章第一節〈自由與道德之衝突〉，民六七・學生書局

註　九　《莊子集釋》頁二八・河洛出版社。

註一〇　《才性與玄理》頁三六〇。牟宗三先生此段議論乃針對魏晉會通儒道之思想而發，王弼之聖人體無論，以及向郭之迹冥論，並不眞能會通自然與名敎之衝突，晚明人言論每每混同三敎，相互援引證說，不免於比附，尤好作境界描摹，對於三家義理本質之疏通，並無進一步之成績。

註一一　晚明人應也隱隱察覺如此安排生活極可能造成道德虧負，所以屠隆要說明：「蘭省薄牘，有曹長主之」，王心一要等到他日「乞得冷曹」，才能吏隱，但這仍然規避問題。

註一二　宋儒已將孔子贊歎曾點的暮春情境解爲體道的境界，道體流行不必出以岸然面貌，可同時結合輕鬆的樂趣，展現一種既平常而實極高之境界。牟宗三先生論及此種境界時指出：「這種境界可以說是儒家內聖之學中所共同承認的，亦是應有的一種義理，亦可以說是儒釋道所共同的，禪家尤喜歡這樣表示。」《從陸象山到劉蕺山》，頁二八六。

註一三　同註六。

註一四　《劍掃》是陸氏平時讀書筆記，其抄錄古書嘉言格論、麗詞醒語之時，不必有起自時代政治危機的憂患，自序及小引乃失意考場之後，結集付印時所作，其中感慨，不宜據以理解其抄錄時之心態。詳李正治先生〈隔離式的美感觀照——晚明清言集《醉古堂劍掃》〉，民七八、八、廿二，中央日報長河版。

對「無我」/「忘我」的幾點疑問

黃美序

自從王國維舉例說明「有我之境」（「淚眼問花花不語，亂紅飛過秋千去。」）和「無我之境」（「采菊東籬下，悠然見南山。」）後，討論它的文字已比王氏的原論不知多了多少倍了。近人中似以葉嘉瑩最努力地為王氏之說詮釋。她認為朱光潛的「同物之境」與「超物之境」的解說並不合王氏原旨，蕭遙天的「主觀」與「客觀」的說法也不合理，並且她對蕭氏提出的「無我」應改為「忘我」一點也不贊同。葉嘉瑩引述王國維的「無我之境，人惟於靜中得之；有我之境，於由動之靜時得之。故一優美一宏壯也。」一句，追溯王氏之說源自康德及叔本華之哲學，所以她判定王氏的「有我之境」指「『我』與『外物』相對立，外界之景物對『我』有某種利害關係之境界」；「無我之境」則指「『我』與『外物』並非對立，外界之景物對『我』並無利害關係時之境界。」（註一）

葉朗在《中國美學史大綱》中也認為王國維的優美與宏壯來自叔本華。他在比較分析後說：

> 總之，王國維提出的「有我之境」與「無我之境」的區分，實質上乃是對於審美觀照中兩種不同狀況的區分。這種區分的理論前提，就是把審美觀點規定為「純粹的，不帶意志的認識」。換句話說，要實現審美觀照，必須用「知之我」排除「欲之我」。……把情感排除到審美觀照

之外。

他接着指出王國維也曾說過「一切景語皆情語也」，所以王把「情感和意象割裂了開來……在理論上就陷入了自相矛盾的境地」。(註二)

徐復觀則認爲「値得稱爲詩的，決沒有無我之境。」他批評王國維的境界說是「由於體驗與觀念的欠分曉而來的誇張。」而境界或境，實卽傳統所謂的「景」或「寫景」。(註三) 徐氏不像葉嘉瑩之極力爲王國維解說，或葉朗的輕輕帶過。他對境界之說提出較多的質疑與補充，値得參考，但他似乎也對體驗與觀念未有眞正深入的探討，留待下文再談。現在我想先來看看什麼是「我」。

當我們說感想「我」時，應是對自己和其他人、事、物的相互關係的認識，也卽是意識到「小我」的存在。(「我」有時也可能指一群有某種相同特性、利益或目標的群體，如一家人、一個國家、民族等，卽所謂的「大我」吧。) 就一個創作者和欣賞者來說，通常應是從「小我」的感情和認知的經驗出發。當創作者企圖把「小我」的所見、所思、所感用語言、文字、顏色、線條或其他符號、媒體表達時 (這時已可能有「大我」介入)，他必須使用某種技巧，技巧—尤其是較複雜的—不是與生俱來的，它必須經由學習；而學習是一種伴有意志的意識行爲。雖然，當技巧達到「隨心所欲」的層次時，可能成爲一種「不自覺」的活動。但是，基本上技巧的運用應屬「我」的意識活動之一。欣賞者的觀照也一樣，只是這時候「我」的意識層次的自覺性通常會和當時「我」對作品類型及作品的內容的熟悉度成反比，卽是對越熟悉的越可能不用去思考而「直覺」地去欣賞—一種「不自

圖一 「說法圖」

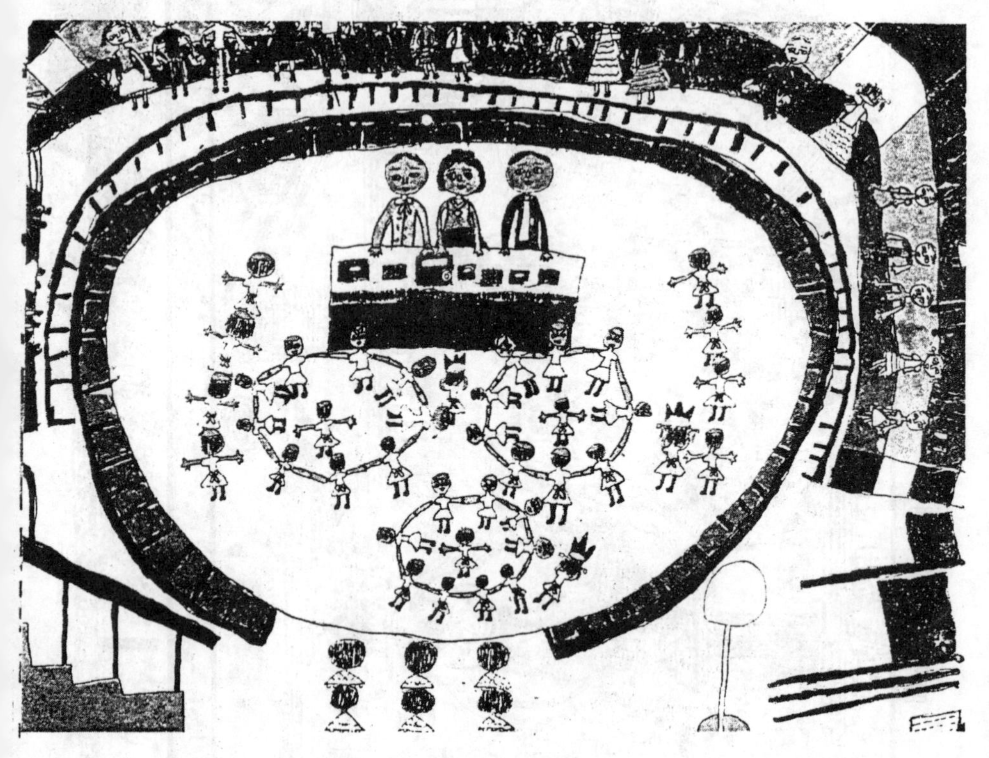

圖二 「唱遊比賽」

覺」的意識活動。(似乎有人把它歸屬爲潛意識活動。)

意識非但是組、構和表達的能源，它也負責整理直接和間接經驗，而加以儲存。它使我們有聯想力(association)和想像力(imagination)，建立人類社會某些共同的認知，使人和人之間能有交流(communication)。否則，說者和聽者、或作者和欣賞者之間，便無法產生溝通。

意識還有一種選擇的功能，它爲創作和欣賞定出方向。換句話說，任何一件作品都源於作者(包括文學家和其他藝術家)的直接與間接的經驗的抽取，而不是全部；在欣賞時我們也必然是借助過去的直接、間接的某些相關經驗。所以，在創作與欣賞時，「我」是一定會存在的，並且有時候不只一個「我」在活動。例如當詩人在觀看或寫「白日依山盡」的落日景色時(如不去特別注意「白」的意象)，可能只是一種相當單純的「我」在觀看或書寫，但是「黃河入海流」便不可能是「目擊」現象，因爲詩人所在的鸛雀樓不可能「看」到黃河入海的景觀；所以，這一句所表達的必是他記憶中直接或間接經驗的重現。因此，這時候可能有兩個「我」出現——「現場時空的我」和「超越特定時空的我」。(以下簡稱「現我」與「超我」)「現我」與「超我」有時候很難完全區分。「欲窮千里目／更上一層樓」可能是詩人當時上樓的動機和動作的紀錄，但也可能是希望與／或象徵的表意。

我想王國維和以後的評論者對這些經驗和現象不會不知道。所以，我們可以肯定王氏所說的「無我之境」不會指「詩人自己不存在的境界」。我覺得值得再談談的是王氏的「有我」、「無我」的區別究竟是什麼？以及一個作品中的我在那裏？我在做什麼？

我曾寫過一篇題爲〈試釋中國舊詩中的『我』在何處〉（"Where Is 'I' in Classical Chinese Poetry?: An Experimental Interpretation"）。（註四）在那篇拙作中，我先試圖以繪畫中的透視點來找出畫家何在，來說明藝術家的觀照方式。我從國畫、敦煌壁畫及近六百幅的中西兒童得獎繪畫作品，來分析畫家的觀看景物的位置，發現在這三類作品中都有畫家有時在畫外，有時在畫內的現象；當然另外還有一個綜觀全局的「我」未統合全畫的構成。我把這種透視方式稱爲「多定點透視」。下面圖一是敦煌壁畫〈說法圖〉，中央說法者前面的講壇，很明顯的是由畫外向畫內看的透視結構，也卽是從面對說法者的聽衆方向的透視；但聽衆所在的基座、長几等卻是由說法者由畫內向畫外看的結構；而全畫的大結構則又是由畫外向畫內看的透視從這個多定點的透視中，非但可看出畫中人物的相對關係，同時還有畫家的整體觀點。圖二是一個七歲中國國小兒童的作品〈唱遊比賽〉：全畫是採取鳥瞰式的觀點，但三位老師非但特別大，他們身前的桌子也是從內向外看的構圖。（註五）

雖然這類多點透視的作品並不很多，但在世界各國中都可找到，並且兒童畫比成人畫多，東方的比西方的多，應和現代繪畫智識和教育有關。我當時辯說這種多定點透視是畫家匠意經營的結果，事後想想有可能是受了「愛國心」的影響所致（該文是在國際比較文學會議中發表），因爲很明顯的是：兒童在創作這樣的作品時不可能有這樣刻意的匠心，而只是照景物、人的實際關係依照他們心意和興趣的跳動而改變觀點和比例；也卽是說讓幾個「我」自由地轉換，再由一個比較客觀的「現我」（作圖時的我）綜合整體結構。

詩人的觀照方式有時和此很像，即是他們在一首詩中可以有不同的「我」並存或交替出現。葉維廉曾以王維的〈終南山〉爲例做過如下的分析：

太乙近天都（遠看——仰視）

連山到海隅（遠看——仰視皆可）

白雲迴望合（從山走出來時回到看）（sic.）

青靄入看無（走向山時看）

分野中峯變（在最高峯時看，俯瞰）

陰晴衆壑殊（同時在山前山後看——或高空俯瞰）

欲提人宿處（sic.）（下山後，同時亦含山與附近的環境的關係）（註六）

隔水問樵夫

雖然他的說法不一定人人同意，但整體上看應可說明「我」（詩人）的動態。李白的「朝辭白帝彩雲間／千里江陵一日還／兩岸猿聲啼不住／輕舟已過萬重山」中詩人的位置，變得更有趣：有詩人、輕舟、兩岸風景三者的互動關係。我想以上對「我」和「外物」關係的了解，應可幫助我們對王國維「有我之境」和「無我之境」的討論。

首先，我們來綜合一下王氏對「境界」的說法：

㈠定義：「境非獨謂景物也。喜怒哀樂，亦人心中之一境界。故能寫真景物、真感情者，謂之有境界。否則謂之無境界。」

㈡解說：

有我之境	無我之境
1.「以我觀物，故物亦著我之色」	1.「以物觀物，故不知何者為我，何者為物」
2.「於由動之靜時得之」	2.「人惟於靜中得之」
3.「宏壯」	3.「優美」
4.例句：	4.例句：
a.「淚眼問花花不語，亂紅飛過秋千去」	a.「采菊東籬下，悠然見南山」
b.「可堪孤館閉春寒，杜鵑聲裏斜陽暮」	b.「寒波澹澹起，白鳥悠悠下」

㈢簡評：「古人為詞，寫有我之境者為多，然未始不能寫無我之境。」(註七)

現在，我們再來摘要比較一下幾家不同的詮釋：

詮釋者	有我之境	無我之境
葉嘉瑩	「『我』與『外物』相對立，外界之景物對『我』有某種利害關係」	「『我』與『外物』並非對立，外界之景物對『我』並無利害關係」

王宗樂「以我觀物，就是通過了詩人的情感而寫出來，故有詩人心中喜怒哀樂的成分在內，」

「以物觀物，雖然也是詩人眼中所見的景物，但在寫出來的時候，並沒有通過詩人的情感，沒有沾上詩人心中喜怒哀樂的色彩。」

徐復觀「『我』有推向幕前或隱在幕後之別，如何能有『有我』『無我』之別？」(註八)

葉嘉瑩認爲「孤館」、「春寒」、「杜鵑」、「斜陽」「似乎無一不對『我』有所威脅，明顯地表現了『我』與『物』間之對立與衝突。」(註九)但未能進一步說明是什麼樣的利害關係和威脅。我覺得「孤」、「寒」、「杜鵑」的聯想和象徵意象，應該是詩人情感的投射，「斜陽」或「斜陽暮」的本身只是客觀性質的寫景，實在看不出它們對詩人有什麼樣的利害關係和威脅。同時，「以『我』觀物故物皆著我之色」似屬感情移入的現象，是「物」「我」某個程度的結合的表現，而不像有任何的「對立」和「衝突」。

對於「采菊東籬下／悠然見南山」兩句，葉嘉瑩承認有「我」在「采」、在「見」，但認爲「就其寫作時所取之態度言之，則此二句詩實在乃是『主觀』的。然就其所表現之境界之全無『物』『我』對立之衝突而言……原屬具有優美之感的『無我』之境界。」(註一〇)評論家多認爲陶淵明的這幾行詩所表現的是一個詩人與自然「渾然一體，不分物我的至高境界。」(註一一)或是說詩人「此時的生命與景物，已合而爲一了。」（註一二）但是，「世界上豈有不以我觀物之事？」（註一三）陶淵明如眞的已到了物我合一的境界，又何必去「采」南山之菊？又何必「欲辨」而又感「忘言」了呢？

藝術家永遠有一個觀照事物的「我」，這個「我」將事物加以選取、重組、傳達。卽使是攝影，每個人的取景角度也受主觀的「我」的控制。詩人在觀照時，「物」「我」自然有「相對」的關係。我想不通「淚眼問花」的詩人和「花不語」（或「不語的花」）之間有什麼威脅？詩人的「不堪」和「孤館」「春寒」，應屬一種同情、相惜的結果，而不是衝突。

王宗樂以詩句的有沒有沾染詩人喜怒哀樂的色彩來分「有我」與「無我」，最平易好懂。不過他說的「並沒通過詩人的情感」一點，仍相當含糊。如沒有通過情感，詩人憑什麼去感、去和外物發生聯繫呢？如改爲「沒有用直接表達情感文字的寫『眞景物』的（如「南山」、「白馬」），爲無我之境；含有直接或暗示性描寫喜怒哀樂等『眞感情』的（如「淚眼」），則爲有我之境」，分辨起來似容易明白得多。可是，在「亂紅飛過秋千去」和「杜鵑聲裡斜陽暮」中／也並無表示感情的字彙，詩人「見南山」時的「悠然」之情，對「寒波」和「白馬」時興起的「澹澹」與「悠悠」之感，又怎麼解釋呢？如此看來，便又不能以寫景物或感性來做爲區分「有我」、「無我」的尺度了，而只能說作品之有沒有「眞景物」和「眞感情」是決定它「有境界」或「無境界」的基本條件。但是這個解說或說法也沒有多大的實用價值，因爲什麼是「眞」呢？「眞」是客觀的還是主觀的？例如以「淚眼問花花不語」一句來看，就不易用單一標準可以分析得清楚。在研究王國維的整體美學時，什麼是眞應是一個必須注意的問題。不過本文無力對此加以探討，就此轉向王氏對境界的另一界說。

但是，王國維進一步的說明似乎使問題變得更複雜難懂。那就是他解說的第二點：「無我之境，人惟於靜中得之。有我之境，於由動之靜時得之。」徐復觀對此的批評是：「他提出一個靜字，雖未能說透，但還有點體認在裏面。但『人惟於靜中得之』，如何可說成『以物觀物』？沒有我，則『以物』的『以』由何而來？未觀物以前，物我兩不相涉，則『以物』的『物』又從何而來？」(註一四)徐氏的質疑很值得注意，留待下面再談。我覺得要討論王氏的這兩句話必須先了解什麼是動、什麼是靜？動與靜的心理或意識活動如何？或者說「人」(創作者／觀賞者)如何「得之」？

就我們肉眼看得見或看不見的外在標準來說，「淚眼問花」是動，「花不語」是靜；「亂紅飛過秋千去」當然是動。「可堪孤館閉春寒」是靜，「杜鵑聲裏斜陽暮」是動。「采菊東籬下」是動，「悠然見南山」可以是動，也可以是靜。「寒波澹澹起，白鳥悠悠下」全是動。這顯然不合王國維的動、靜與意境的「有我」「無我」的區分原則。不能用外在的標準，應該是指內在的了——創作者(和欣賞者)的內心狀態。那似乎也有困難。當「人」在觀照、聯想、構思、感受、表達時，意識都應該在動。並且，就算有可能達到瞬間的靜止，也都屬「由動之靜」。

我猜想王國維要說的可能是：當人在對外物觀照時，意識的活動在開始時會比較清楚地感到物、我的區分，但到某個層次時，「超我」會取代「現我」，也就是漸漸忘去實際生活中的許多觀察標準而改用直覺式的「我」去體驗「物」。這個「我」的轉變過程有時可能有很多重，有點像夢到在做夢。我想用一個可能大家都聽過的實例再加說明：當舞台上一個大壞蛋在洋洋得意地裝腔作勢時，台下一個觀衆氣得去攻擊台上的這位演員。（如丟東西去打他）這時，其他「正常」的觀衆便會嘲笑並阻止那個「失常」的觀衆。

這種「失常」自然是一種「忘我」的結果——忘記當時「正常」的時、空關係（我在劇院中看戲）。但是他沒有完全忘記自己，只是讓另一個比較單純的、可能來自傳統道德的「我」出現去「主持正義」。這個「現我」和「超我」的關係，在本質上和上文所說的詩人在寫「黃河入海流」時的意識活動是一樣的。當「人」由「現我」進入「超我」時是動，卽使在「現我」和「超我」狀態時，仍有外在和內在的動。只是不同的人會因生活背景的不同而產生不同的反應：那位「失常」的「忘我」觀衆是去攻擊演員，一位詩人則可能會將那種打抱不平的「我」轉化成憤世或感懷的詩。王國維的動、靜分法顯然過於簡化我們的意識活動。

王國維對「有我之境」和「無我之境」的最後區分準則爲前者爲「宏壯」，後者爲「優美」。葉嘉瑩和葉朗都認爲王的這種分法是受叔本華哲學的影響所致，並加以相當詳細的分析。（註一五）大概是我不懂叔本華的哲學，我對二葉的解說也不了解。我的第一反應是：他們都說得太玄、太理論化了。好在本文要討論的是王氏的境界說，不是他的思想發展史，應沒有去追溯它的來源與歸功或歸罪叔本華的必要。重要的是：我認爲宏壯與優美很難有絕對客觀的標準。說金字塔是宏壯，維納斯的雕像是優美，大家可能都會同意。但日出、晚霞，可以是宏壯或優美，全視觀者的心意、聯想而定。第二，當我們面對宏壯的景象或人物時，我們的意志也不一定會產生敵對或受威脅的感覺。我個人的經驗是：當我面對金字塔或欣賞古典悲劇中的英雄時，我只是感到崇敬，從沒覺得巨塔和英雄對我有什麼威脅或敵意。古典悲劇英雄之受人讚賞的原因之一是他們代表人類偉大的追求和反抗的精神。我們同情他們的失敗，但怕的不是他們本身，而是這些英雄人物所要反抗或掙脫的那種神秘的力量或命運。如果我們怕的是這些巨大景觀或人物的本身，我們爲什麼還要去看他們呢？

《人間詞話》只是王國維的讀詩經驗的雜記，他並沒有在這裏建立任何理論的完整體系。我認爲他只是記述了一些直感。將境界分爲有我、無我有它的參考價値，但當他想進一步爲自己的直覺做一點理性或理論上的聯想或補充時，似陷入了「以理生理」的玄虛空辯。例如：「以我觀物」是大家共有的常識或實際經驗；「以物觀物」則完全不同，有點像是文字遊戲。所以，徐復觀會提出上述的懷疑。也有人指出那是來自宋代道學家邵雍的說法。（註一六）我不知道邵、王在用「以物觀物」時是不是他們自己的一種特殊或神秘經驗，但無疑的仍是「他們」的經驗，而不是「純物」的自身經驗。因此，說得完整些應該是「我以物觀物」才對。如果這個說法可以成立的話，「以物觀物」就很好懂了，因爲我們日常生活中就常常在「以物觀物」——也就是用個人過去的直接與間接經驗去了解、比較、感受或判斷新的事物。「瞎子摸象」的笑話便是個很具體的說明。我以爲「以我觀物」和「以物觀物」的最主要區別在於「現我」介入程度的差異：前者側重「推己及人（物）」，後者較重視外在的客觀標準。這種說法可能離邵、王的原意很遠，但應該不是完全無關的、較落實層次的推衍。（同樣地，從審美經驗來看「物我合一」應是指我們在觀照中進入「超我」的一種精神境況。如以莊子／蝴蝶的故事來說，那就是莊子「夢」到了蝴蝶，而不是他眞的化爲一隻蝴蝶，或蝴蝶變成了他。

到此爲止，我覺得我們還沒有眞正觸到王氏境界說的根本問題。我以爲他最大的缺點是只以摘句爲思考和說明的實例，而不是以完整的作品爲依歸。許多學者在討論王氏的「有我」、「無我」時，也落入了同樣的思辨陷阱。王氏的直感能力很強。但是直感能力似較易用於「小」目標或對象。將觀、感小目標所得的結果用於大的對象時，必須另加求證。我們在討論他的有我之境和無我之境時，如仍限於他提出的幾句摘句而不是以完整的作品爲依歸，便很難有所發現和發明。就以〈飲酒之五〉的全詩來看，我認爲陶淵明並沒有到達論者讚賞的「以心觀物，我卽是物，物卽是我……渾然一體，不分物我的至高境界。」（註一七）如果詩人眞的已到達那種境界，他何爲還自問自答地說「問君何能爾／心遠地自偏」？既然已發現「此中有眞意」，又何必去「辨」呢？他甚至沒有忘記「車馬喧」；他要去「采菊」而不是只「賞」不採。在「悠然見南山」的刹那他可能有一種「忘我」或「超我」之情，如此而已。同樣地，「寒波澹澹起／白鳥悠悠下」也不能代表元好問「潁亭留別」全詩的意境。王國維對這些摘句的觀照，有他獨特的看法與參考價値，但他所做的解說與推衍，實在有欠明確。

以上簡單的試探，意圖說明「我」在創作和欣賞時的地位。「無我」是我無力了解的境界。我比較贊同「忘我」。但忘我也不是完全失去自已的存在。從「失常」的觀衆攻擊舞台上演壞蛋人物的演員的實例中，更可看出「我」不止一個。現在我想再舉兩個實例：㈠國畫家劉國松有一次對一位記者說：他年青時有一次在觀賞宋范寬的「谿山行旅圖」時，感到有一種很大的力量使他覺得全身很冷、頭髮發麻。(註一八)㈡我自己有一次在靜「讀」齊白石的印譜時，突然感到兩臂有用力過度後的酸累。

這三個實例所代表的心理活動似不完全相同，但可以肯定的一點是：我們在觀賞或思考時，有時會突然從一個意識跳到另一個意識層次，即是從「現我」跳入「超我」。我並不了解它轉換的神秘過程（佛洛伊德的精神分析似也未能說明他的 ego 與 superego 之如何交替）；不過，這些例子應可說明「忘我」的可能；並且，精神或意識上的忘我有時會產生不自覺的身體上的伴隨活動。以我自己的那次經驗來說，在我忘記自己是在「讀印譜」而不知不覺地被誘入創作經驗的我時，這個我便開始「運刀刻印」，企圖刻出和印譜中那個印同等力量的作品——但有趣的是：我的「運刀」並沒有外現的動作，卻耗費了很大的體力。還有，我認為當我們「忘記」「現場時空的我」而進入「超越特定時空的我」時，實類上是進入自己過去相關經驗的世界。如果我沒有刻印的過去經驗（和想刻印的衝動），我想我的意識或潛意識不會去「運刀」。換句話說，「現我」和「超我」之間是有一種個人整體經驗上的關聯性。

我認為我們在創作或觀賞時，「現我」和「超我」在做或快或慢的間隔性的來回交替跳動；紀錄經驗的「現我」可能有一種類似「視覺暫留」的特性（「超我」可能也有），像我們眼睛看電影時的作用，將片段的經驗、意象續織成一幅完整的作品。

總括地說，我覺得王國維有高度的「解像力」（借用科技名詞），但對個人觀照經驗和理論的結合上並不成功。「無我之境」決不是說「我」的消失或不存在；改用「忘我」較易體會與體驗。一個人可以有幾個「我」；「現我」與「超我」之間並不是沒有關係的，只是我們還不知道兩者是如何交流與交替而已。

這只是我的「猜想」，問題一定很多，請方家批評指正。

（一九九〇年五月十五日初稿，六月十二日修正於淡江大學）

【附註】

註一　葉嘉瑩，《王國維及其文學批評》（臺北：源流，一九八二），頁二三六—四七。

註二　葉朗，《中國美學史大綱》（臺北：滄浪，一九八六），頁六二五、六二六。

註三　徐復觀，《中國文學論集續篇》（臺北：學生，一九八一），頁七五、七四、七〇。

註四　Mei-shu Hwang, "Where Is 'I' in Classical Chinese Poetry? An Experimental Interpretation," *Tamkang Review*, XV, 1,2,3,4 (Autumn 1984-Summer 1985，頁三一—四七。〔第四屆國際比較文學會議論文集〕。

註五　「說法圖」見林聰明導編，《敦煌千佛洞壁畫輯覽》（臺北：盤庚，一九七八），No.19：「唱遊比賽」見《中華民國第十屆世界兒童畫展專輯》（臺北：中華民國兒童美術學會，一九七九），無頁碼。

註　六　葉維廉，〈中國古典詩與英美現代詩—語言、美學的滙通〉，《文學評論》第一集（一九七五），頁三八五—八六。他在另一篇文章內將這詩的觀照點分為六個。參閱 Wai-lim Yip, "Wang Wei and the Aesthetic of Pure Experience," *Tamkang Review*, II, 2-III, 1 (Oct. 1971-April 1972), 頁二〇八。

註　七　本文所引王國維之文字均依王幼安校之《蕙風詞話人間詞話》（臺北：河洛，一九七五）。

註　八　葉嘉瑩，同註一，頁二三〇；李宗樂，《苕華詞與人間詞話述評》，（臺北：東大，一九七六），頁六四；徐復觀，同註三，頁七六。

註　九　葉嘉瑩，同上註，頁二三二。

註一〇　同上註。

註一一　林文月，〈鮑照與謝靈運的山水詩〉，《文學評論》第二集，（一九七五），頁一一二。

註一二　徐復觀，《中國文學論集》增補四版（臺北：學生，一九八〇），頁一一二。

註一三　徐復觀，同註三，頁七六。

註一四　同上註，頁七五。

註一五　參閱《王國維及其文學批評》頁二三〇—三五；《中國美學史大綱》頁六二〇—二六。

註一六　葉朗，頁六二五。

註一七　同註一二。

註一八　電視新聞訪問，一九九〇年三月間，忘日期。

初論朱湘的詩

李瑞騰

前言

前期新月（註一）重要詩人徐志摩（一八九六——一九三一）、聞一多（一八九九——一九四六）、朱湘（一九〇四——一九三三），皆英年早逝，一個是搭飛機撞山而慘死，一個是因言論激烈而遭衝鋒槍暗殺，一個是悲觀厭世而投江自沈。如此下場，相應於新月所追求的健康且尊嚴之自由（註二），實是歷史與現實的雙重無奈。作爲一個在意識形態上能與左翼文學思潮對抗的詩人羣體（註三），未能持續其力量以擴大影響，誠屬令人遺憾之事。

新月已被視爲一個新文學研究的歷史命題在論述評價，其所屬的詩人羣也因各自的生命形象與詩之風格，而各被文學史家、詩評論者依己意及其論說方式分別加以定位，大體來說，在臺灣及海外等自由地區，徐志摩在後代的評價，似已確定是新月的扛鼎人物，而朱湘通常是緊跟聞一多之後，形成一剛一柔的鮮明對比，但朱湘顯然較被忽略（註四）。而在中國大陸，文學史家則始終獨厚聞一多，貶抑徐志摩、朱湘等，一九四九年中共建政初期的文學史家中，王瑤還能把新月視爲追求形式的詩人羣，對朱湘的詩也還有某種程度的肯定，尤其是在形式的完整上；張畢來、劉綬松則把新月視爲異類，抨擊得體無完膚（註五），則朱湘之處境不言可喻；「文革」結束後，尤其是一九七九年以降的所謂「新時期」，如唐弢等逐漸能從文學本位立論（註六），朱湘因此而獲得比較合理的待遇，甚至到了朱湘逝世五十周年的一九八三年已有所謂「朱湘年」的說法（註七）：一九八七年，一本重要的《現代詩人朱湘研究》（錢光培著）出版，根據朱湘的同學柳無忌的觀察，「由於這部朱湘研究的啓發作用，朱湘將被認爲中國新文學初期的大詩人之一，在文學史上佔有顯著的地位」。（註八）

在朱湘短暫的一生中，寫詩的十一年（一九二二——一九三三）留下了四本詩集：《夏天》（一九二五）、《草莽集》（一九二七）、《石門集》（一九三四）、《永言集》（一九三六），前三本編定於生前，後者是身後由他的朋友趙景深所編成的（註九）。總計有詩二百二十餘首，其中包含三首散文詩、一首詩劇以及七十餘首十四行詩。

《夏天》　蹣跚於曠漠之原中

《夏天》共收二十六首，大部分是短詩，但其中也有四首長到四、五十行（〈春〉、〈小河〉、〈寄思潛〉、〈南歸〉），以四行體和每段四行的體式爲主，試讀一首〈憶西戍〉：

赤的夕陽映秋梧之尖，
梧下城陰隱著淒零的小屋，

爭枝的鴉啼倦的低下去了，
窗裏織機單調而困倦的響著。

這或可稱之爲現代絕句吧，由自然物色的描寫而入於情感的隱約暗示，含吐不露，呈顯出哀愁、淒零的氣氛，時間（秋天、黃昏）、空間意象（秋梧之尖／梧下，小屋內外等）、聲音（啼鴉停止鳴叫、織機單調而困倦的響著），都可看出詩人的用心經營。此詩隱含著的應該是一種無奈的閨怨，相對於詩題的「西戍」，則那織機者或許是征婦吧。

朱湘的這些詩主要是以「自我」爲中心，處理的無非是物我、人我之間的相對關係，但常常會直接切入我心，呈顯出一個孤獨、哀愁的自我形象：

我是一個憊殆的遊人，
蹣跚於曠漠之原中，
我形影孤單，掙扎前進，
伴我的有秋暮的悲風。
我的心是一只酒杯，
快樂之美酒稀見於杯中；
那麼斟罷，悲哀的苦茗，

——〈寄一多基相〉（錄前半）

有你時終勝於虛空！

——〈我的心〉

在這樣的情況下，他渴望友情，並且直接歌頌，上引前首的後半，就很坦白指出「你們的心是一間茅屋，／小窗中射出友誼的紅光」。〈南歸〉一詩的起筆是「我是一只孤獨的雁雛，／朔方冰雪中我凍的垂死」，但接著說：「忽然一晨亮起友情的春陽，／將我已冷的赤心又復暖起」。所以，縱使現實就是個「曠漠之原」，年輕詩人的心靈深處總汩汩流出希望之源，「泉聲活活」（〈小河〉）、「河水活活」（〈北地早春雨霽〉），擬人化了的「小河」，其生命的流動變化，亦即朱湘對人生變化的根本認識。

《草莽集》我與光明一同到人間

《夏天》詩集開卷之作即是〈死〉，其後的〈遲耕〉也觸及死亡。面對人生這巨大的課題，朱湘不斷以詩去探索，《草莽集》以〈光明的一生〉爲序詩頗能看出他對人生的看法，大體來說，他渴望追求一個光明的一生，所謂「我與光明一同到人間，／光明去了時我也閉眼；」這「閉眼」有兩層含意，一是一般的睡覺，一是死去之意。朱湘以明確的語氣宣告一種近乎「無光明毋寧死」的信念，所以光明之來／去，即等於他的人生之生／死，同時他以太陽之升／落、月之圓／缺、一生之生動／休息等相對狀況來喻示生命的常態現象。

受到許多讚美的《草莽集》便是從這裏開展的，那些膾炙人口的歌謠體（〈情歌〉、〈雌夜啼〉、〈搖籃歌〉、〈少年歌〉、〈婚歌〉、〈催妝曲〉、〈采蓮曲〉等），全都有關人生的諸多苦樂，以〈情歌〉來說，由春到冬，四季寫盡情之變化。因爲朱湘是以格律體寫作，重排比（不管是詩的意象，或是人生現象），所以常有一種在高處俯瞰的意味。〈葬我〉至少就表達了葬我「在荷花池內」、「在馬纓花下」、「在泰山之巓」、在「春江」中的多種意願；〈殘灰〉透過一個悲傷的老人的回憶，處理了童年、青年、中年、老年的人生四境；而卽使是書寫〈日色〉，不僅是「燦爛」、「秀蒨」、「富麗」，更有「奇幻」、「蒼涼」、「陰森」的另外一面。所以我們大約可以這麼說：朱湘所觀照的是普遍人生，所探觸的是各類各型的生命現象。

在包含卅四首詩的《草莽集》中，二、三十行以內較短的詩還是佔多數，在這些作品裏面，無論語言形式，或是內容主題，皆已相當成熟，像〈雨前〉：

等得不耐煩了，
蕉葉微微擺動；
幾隻蜻蜓
低飛過庭院中。

此詩純粹寫景，如一幅動態的畫面，將下雨之前那短暫時間的空間景象，經由蕉葉之動、蜻蜓之飛兩個簡單意象呈現出來，飽含一種自然的生機。其他像寫季節的〈春風〉、〈夏夜〉、〈秋〉等，都很能掌握季節的時間特性；寫人事現象的像〈昭君出塞〉、〈彈三弦的瞎子〉、〈端陽〉等，也都能掌握人與環境的關係。

在另一方面，《夏天》裏最長的是四、五十行，在《草莽集》中則有近千行的敍事詩。簡單的說，六八行的〈月遊〉，藉夢境生動處理了嫦娥神話；八八行的〈還鄉〉，寫士兵在亂離之後返鄉所見的悲慘狀況；一二二行的〈貓誥〉是一首寓言體的諷諭詩，嘲諷了人性的懦弱與貪婪，充滿諧趣與批判性；至於近千行的是以話本小說〈王嬌鸞百年長恨〉（見《警世通言》）爲底寫成的〈王嬌〉（九百五十幾行），雖是古典新編，卻能以人道情懷給予新的意義，在新文學運動的初期，這樣的作品應該是極令人震憾的。

《石門集》 有誰聽你發歌聲

朱湘的第三本詩集是《石門集》，和其他各集不同的是此集在編輯上做了形式分類，第一編三十三首，最長的不過九十行（〈死之勝利〉），詩的構型和前二集比較接近；第二編只收一首一百十一行（不分段）的〈收魂〉，敍述天上太白金星下凡收驢魂的故事，充滿戲劇性；第三編主要是外來詩體（如〈十四行英體〉、〈十四行意體〉等）的仿作，有形式上的限制，但他頗能伸縮自如地去表達，頗受好評；第四編是三首未命題的〈散文詩〉；第四編則是一篇詩劇〈陰錯陽差〉。朱湘在追求形式美的詩路中，到此而燦然大備。

根據前面所述，《草莽集》以〈光明的一生〉爲序詩，但最後詩人卻以〈夢〉爲尾聲，對比現實人生與夢，在不斷的「夢罷（吧）」之中，說了許多夢的好處，所謂「做到了好夢呀味也深濃」、「夢境裏的花呀沒有嚴冬」、「月光裏的夢呀趣味無窮」、「日光裏的夢呀其樂融融」、「墳墓裏的夢呀無盡無終」，這大約只有一種可能的解釋：在現實生活中，朱湘充滿了缺憾之感，無法獲得滿足的，就期待在夢境能夠得到彌補。

整個來說，朱湘的詩幾乎都是人生的思索，《石門集》的開卷之作就題爲〈人生〉，但他不再直接敍述他對人生的看法，而是以一張佳美的女人畫像相對於五情在心頭波動的觀畫者，企圖以此喻指所謂的「人生」在虛實之間的關係，基本上這和夢／現實的相對性是相契合的。一個非常明顯的事實是，朱湘說，「白晝爲虛僞所主管，／那時，心睡了，」，所以唯有人間世人皆已入睡的夜半，捫心時，眞實才出現（〈捫心〉）。在《石門集》裏，他明白表示「我的心」已經「累了」的事實（〈我的心〉），相對於他艱困的人生，我們很容易就理解他爲什麼不斷要探索生（〈生〉）、死（〈死之勝利〉）、希望（〈希望〉）、幸福（〈幸福〉）、動與靜（〈動與靜〉）、美醜與眞假（〈鏡子〉）等問題了。

到這時，朱湘的詩思轉深，語句凝煉，試舉〈悲夢葦〉爲例：

像一聲鳥鳴

在月如銀的夜間，

低，啼過幽谷，
高，叫在雲邊；
遼空是你的家，
哀音受自蒼天——
不說眠了衆生，
有誰聽你發歌聲；
就是鴉雀在枝頭諦聽呀，
孤鳥，
你也怎得留連？

朱湘寫過〈哭孫中山〉、〈死之勝利——爲楊子惠作〉，也寫過〈葬我〉，他面對死亡，雖不能說了無所懼，但頗能把它當人生問題去思考，不過對於像楊子惠、劉夢葦這樣的好友，他的悲慟是可以理解的。

劉夢葦和朱湘一樣是在現實生活中備受挫折的年輕詩人，也很努力從事新詩形式的實驗。爲了他的死，朱湘有散文〈夢葦的死〉、詩〈悲夢葦〉、論〈劉夢葦與新詩形式運動〉(註一〇)。在〈悲夢葦〉中，他把劉夢葦比喻成一隻在幽谷、在雲邊、在遼空啼叫哀音的孤鳥，而自比唯一能諦聽那哀音的鴉雀。這樣的無限淒涼，可想見夢葦之死，於他是何等巨大的撞擊與哀傷！

《永言集》——我要修築一座美的皇宮

在出版時間上，《永言集》是朱湘的第四本詩集，但以創作的年代來說，則在《石門集》之前，應列第三。書名是朱湘自己訂的，卻在他身後才由趙景深編輯出版，詳細的情況，譔者在〈序〉中說得很清楚。（註一一）

由於是身後的彙編，所以有一些是朱湘自己在編前三集時刪掉的（如〈尋〉、〈民意〉、〈白〉等），有一些是未成篇的殘稿（如〈殘詩〉、〈團頭女婿〉、〈八百羅漢〉）。有一些已發表，也有尚未發表的，長短不一，題材各異，面貌顯得比較複雜，配合其他三集，更能看到比較全面而且眞實的朱湘。

〈尋〉和〈民意〉之所以爲作者所刪，趙景深猜測是「爲了詩中譏諷世俗之故」，前者譏諷人間所謂的「僞君子」，後者則對所謂的「民意」有很深刻的描寫，是一首很難得的警世之作：

> 與空氣一般，無從捉摸，
> 亦不知抵抗，
> 遠望去是一片青，落落
> 展開在天上……
> 狎弄它的要提防暴風

來號令一切
憑它得到的權勢興隆,
隨了它毀滅。

民意的存在及其特質,爲政者與它之間的關係等等,原是一個有關政治的論題,朱湘以一組自然意象(空氣、一片青、天上、暴風)來譬況形容,體會很深,或有其具體的現實指涉。

這顯示朱湘是具有民主素養的,同時他也是一個強烈的民族主義者,〈關外來的風〉和〈國魂〉都是站立在「漢族人」、「中國人」的立場表現一種濃烈的抗敵精神和戰鬪情緒。趙景深說〈關外來的風〉題目是他加上去的,這一首詩好像不曾做完,也許是一首長篇敍事詩的開端。由於此詩的第三段和〈國魂〉首段的敍述結構完全一樣,似乎是同一首詩的重覆,也有可能仍在草稿階段,尚未完篇,但卽便如此,仍可藉以了解朱湘對於國族的思想理念。

「像軍歌在悲壯揚聲,/像野馬在郊外長鳴,」(〈關外來的風〉)、「像大海在澎湃發聲,/像高山在爆裂震崩。」(〈國魂〉)這樣的譬喻充分顯示朱湘的心靈世界洶湧澎湃,其內在性格無疑亦有奔放剛強的一面,否則如何能夠寫出:

我要修築一座美的皇宮,
不到力竭精疲不肯停工。
——〈美之宮〉

這說明不只是面對國族興亡之際，他能氣如長虹；在藝術殿堂的構築上，他所許下的宏願亦讓人感受到一種悲壯之感。在另一首題爲〈星文〉的四行詩中，他說：「我拿筆把星光濃蘸，／在夜之紙上寫下詩章；／紙的四周愈加黑暗，／詩的文采也分外輝煌。」做爲一個現代詩人的朱湘，對於詩的信念之執著、堅定，於此可見，但最可貴的是無懼於夜之黑暗，而且確信在這種情況下更能發光發熱。

當然，他也仍然悲秋（如〈秋風〉），仍然深入思索死亡（如〈墓園〉），仍然不斷探討人性（〈人性〉），仍然在轉化古典以呈現人生悲喜（〈團頭女婿〉），仍然無法改變貧苦的命運。……

結語

朱湘的短詩頗有用心於筆墨之外的成就，上百行、近千行的敍事長詩則顯示他的詩藝能力與才情。而不論長短，泰半出之以整齊劃一的格律體式，或轉化古典詩型，或取自西洋詩體，他勇敢而努力的從事新詩形式運動，在音韻、詩行和篇章各方面，都「下了點工夫」(註一二)，本文沒有在這方面舉證分析，主要是因爲這是新詩發展中的一個運動，徐志摩、聞一多、饒孟侃、劉夢葦、孫大雨、馮至等人都參與其中，他們致力於形式與音韻的重建，要重新建立新的詩律，是一個新詩發展史上的重大課題，應該整體而論。

關於朱湘的詩，可以討論的尙多，譬如他的詩論與詩作的繫聯印證，他的譯詩與創作之間的比較分析等，都需要重新評估，本文力有所未逮，希望以後有機會再論。

【附　註】

註　一　所謂「前期新月」係指一九二七年「新月書店」成立、一九二八年《新月》雜誌創辦之前，以北京《晨報副刊・詩鐫》為中心的詩人群體，主要詩人有徐志摩、聞一多、朱湘、饒孟侃、劉夢葦等人。《詩鐫》由徐志摩主編、聞一多編輯，前後共刊出十一期。一般視之為「新月詩派」的始創時期，或稱「前期新月」。由於朱湘僅在前三期有新詩及評論發表，其後因與徐志摩決裂，而不再與徐志摩、胡適等人往來，近年更有人提出朱湘並非新月詩人的論斷（如錢光培、柳無忌），但就詩藝表現來說，朱湘毫無問題是屬於新月詩派的。

註　二　在《新月》的創刊號上有一篇出自徐志摩手筆的〈新月的態度〉，其中提到思想言語上得有充分自由的條件是：㈠不妨害健康的原則，㈡不折辱尊嚴的原則。

註　三　以魯迅為首的左翼無產階級普羅文學運動，曾受到新月派理論大師梁實秋從「永恒的人性的文學」角度加以批判（見梁氏〈文學與革命〉、〈文學是有階級性的嗎？〉等文）；而徐、朱等人自由自在地書寫性情、追求詩的純粹藝術性，更是對抗左翼的有效力量，而他們兩位卻早死（另外還有劉夢葦、方瑋德也都英年早逝）。至於激進、唯美的聞一多，在一九二八年出版《死水》之後，便逐漸轉向中國古典文學的研究，再加上其性情剛強，對現實頗多不滿，有明顯的左的傾向，抗戰後期以後，行動更加激烈，基本上是左翼系統的「同志」。所以，總的來說，自由主義色彩的新月雖曾有力對抗過左翼的文學與潮，卻因過早消失力量而不能竟其功。

註四　李輝英《中國現代文學史》（香港，一九七〇）在第二章〈打衝鋒的新詩〉中第四節〈格律詩和象徵派詩〉，先徐後聞，朱湘僅提及，錄〈棹歌〉三行；劉心皇《現代中國文學史話》（臺北，一九七一）在第三卷〈卅年代文學對我國的影響〉中有一篇〈徐志摩與新月派〉，論述主體是徐志摩，只在最後點名式的介紹新月代表詩人的詩，先徐後聞，饒孟侃第三，朱湘列於第四；尹雪曼總編纂的《中華民國文藝史》（臺北，一九七五）第三章〈詩歌〉有一節〈新格律派的誕生〉，花了許多篇幅介紹徐志摩（頁一六四——一七一），然後依序介紹徐之外的朱湘、聞一多等，二者著墨相當；司馬長風的《中國新文學史》在第三編〈成長期（一九二一——一九二八）〉第十四章〈重整步伐的新詩〉中，以〈現代的詩聖與詩仙〉爲題論新月格律派詩人，先聞後徐，朱湘僅在最後被點了一個名而已；周錦《中國新文學史》第三章是〈中國新文學初期〉，談詩歌創作的部分，先徐後聞，朱湘緊跟其後。當然，在這些文學史的書中，徐、聞、朱的順序很可能是依年齡，但朱湘比較受忽略是事實。

註五　王瑤的言論見《中國新文學史稿》（上海，一九五一），他將新月派視爲追求形式的詩人群，「享名最盛的是徐志摩」、「對於提倡格律影響最大的詩人實際是聞一多」，對於朱湘則有褒（作風恬淡平靜，寫得很美麗）有貶（舊詞藻過多，缺少活潑矯健的氣息），「主要的成功也還是在形式的完整上」，態度還算客觀；完全以共黨觀點寫成的張畢來《新文學史綱》（北京，一九五四）、劉綬松《中國新文學史初稿》（北京，一九五六），對於新月在詩藝形式上的追求大肆抨擊。

註六　唐弢的意見見其所編著的《中國現代文學史》（北京，一九七九），往後有關現代文學的史書很多，都很難給新月一個較公允的評價，對於朱湘，或提或不提，總之是不重視，到目前爲止，最能讓我接受的是王瑤的學生輩錢理群、溫儒敏等四人合著的《中國現代文學三十年》（上海，一九八七），撰者將聞一多、徐志摩爲代表的前期新月派之創作視爲新詩的「規範化」，處理朱湘，完全是文學考慮，頗能指出朱湘的詩之特色。

註　七　柳無忌〈詩人朱湘的復活〉引羅念生的說法，文見《文訊》雜誌三九期〈詩人朱湘特輯〉（臺北，一九八八年十二月）。

註　八　錢光培《現代詩人朱湘研究》（北京，一九八七）〈柳序〉。

註　九　根據《中國現代作家著譯書目（續編）》（北京，書目文獻出版社，一九八六年）所錄，朱湘的著述，在文藝理論方面有《文學閒談》（一九三四）、《現代詩家評》（一九四一）；在綜合性選集部分有《中書集》（一九三四）；在詩方面即此四集；在書信方面有《海外寄霓君》（一九三四）、《朱湘書信集》（一九三六）。另有譯作《路曼尼亞民歌一斑》（一九二四）、《英國近代短篇小說集》（一九二九）、《番石榴集》（一九三六）等。其中，一九三四年出版的《海外寄霓君》（有楊牧序〈留學生朱湘〉，一九七七）、《文學閒談》（有柳無忌序，一九七八）、《中書集》在臺北都重新排印出版（洪範書店），後者由瘂弦增編五篇「關於作者」的附錄，易名《朱湘文選》（有柳無忌序〈朱湘：詩人的詩人〉、瘂弦跋，一九七七）。在香港，一九八二年曾出版一本選集《朱湘》（孫玉石編，羅念生序，列入「中國現代作家選集」），一九八七年臺北翻印出版。在大陸，洪振國整理《朱湘譯書集》於一九八六年由湖南人民出版社出版；更重要的是朱湘的所有四本詩集合成《朱湘詩集》，一九八七年由成都四川文藝出版社出版，本文據此而論。

註一〇　〈夢葦的死〉和〈劉夢葦與新詩形式運動〉皆見瘂弦編《朱湘文選》。

註一一　見《朱湘詩集》頁三〇七——三〇九。下文引趙景深語皆出於此。

註一二　見〈劉夢葦與新詩形式運動〉，見《朱湘文選》頁二〇八。

演員劇場與作家劇場

馬　森

論二十年代的現代劇作

近年的國內劇場，直接受了西方當代劇場的影響，間接也可說繼承了我國的古老傳統，強調演員的重要性，反對文學劇本在演出中的主導地位，以致排斥搬演文學性的劇作，多半採取即興表演和集體創作的方式。

目前的這一種潮流，與五四時代恰恰相反，那時候幾乎所有的知識分子和戲劇工作者都認爲應該學習西方的文學劇場，以劇作爲主導，不然新劇的前途不會有希望。

回顧我國的現代戲劇，除本世紀接壤前後西人所辦教會學校中有零星演出西方的戲劇外（註一），當以留日的中國學生組織「春柳社」，公演翻譯的西方劇作爲新劇運動的肇始。（註二）當時演出的《茶衣女》和《黑奴籲天錄》（註三），可說是逕自把西方的戲劇移植過來。然而開始時這種移植的狀況相當混淆，分不清新劇與中國傳統戲曲之間到底應該保有何種關係，使很多從事戲劇工作的人士競言傳統劇的改良，因此才會一度產生出中西合璧的「文明戲」（註四）來。

「文明戲」是一次失敗的嘗試。究其原因，一方面固然由於欠缺傳統戲劇對演員所要求的嚴格訓練，但更重要的原因恐怕就是太過於輕忽了文學劇本在演出中的作用了。當時的「文明戲」在演出時多半沒有事先寫好的劇本，只有稱作「幕表」的大綱，終於導致演員在舞臺上不知所云。吳若和賈亦棣在合著的《中國話劇史》中說：「用幕表演戲是文明戲的特點……最成問題的是沒有準詞，演員會在臺上越軌濫說，弄得不可收拾。」(註五)這種即興表演的方式，不用說不易顯示劇中所欲表達的意涵和深度，即使希求具有基本的邏輯和起碼的結構也難以達成。傅斯年在一九一八年就曾指出：「十年以前，已經有新劇的萌芽；到現在被人摧殘，沒法振作，最大原因，正爲沒有文學劇本作個先導。所以編製劇本是刻不容緩的事業。」(註六)研究中國話劇運動的劍嘯也說：「自一九〇六至一九一六，十年的工夫，可以說並沒有一本稍可認爲成功的劇本。」(註七)在這種情況下，才由更爲熟悉西方現代劇場的知識分子重新提倡文學劇本的重要，或翻譯，或改編，或創作，使西方移植而來的「話劇」，獲得在中國的土地上札根茁長的生機。同時，人們也開始明瞭，「話劇」的出現，自可成爲一個新的劇種，並不必然就要取傳統的戲曲而代之。傳統的戲曲是否需要改良，以迎合社會新情況的需求，是另一回事，不必要與話劇的出現和發展纏夾不清。歐陽予倩就在〈戲劇改革理論與實踐〉一文中說：「中國是歌舞劇，我們應該承認，改造中國戲劇是歌劇改革運動。至於話劇是另外一件事，要分開來講，不能與中國舊劇混爲一談。」(註八)

拋開傳統戲曲，而以西方的現代劇爲典範，就不能不重視劇作的問題。一九二〇年以前，爲演出而寫成的劇本，應以南開學校所編的短劇爲濫觴。胡適曾說：「南開學校所編的《一元錢》、《一念差》、《新村正》頗有新劇的意味，在現在中國新劇界，要算他們爲第一了。」(註九)其實胡適自己寫的《終身大事》，發表於一九一九年三月《新青年》第六卷第三期，也是最早寫成的文學劇本之一。《終身大事》模仿易卜生作品痕迹至爲明顯，而且就戲論戲，也不算是一本成功的劇作，但其開風氣之先的歷史地位卻是不容忽視的。

二〇年代是中國話劇發展的關鍵年代，因爲文學劇本在二〇年代才大量湧現。陳白塵和董健主編的《中國現代戲劇史稿》的分期，把一九一八年至一九二九年看作是「現代戲劇觀念的確立與新興話劇的發展期。董健在話書的〈緒論〉中說：「從五四前夕到二十年代末，是文明新戲沒落之後，中國現代戲劇在更大規模上的勃興時期。」(註一〇)主要也是看中了二〇年代在中國現代劇發展上的關鍵性。如果在二〇年代沒有文人的參與，從事劇本的翻譯和創作，只靠新劇的演員在舞臺上摸索，是否會產生三四十年代盛極一時的話劇運動，是很値得懷疑的一件事。

現代文學史把五四運動的一年看作新文學的開始，是有道理的。雖然五四運動以前已經出現了新文學的作品，而五四運動也並不就是一個文學運動。但是五四運動確實開啓了現代中國文化的變革之路，因爲它的沖擊和衆多知識分子的參與，才使廣義的文化界和狹義的文學界改變了思考的方式和表現的方法；更重要的是因此增強了創造的力量。話劇的發展自然也受了五四運動的啓發和影響。我們只要看看文學劇本的湧現，多在五四運動之後，就可以瞭解這種現象並非出於歷史的偶合，實在是因爲五四運動摧毁了傳統文化與思考方式的防線，施放出創造的力量，才使人們敢於大膽地運用新的形式，表現新的思想內涵。法國人類學家李維史陀（claude Lévi-Strauss）的結構主義（structura-eisme）說明結構所表現的是一種制度系統的特質，在系統之內，沒有一種組成的成分發生變化不會影響到所有其他的組成成分的。（註一一）在戲劇上所發生的變化，正足以說明政治、經濟和文化的變革彼此的互動關係，在以西方爲師的大潮流下，中國戲劇勢非走向西方方式的文學劇場的方向不可。

最早從事劇作的文人有胡適、郭沫若、田漢、陳大悲、葉紹鈞、熊佛西、蒲伯英、洪深、歐陽予倩、余上沅、顧一樵、丁西林、汪仲賢等。

胡適在一九一九年發表了《終身大事》以後，沒有再寫別的劇本，就好像他的詩集《嚐試集》一樣，開創的地位大於實際的價值。與胡適一樣具有多方面才能和貢獻的郭沫若，也是早期新詩和現代戲劇的開拓者。他最早的劇作《黎明》發表於一九一九年，《棠棣之衣》和《湘累》發表於一九二〇年。田漢也是在二〇年代初期開始了他漫長而光輝的戲劇創作生涯。他的處女作四幕劇《梵峨璘與薔薇》和獨幕劇《咖啡店之一夜》均完成於一九二〇年他在日本東京留學的時候。（註一二）翌年又寫出了《獲虎之夜》。陳大悲的《良心》也發表於一九二〇年。葉紹鈞的獨幕劇《懇親會》於一九二一年在《小說月報》刊出。熊佛西在一九二一年寫出了三幕劇《這是誰的錯？》。蒲伯英的六幕劇《道義之交》則於一九二二年在北京《晨報副刊》連載。余上沅最早的短劇《六萬元》也發表於一九二三年的《晨報副刊》。引起爭議的洪深的《趙閻王》一劇和顧一樵的四幕劇《孤鴻》均寫於一九二二年。

同一年，「春柳社」早期的社員歐陽予倩在演劇之餘，也寫成了他第一個獨幕劇《潑婦》。汪仲賢的《好兒子》則於一九二三年刊於《戲劇》雜誌。以上的這些劇作有一部分當作文學作品收入一九三五年上海良友圖書公司出版趙家璧主編的《中國新文學大系》。

洪深在該《大系‧戲劇導言》裏說：「民國十三年以後，環境很有利於戲劇創作：學校劇團，以及小市民組織的愛美劇團，一天天增多起來了，他們都需要那可以上演的劇本；而各地的書店，因爲有人購買戲劇單行本的原故，也肯刊印創作的劇集了。」據洪深言，那時候刊行的劇作有張聞天的《青春之愛》、谷鳳田的《蘭溪女士》、丁西林的《壓迫》、黃鵬基的《刮臉之晨》、白薇（原名黃素如）的《琳麗》、向培良的《暗嫩》、侯曜的《山河淚》、濮舜卿的《人間樂園》、谷劍塵的《冷飯》、胡也頻的《瓦匠之家》等。

我自己在大陸和香港各大圖書館（包括國立北京圖書館、天津市立圖書館、山東省立圖書館、北京大學圖書館、南開大學圖書館、南京大學圖書館、上海復旦大學圖書館、香港大學圖書館、香港中文大學圖書館、馮年山圖書館等）實地探查的結果，發現沒有一九二三年以前出版的戲劇創作。一九二三年以前完成的劇作均發表於報章、雜誌，或是收在作者後來出版的集子中。所見最早刊行的劇作是一九二四年出版的，正如洪深所言，民國十三年以後出版的劇本才多起來。今以年代先後及作家爲準（同一作家的作品排在一起）列表於後：

熊佛西　《青春底悲哀》上海商務印書館一九二四年一月初版，一九三〇年十一月五版（自序於一九二三年十月）。內收〈青春底悲哀〉（獨幕）、〈新聞記者〉（獨幕）、〈新人的生活〉（獨幕）、〈這是誰的錯？〉（三幕）（港大、中文大學）

《佛西戲劇》第一集上海商務一九三〇年三月初版，一九三三年五月國難後第一版。內收〈蟋蟀〉（四幕）、〈一片愛國心〉（三幕）、〈洋狀元〉（三幕）、〈童神〉（二幕）（南開、中文大）

《佛西戲劇》第二集上海商務一九三〇年三月初版，一九三三年五月國難後第一版。內收〈王三〉（獨幕）、〈藝術家〉（獨幕）、〈蘭芝與仲卿〉（獨幕）、〈詩人的悲劇〉（四幕）、〈喇叭〉（三幕）（南開、中文大）

王新命　《夢羅姑娘》上海泰東圖書局一九二四年二月初版，一九二四年八月三版〈自序於一九二三年十二月十日〉（復大）

侯　曜　《復活的玫瑰》上海商務一九二四年三月初版，一九三二年十二月國難後第一版（吳俊升序寫於一九二二年十月二日）。內收〈復活的玫瑰〉（五幕）、〈刀痕〉（三幕）、〈可憐閨裏月〉（五幕，與錢肇昌合寫）（中文大）

《棄婦》（五幕）上海商務一九二五年五月初版，一九三〇年三月四版（脫稿於一九二二年十一月）。（中文大、復大）

《山河淚》（三幕）上海商務一九二五年五月初版（自序於一九二四年八月七日）。（北圖、

中文大、復大）

《頑石點頭》（四幕）上海商務一九二八年一月初版，一九三一年五月再版（一九二五年六月二十七日改訂）。（南開、復大）

《春的生日》（獨幕集）上海商務一九二八年十月初版（其中作品分別作於一九二二至一九二五年）。內收〈春的生日〉、〈摘星之女〉、〈離婚倩女〉、〈雙十夢〉。（中文大、復大）

錢江春　《醫師若愚》（五幕）上海商務一九二四年十月初版。（北大）

《萬一的喜劇》（三幕，又名《白操的心》）上海商務一九二五年十月初版。（北大）

蒲伯英　《闊人的孝道》（四幕）北京晨報社一九二四年五月一日初版。（北大）

王統照　《死後之勝利》（七幕）上海商務一九二四年十一月初版。（北大、中文大）

上海戲劇協社編　《劇本彙刊》第一集上海商務一九二五年三月初版，一九三○年九月五版。內收歐陽予倩：〈潑婦〉（獨幕）、汪仲賢：〈好兒子〉（獨幕）、洪深：〈少奶奶的扇子〉（四幕，改譯自 Oscar Wilde, Lady Windermer's Fan）。（南開、港大）

《劇本彙刊》第二集上海商務一九二八年五月初版，一九三○年九月再版（谷劍塵序於一九二六年十二月十七日）、內收徐卓宗：〈月下〉（獨幕）、歐陽予倩：〈回家以後〉（獨幕）、洪深：〈第二夢〉（三幕，改譯自 J.M. Barrie's Dear Brutus）、（南開、港大、中文大）

胡山源 《風塵三俠》（五幕）上海商務無出版日期，但附錄〈編演的經過〉寫於一九二五年八月二日。（中文大）

白　薇 《琳麗》（三幕劇曲）上海商務一九二五年十一月初版，一九二六年十一月再版。（中文大）

徐公美 《歧途》（獨幕劇集）上海商務一九二六年五月初版，一九三一年五月三版（自敍於一九二五年七月二日。內收〈父權之下〉、〈飛〉、〈歧途〉。（中文大）

楊蔭深 《一陣狂風》（三幕）無出版處所及日期，但〈寫在卷首的幾句話〉寫於一九二六年七月十五日。（中文大）

徐葆炎 《受戒及其他》（獨幕劇集）上海光華書局一九二六年出版（橫排）。內收〈惜春賦〉、〈受戒〉、〈結婚之前日〉、〈悲多汶的信徒〉、〈有了名譽的人〉。（復大）

吳研因 《烏鵲雙飛》（七幕）上海商務一九二六年十一月初版（序於一九二五年四月菲律賓）（北圖、中文大）

王獨清 《楊貴妃之死》（六場）上海創造社出版部一九二七年出版。（南開）

《貂蟬》（六幕）上海樂華圖書公史，無出版日期（橫排，序於一九二九年一月三日）。（北大）

向培良 《沉悶的戲劇》（獨幕集）上海光華書局一九二七年二月出版（橫排）。內收〈生的留戀與死的誘惑〉、〈冬天〉和〈暗嫩〉。（復大）

濮舜卿 《人間的樂園》上海商務一九二七年十月初版，一九三三年二月國難後第一版。內收〈人間

的樂園〉（三幕）、〈愛神的玩偶〉、〈黎明〉。（中文大）

胡雲翼　《西冷橋畔》（文集）上海北新書局一九二七年十一月出版。內收除其他文章外有〈酒後〉（對話劇）、〈西冷橋畔〉（獨幕）。（天津市圖）

鄭伯奇　《抗爭》上海創造社出版部一九二八年二月十五日出版（橫排）。內分兩部分：第一部分爲戲劇，收有〈抗爭〉、〈危機〉（十二場）、〈合歡樹下〉（均寫於一九二七年），第二部分爲小說。（北大）

胡也頻　《鬼與人心》上海開明書店一九二八年四月初版。內收〈鬼與人心〉（兩幕）、〈瓦匠之家〉（獨幕）、〈灑了雨的蓓蕾〉、〈狂人〉（三幕）。（南開）

《別人的幸福》上海華通書局一九二九年十二月八日出版（作者序於一九二八年八月八日）。內收〈別人的幸福〉（獨幕）、〈捉狹鬼〉（獨幕）、〈幽靈〉（獨幕）、〈資本家〉（獨幕）、〈紳士的請客〉（兩幕）（南開）

胡春冰　《愛的革命》（五幕）上海現代書局一九二八年出版。（中文大）

黃鵬基　《還未過去的現在》（獨幕集）上海光華書局一九二八年出版（橫排）。內收〈她的兄弟〉、〈刮臉之晨〉、〈善人惡運〉、〈大刀李七〉。（天津市圖）

楊　騷　《迷離》（二幕十收場）上海北新書局一九二八年六月初版（橫排）。（南開）

《心曲》上海北新書局一九二九年六月一日初版（一九二四年十月作於東京）。（北大）

陳大悲　《幽蘭女士》（五幕）上海現代書局一九二八年八月一日初版，一九三一年七月一日三版（橫排）。（北大）

趙梓藝　《微弱的彈力》勵羣書店一九二八年九月出版（橫排）。分上下部：上部戲劇，下部小說。戲劇內收〈民匪〉、〈沒祖父的孫兒〉、〈一片苦心〉（皆獨幕）。（山東圖書）

黃嘉謨　《芙蓉花淚》（六幕）上海中華民國拒毒會一九二八年十一月初版，一九二九年一月再版。（南開）

羅　江　《齊東恨》（三幕）上海樂羣書店一九二八年十二月出版（橫排）。（南開）

黎錦暉　《小小畫家》（兒童歌舞劇）上海中華書局一九二九年十月發行，一九三九年十二月十三版。（港大）

袁牧之　《兩個角色演的戲》（獨幕集）新月書店，無出版日期（橫排，其中所收劇作皆寫於一九二九年）。內收〈寒暑表〉、〈角色〉、〈男子、女子〉、〈生離死別〉、〈彫刻家〉、〈留學生〉、〈甜蜜的嘴唇〉、〈少爺女僕〉、〈流星〉、〈父親，兒子〉。（南開）

《愛神的箭》（獨幕集）上海光華書局一九三〇年一月發行（橫排，前有朱穰丞代序寫於一九二八年十二月卅一日，所收劇均寫於一九二八年）。內收〈愛神的箭〉、〈叛徒〉、〈愛的面目〉、〈水銀〉。（北圖）

郭沫若　《女神及叛逆的女性》（詩與戲劇合集）上海光華書局一九三〇年十月初版，一九三一年三

月再版。內收〈王昭君〉、〈卓文君〉、〈聶嫈〉。（中文大）

陳維楚《金絲籠》上海中華書局一九三〇年十二月初版。內收〈金絲籠〉（三幕）、〈藥〉（獨幕）、〈韋菲君〉（四幕）、〈幸福的欄杆〉（獨幕）。（中文大、南開）

由上表可見，在一九二四到一九三〇的八年間共出版戲劇創作四十二部，計一〇四種，除去其中翻譯兩種，創作劇本有一〇二種。多半是商務印書館出版的。當然這一個統計並不完備，並未包括在報章雜誌發表而未以單行本出版者在內。而且，已出版者，肯定尙有遺珠。不過，如果在以上的各大圖書館都未收藏，遺珠的數目想來不至甚大。

創作，應該不是憑空而來的。中國的話劇既然是西方現代戲劇的移植，那麼創作的範本便來自西方的劇作；特別是西方劇作的中譯爲創作做出了舖路的工作。二十年代的譯作，在出版的日期上看來，正好稍早於創作的日期，說明了其間影響與承襲的可能性。一九一八年六月，《新青年》製作易卜生專號，刊登了胡適寫的〈易卜生主義〉和〈易卜生傳〉兩篇介紹性的文章和易卜生的劇作中譯《娜拉》、《國民公敵》和《小愛友夫》。同年，《新青年》十月號又發表了宋春舫的〈近世名戲百科目〉，介紹了五十八位劇作家的一百個劇本，分別來自十三個不同的國家。易卜生是最受重視的西方劇作家，他的劇作的翻譯，不久就以單行本問世。譬如楊熙初譯的五幕劇《海上夫人》，由上海商務印書館於一九二〇年出版。一九二八年上海商務又出版了潘家洵翻譯的《易卜生集》二册，上集中收有三幕劇《娜拉》、五幕劇《國民公敵》和三幕劇《羣鬼》；下集中收有三幕劇《大匠》和五幕劇

《少年黨》，並附有胡適的〈易卜生主義〉一文。

二十年代初期的雜誌、副刊，除了《新青年》以外，像《小說月報》、《新潮》、《晨報副刊》《時事新報・學燈》等也都刊載過翻譯的劇作。當時的著名文人，諸如魯迅、周作人、郭沫若、沈雁冰、鄭振鐸、潘家洵、沈性仁及劇作家田漢、陳大悲、洪深等都曾熱心於西方戲劇的介紹和翻譯。據不完整的統計，從一九一七年到一九二四年間，有二十六種報刊和四家出版社發表、出版了翻譯的劇作一百七十多部，出於十七個國家的七十多位劇作家之手。(註一四)

二十年代從事劇本寫作的人，除了少數的例外像歐陽予倩田漢和洪深，多半並不是演員或導演，而是教授（像胡適、郭沫若、熊佛西、侯曜、丁西林、胡雲翼）或作家（像王統照、楊蔭深、白薇、胡也頻等）。不管他們所寫的劇本是否深刻、動人，或是否適宜舞臺的演出，他們都抱着文學創作的目的來寫劇本是不容置疑的。

事實上這時所完成的劇作瑕疵的確很多，首先模仿西方劇作的痕迹是顯然的。譬如胡適的《終身大事》明顯地是模仿易卜生的《娜拉》中女性的覺醒，不過一個是出走，一個是爭取婚姻自主。洪深的《趙閻王》則在情節、人物和場面上都襲取了奧尼爾《瓊斯皇帝》的段落。(註一五)在口頭語言的運用上，有些劇作也很成問題，例如楊騷的《迷雛》言辭半文半白，很不順口，不宜實際演出。他的《心曲》，與其說是劇本，不如說是以對話的形式所寫的散文詩。又如白薇的《琳麗》，使用歐化的語言，全不類國人的語言習慣。又有的劇本則只有照顧到舞臺技術，譬如說分幕太過瑣碎，像洪深的

《趙閻王》，一個多小時的演出，竟分九幕（而非九場）之多，有的幕不足十分鐘，可以說甫開卽閉，肯定會影響演出的效果。本身學戲劇的洪深尙有如此的問題，其他對舞臺本就陌生的作者更易抵觸舞臺技術的要求。

然而也有些劇本的確做到了演出、閱讀均宜的地步，像蒲伯英的《闊人的孝道》，對話流利自然，相當出色。又如丁西林的作品，不但情調雋永，而且言詞犀利，喜而不謔，在舞臺上既可琅琅上口，拿來閱讀，它是上好的文學作品。(註一六)這一類的劇作，比起「文明戲」的時代，自不可同日而語。

其實東西方劇場的最大差異，就是演員劇場和作家劇場的不同。我國一向只把詩文看作是文學的正統，至於小說、戲曲，則排斥在正統文學之外，採取鄙視的態度，是才高學高之士不屑於染指的。元雜劇的出現，適逢蒙古王朝的高壓政策，摧毀了儒生士人的社會地位和傳統的價值觀念，才得使有才之士躋身於劇作家之林，產生了一些豐贍華美的戲劇作品。然而縱然其中大家如關漢卿者，王國維仍評之曰：「在士人與倡優之間，故其文字誠有獨絕千古者，然學問之弇陋與胸襟之卑鄙，亦獨絕千古！」(註一七)這樣的評語恐怕不會施用於任何一流詩人之身。這並非完全是偏見，也是實情。就戲劇藝術而言，元雜劇以降的我國傳統戲曲都可稱獨絕一時的舞臺藝術，但就文學評價而論，一齣成功的劇作，除了詞藻華美以外，還有情節結構是否邏輯嚴緊，思想觀點是否博大深刻的問題。因此就文學的標準言，傳統的戲曲恐怕就比不上詩文了。這一種情況，到了晚淸的皮黃戲更加明顯。在皮黃戲中，文人參與劇作的實在少見。吉水在〈近百年來皮黃劇本作家〉一文中說：「當道光年間，皮黃已盛，腳本極多。特文人均鄙爲俚曲，不肯着手，大多出自伶人自編。其志在排演，以號召坐客，不在於傳世，文人亦不爲揄揚。」（註一八）今日坊間所見的所謂《名家平劇秘辛戲考大全》（註一九），其中作品，並不具作者姓名，蓋係優伶師徒口授手抄之作。今天所見經常搬演的作品，像《武家坡》、《四郎探母》、《打金枝》之類，在舞臺演出時，如遇到名角，可以百看百聽不厭，倘若置之案頭作爲文學作品來讀，恐怕是不及格的。這一種傾向足以說明我國的傳統劇場具有演員劇場的特徵，而欠缺作家劇場的條件。觀衆要看的是魏長生、梅蘭芳、馬連良、金少山或郭小莊的演出，而非某某人的劇作。卽使梅蘭芳演出的劇目，多出齊如山之手，齊如山則仍不能與梅蘭芳爭輝。直到今日，始有學者文人揷手皮黃劇作而不以爲忤，蓋早已深受西方尊重劇作家風氣之習染。如歐陽予倩、田漢、老舍、吳祖光、孟瑤、魏子雲、貢敏、胡耀恒、王安祈等均有皮黃劇作問世。

反觀西方的劇場，從希臘時代卽具有高度的文學性。當日的劇作家本身卽爲詩人，在社會中享有崇高的地位。亞里士多德論悲劇的篇章，名之曰《詩學》（On Poetics），在討論悲劇六要素時，認爲「悲劇之效果不通過演出與演員亦可獲得。」（註二〇）不必通過演出與演員，指的正是它的文學價值。亞里士多德並進一步推崇悲喜劇之價值在敍事詩和諷刺詩之上（註二一），也是從它的文學價值着眼。因此可以說，西方的戲劇一開始，卽是詩人的劇場或作家的劇場，而非演員的劇場。嗣後，雖有英國的莎士比亞和法國的莫里哀，身兼優伶與作家二重身份，但他們名留身後的卻只是劇作家或詩人的身份，而非演員的身份。其他非演員的或與舞臺工作沒有直接關係的劇作家則比比皆是，形成西方劇作家的主流。西方人看戲，看的是誰寫的戲更重於要看誰演的戲。而且西方的劇作，始終卽爲正統文學的主要組成部分，從未受到輕視或鄙視。試想從英國文學中去除了莎士比亞的作品，會成一種什麼面貌？

以上的討論，旨在說明東西方劇場的歧異，並非論其高下，因爲作家的劇場和演員的劇場應該各有短長。從文學的角度而言，作家的作品自然遠高過演員劇場的作品，但若從舞臺藝術而論，則是各有千秋的局面。二十年代的話劇作品，在「文明戲」不重視劇作的失敗之後，自然有意識地汲取西方作家劇場之長，企圖創作具有高度文學性的劇本。因爲事在嚐試，不一定取得令人滿意的成績，但是促成了三四十年代「話劇」劇作質量的日漸提高以及話劇運動的蓬勃發展，卻已是有目共覩的歷史事實。

當其時也，在西方卻出現了一位嚮往東方演員劇場的法國劇人安東男・阿赫都（Antonin Artaud, 1896-1948），他所提倡的「殘酷劇場」（Théâtre de la cruauté）卽排斥文學性的書齋劇本，而倡導由演員和導演在劇場中編織一齣戲出來，因此他認爲東方的演員劇場才是眞正的戲劇，而西方的傳統作家劇場，只是文學的附庸，戲劇的替身而已（註二二）。因爲阿赫都本人不但是一個演員、導演，同時也是個有力的理論家，他對西方當代的劇場影響是巨大的。諸如「生活劇場」（Living Theatre）、「貧窮劇場」（Poor Theatre）、「環境劇場」（Environmental Theatre）等，無不受過阿赫都深刻的影響。西方後現代的劇場所顯示出來的反文學性劇本、反敍事結構、重視肢體語言的傾向，可說直接來自阿赫都的理論，而間接來自東方的演員劇場。

我國近代的變革是整體性的。就社會文化的結構而論，正如李維史陀所言，一種制度系統的內在結構，是牽一髮而動全體的。中國的現代劇場之所以步上作家劇場之路，正是在整體文化依照西方模式的變遷中不可避免的現象。

今日的小劇場，追隨西方當代劇場反文學性劇本的浪潮之後，是否可以視爲一種正常的復古風潮，値得我們深思。西方當代劇場挾其作家劇場根深蒂固的傳統，學習東方的演員劇場，正是取人之長，補己之短，吾人反文學性劇本，卻是排拒了借助他山之石的做法，則恐非是當代劇場發展的坦途了。

【附　註】

註　一　鴻年在〈二十年來之新劇變遷史〉一文中說：「中國式之新劇，如今日所演者，其發源之地，則爲徐家滙之南洋公學，時爲前淸庚子年。」（按：前淸庚子爲一九〇〇年。）又曰：「當聖約翰書院每年耶穌聖誕時，校中學生將泰西故事編演成劇，服式係用西裝，道白亦純操英語，年年舊觀，習以爲常。」

（原載一九二二年四月《戲雜誌》嘗試號，收入《中國近代文學論文集・戲劇卷》，中國社會科學出版社一九八八年三月出版。）

註二　關於「春柳社」資料甚多，主要可參考《中國話劇運動五十年・史料集一九〇七——一九五七》第一輯，中國戲劇出版社一九五八年出版。

註三　《茶花女》(La Dame aux Camèlias) 爲小仲馬 (Alexandre Dumas fils, 1824-95) 據其自著小說改編。「春柳社」所演僅第三幕，蓋自日文轉譯者。《黑奴籲天錄》是曾孝谷根據美國佛家史托夫人 (Mrs. Harriet Elizabeth Beecher Stowe, 1811-96) 的反黑奴制小說《湯姆叔叔的小屋》(Uncle Tom's Cabin, 1832) 的中譯本改編。

註四　參閱歐陽予倩〈談文明戲〉(《中國話劇運動五十年史料集一九〇七——一九五七》) 及上官蓉〈文明戲與話劇〉(原載一九四一年十月《作家》第一卷第五期，收入《中國近代文學論文集・戲劇卷》)。

註五　吳若・賈亦棣著《中國話劇》，行政院文建會民國七十四年出版，頁四七。

註六　傅斯年：〈再論戲劇改良〉，載一九一八年《新青年》第五卷第四期。

註七　劍嘯：〈中國的話劇〉，載一九三三年八月《戲劇月刊》第二卷第七—八期合刊《話劇專號》。

註八　見趙家璧主編《新中國文學大系・戲劇集導言》所引，上海良友圖書公司一九三五年出版，頁五六。

註九　見高秉庸：〈南開的新劇〉，載《南開話劇運動史料》，南開大學出版社一九八四年十月出版。

10.　陳白塵、董健主編《中國現代戲劇史稿》，北京中國戲劇出版社一九八九年七月出版，頁十。

註一一　見李維史陀：《《親屬關係的基本結構》(Les Structures élèmentaires de la parentè, Paris La Haye, Mouton, 1967)。

註一二　陳董主編之《中國現代戲劇史稿》言《咖啡店之一夜》作於一九二二年，今據田漢自選集北京人民文學出版社一九五五年二月出版之《田漢劇作選》，定爲一九二〇年冬初稿於東京。

註一三　《中國新文學大系・戲劇集導言》，頁七〇。

註一四　田禽：〈三十年來戲劇翻譯之比較〉，載《中國戲劇運動》，商務印書館一九四四年出版，頁一〇五。

註一五　一九三二年袁昌英在《獨立評論》第二七期發表〈莊士皇帝與趙閻王〉一文，指出洪深的《趙閻王》乃模仿奧尼爾（Eugene O' Neill, 1888-1953）的《瓊斯皇帝》（The Emperor Jones, 1920）一劇。嗣後洪深曾有自辯，後又有他人繼續指出。直到民國七十八年中央日報社出版之蘇雪林《遯齋隨筆》，其中仍有專文指責洪深抄襲。

註一六　大陸戲劇評論家陳瘦竹稱丁西林是一位確實「掌握了高度技巧的喜劇作家」（陳瘦竹《現代劇作家散論》，江蘇人民出版社一九七九年出版，頁二一八。

註一七　見王國維《錄曲餘談》。

註一八　吉水：〈近百年來皮黃劇本作家〉，載一九三六年六月《劇學月刊》第四卷第六期。

註一九　胡菊人編，臺北宏業書局民國七十五年出版。

註二〇　見姚一葦譯亞里士多德《詩學箋註》，臺灣中華書局民國七十五年出版，頁六九。

註二一　同前，頁五三。

註二二　阿赫都的戲劇理論見他的七大册《全集》（Euvres complètes）由巴黎的 Gallimard 出版社一九五六——六七出版。其中最重要且與東方戲劇有關的則是收一九六四出版《全集》第四册中的《戲劇與其替身》（Le Thèâtre et son double）。

史作檉形上美學奧義析探

李正治

一、前言

在當代中國哲學界，史作檉是個獨樹一幟的哲學家，他的獨樹一幟，不僅表現在他離羣（學術圈）索居，而獨創了一套哲學系統（註一）；而且表現在他根本不以一般學術的客觀研究為其終極的追求，而以生命的徹知徹解為其終極的指向。此一「知識的目的」與「存在的目的」之差異，使他成為當代中國難得一見的存在型哲學家。

他所建構的哲學系統，不是學術界盛行的「古典詮釋」（註二）型態，而是在生命尋求的根本動機下，通過知識和心靈諸層次的鍛鍊，為生命存在的眞實所作的一種結構性的描述。這種結構性的描述，簡而言之曰「三元哲學系統」。三元即絕對極、觀念極和形式極，各層域又有其互關互通的詞語。如本體、自體、實體、道、天之類屬絕對極，生命、意識、心靈、創造直覺、信念之類屬觀念極，而表達、現象、現實之類屬形式極。分別言之，「絕對」為一切存在的自體，亦為人類終極關懷必然指向的一極，然非人可盡知盡解。「觀念」為人類存在為求生命及宇宙的徹知徹解，在不息止的追索中，所發生的原創性意識內容，其上極於「絕對」的觀念，其下極於某一種新的「觀物方式」。這原創性的意識領域，爲人類一切表達的發生根源。而「形式」則爲一切表達的領域，亦卽以各種符號表達所呈現的人類文明。這三極是個互關而不可分割的系統，對史作檉而言，一切物均可以此三元互關系統較爲整全的把握之。

在史氏的哲學系統中，「形上美學」爲其所抉發的重要創見。從三元互關系統來看，形上美學乃屬於「觀念」一極，作爲「形式極」的存在後設基礎，這個新的美學觀念，學術界並不熟悉，而初步閱讀史氏著作的學者亦均有一頭霧水之感，究竟史氏這一觀念是什麼意思，以及這一觀念在理解中國哲學甚至世界文明是否必要，這是學者極易引生的問題。本文的主要目的，卽在闡明史氏的「形上美學」，並探討此一觀念在哲學或學術上的重要性，以作爲進一步深入其哲學內部的敲門磚。

二、「形上美學」一詞的語義

「形上美學」的難以了解，首先來自於其詞語的本身。是故要了解史氏的美學，應先行了解這一詞語的意思。

史氏的重要哲學著作，大都涉及形上美學的說明或運用，而《形上美學導言》一書，則是闡釋其美學的專論，不過，此一名詞的出現遠在此書之前，在《存在的絕對與眞實》第一部，史氏已提到「形上的美學」，其後在演講稿結集而成的《憂鬱是中國人之宗教——美學與古典之中國》一書中，形上美學一語更大量出現。而就史氏的用法言，此一形上美學的層域復有許多同實異名的稱呼，如「創造的美學」、「直覺的美學」、「超越的美學」、「發生的美學」、「純粹的美學」、「哲學的美學」等等，這些詞語多就其所包涵的某一意義立言，了解其「實」，其「名」如何變換，均可迎刃而解。今就「形上美學」一詞的語義而言之，爲清楚的了解計，「美學」及「形上」分別言之。

史氏所謂的美學與一般習稱的美學意義大不相同，很容易使人滋生誤解，一般所謂的美學，主要是針對藝術作品之所以爲美所作的一種理論性的說明，以此作爲藝術根基的共通原理，但史氏之形上美學則不局限於藝術根基之共通原理的探討，而提昇到整個人類文明所由發生之人類原創意識界域的探討，以見「美學爲一切創造物之原創的根源」之義。關於此點，史氏在許多地方都有清楚的分辨：

> 一般所謂的美學，只是就藝術之成果所完成的一種分析的說明，而不是就藝術之所以異於科學之主觀性的創造特質所完成之存在性的形上描述或說明。（註三）

> 所謂創造，就是一種美學，而不是一種知識，而且這種美學，也不可能是人類既有文明中針對某種藝術而有的美學，反之，它却是針對人類整體文明的發生或其原創性而有的美學，若具體來說，卽一種形上美學。（註四）

在上列引文，美學被界定在「針對人類整體文明之發生或其原創性而有」的領域，卽與一般「針對藝術而有」的分析性的美學理論層次不同。其中所謂的「發生」，卽指一切文明的表達均有人類原創意識的實際發生爲其基礎，如一創見的表達，必有表達之前內在原創意識的存在狀況（也許非常複雜）爲其發生的基礎，故這內在原創意識的存在狀況卽爲此一創見表達的「發生項」，這種說法較諸一般美學的平面解析顯然更具有哲學的深度。由於史氏頗爲清楚地把美學的焦點定位在「存在性的原創意識」上，故其美學可說是「人類文明的根源之原創意識的存在性描述」。

至於「形上」一詞，亦不是一看卽可了解。此一詞語的意思與形上學有關，因此須先了解形上學的意義。依照史氏的界定：

所謂形上學，不論中西，其所指均為一超越於經驗現象的知識。換言之，其所求乃一究極性的真理知識。假如我們把它說得更確實些，所謂形上學，卽圍繞於「絕對」四周，並尋求「絕對」可能的知識。（註五）

形上學旣爲「超越經驗現象的知識」，故形上的層域亦是超越經驗現象而有，並指向絕對或道之究竟之域。此一層域的知識，對宇宙人生的萬象而言，是一種根源性的原理之學。而史氏之美學所以稱之爲「形上」，乃以其相對人類文明的萬象而爲其在先性的存在基礎或根源而言。

三、「形上美學」的幾點奧義解析

在《形上美學導言》一書中，史作檉通過「美學與表達」及「美學與道德」探討美學的有關問題，試圖闡明「形上美學」的奧義，綜括其書而言，包涵了五點要義，是理解其美學首須弄清楚者，今分別闡述之：

㈠美學爲一切表達之原創的根源

史氏將美學提至形上層域而言，變成人類一切表達之原則的根源。這個命題顯與一般對美學的認識大相逕庭，首先卽構成學者理解的一大問題。爲求了解這個命題，首先須弄清楚界定項中「一切表達」之義。

所謂「一切表達」，指的是人類依「符號」的方式所形成的人類歷史中的所有表達。這些表達都是人類運用符號而產生的，故史氏有時稱之爲「因人而有物」或「一切創造物」，卽人所創造而有的一切表達。

「一切表達」並非人所可完全掌握之物，因爲未來的表達仍會繼續創生，所以「一切表達」的「無限」及「整體」只是人類心靈中的「觀念」。我們想要掌握「一切表達」，只能依人爲的方法加以處理，使其成爲可以清晰討論之物。史氏認爲「符號」的把握卽人爲的處理方法，依此掌握方式，一切表達所使用的符號可區分爲四類，卽：

⑴文字語言（如詩歌）

⑵科學符號（如數、點）

⑶聲音符號（如音樂）

⑷美術符號（如色彩、線條）

以這四種符號直接呈現的表達，卽科學和藝術，而以科學和藝術爲其所完成的統合的超越表達，卽哲學、道德（包括宗教）。如是言之，史氏所謂之「一切表達」，卽以符號而得以完成之人類文明中四種高度呈現的文明，亦卽科學、藝術、哲學、道德（包括宗教）。

這四個人類文明的範疇，只是「一切表達」形式上的劃分，進一步從實質來看，則可區分出「將人的存在計算在內」的「存在表達」，以及「未將人的存在計算在內」的「形式表達」，科學的表達實質是一種形式表達，而藝術、哲學、道德或宗教則爲一種存在表達。

依史氏的看法，我們可以說形上美學是「符號」原創的根源，也是科學、藝術、哲學、道德等人類文明創造的根源，同時也是「形式表達」和「存在表達」的根源。這「根源」何以言之？其實是以「一切表達」必有其「在先的存在基礎」而言。

人類不可能全然在毫無意識的狀況中從事表達，自我們表達的經驗而言，必是先有內存的意識內容，然後才有某種表達的產生。這「意識→表達」的方式，卽人類存在的一種眞實，無人可隨意反對。以「一切表達」爲一個層域，則使此表達層域成爲可能的「在先性存在基礎」卽爲「原創意識」的另一層域，這一層域卽「形上美學」所描述的層域。

(二)超越形式與形式的窮盡

史作檉所謂的「原創意識」既然是「一切表達」的存在基礎，是故不能由一般意識的創造說，關於此點，史氏特別用「超越形式」規定了「原創意識」的形上高度。

「形式」之義，據史氏說「就是科學，若狹義來說，科學之對象只是現象世界，而其實用亦只限於現實世界」（註六）。換句話說，形式、科學、現象界和現實界對史氏而言是同層的存在，故超越形式和超越科學、超越現象、超越現實其實並無什麼不同。

形式表達最爲精確的方式卽「設基法」，設基法企圖建立一套封閉系統，但是其由設定開始，由推演展開，卻無法獲致一「完備性」與「一致性」兼顧的封閉系統，這裏顯現出形式表達終極必有的「矛盾」。人類最精確的表達尙且如此，則其他一切表達事實上均涵有此一「矛盾」在。人類的表達爲何有此一矛盾？無他，一切表達均必以「設定」開始，以推演法則展開，但作爲此一設定系統的發生基礎，則永遠在此系統之外。是故由形式表達通向形上美學的原創世界，其關鍵在必須通過「形式的窮盡」，史氏說：

所謂形式之窮盡，卽由形式的展現中，面臨了無限、或自體的問題，所必形成之形式的設定、不定與矛盾性。從此除非說，形式轉而求諸於形式某有限範圍之相對的有效性，否則形式的存在必將面臨一形式之所以發生之哲學問題。而所謂發生，並不是指形式設定之起始項，反之，而是使此形式設定項成為可能之原因。（註七）

形式範圍內的有效性，是人類表達爲追求確定所建立的有效性，如科學爲徹底了解一物，設定其所研究的對象物爲物質，但這一起始的設定是否卽「等於」那對象物的自體，如果不等，那麼底下的推演系統終不足以終極的把握那對象物，乃事理之所當然。這起始和終極所涵有的矛盾性，是使人發現形式外之自體世界的關鍵。故史氏又云：

形式表達之至極性，卽發現其關係系統之無終極完備系統之矛盾性，並訴諸於形式表達本身之自體性、整體探討的意思。（註八）

科學以表達本身徹解宇宙，但想徹解宇宙之原始動機和方法，並未使我們眞解宇宙，否則「表達」卽應等於「宇宙」，因爲無法徹知徹解，故人類永在原始動機的推動下一直擴大我們對於宇宙的了解。而其所以無法徹知徹解的根本原因，實已涵藏在設定之中。由設定的起始和推演的無極，我們看到表達和存在間的矛盾，也看到超越形式的存在世界。

不過所謂「超越」，並非要與形式表達或科學形成對立和排拒，而是透澈明瞭科學表達的範限，不使一切均爲科學所反控，故史氏說：

所謂超越於形式表達，卽超越於科學的思考方式。因為科學的存在，就是人類之形式思考方式中最具代表性之極限的成果。但真正的超越，並不是排拒或茫然地反對，反之，而是真正的理解、通過並不被其所拘，換句話說，就是使人以一更形廣大之涵蓋的心靈包容一切，並活在他更高度的自由之中。（註九）

㈢以人之整體性存在看一切表達

人只落在形式表達或科學的一層世界或片面世界，則一切存在性的事物均將淪爲形式所反控。同樣的，人只從事於藝術、哲學、道德等存在表達的文字性解釋的延伸，亦不免落入形式反控的困局。故人只要停留在表達的世界，而不能進入自身存在基礎的生命世界的探討中，人便只有片面存在可言，而無人的整體性的存在可言。由形式的窮盡所逼顯的美學世界，其所探討卽人的整體性的存在，亦卽蘊涵無限原創可能的意識世界。

史作檉所建立的形上美學觀，卽以人之整體看一切，換句話說，卽以因人而有的方式看人所形成的一切表達，這是統觀人類文明而仍具有新的原創可能的一種形上曠觀的能力。史氏解釋此一觀看方式時說：

所謂以美學的方式看一切，卽將一切因人而有之物納入於表達，並將一切表達納入於美學方法之範域，這樣所謂實體的存在，卽不可能存在於一切表達之中，或以表達之終極而可得之，反之，却在於一切表達之背後，或其終極以外的遙遠之處，這樣假如說，人之整個存在乃一方法性實體追求的過程，那就是說：在一「實體不可卽得」之原則中，以一種果能突破一切表達中可能存在之限制或獨斷，而永遠以一種不休止之追求的熱力，保持對實體存在之象徵性逼近之嚮往。（註一〇）

人類文明試圖表達出存在的本體，而美學的觀看則是將人類文明中的所有均納入表達，視爲因人而有之物。這一切表達均在一「實體不可卽得」的原則下，變成人類追求絕對、探索本體的方法性過程，而人的整體性存在，實卽那一切表達的存在基礎，沒有人的整體性存在，自無一切表達。

㈣美學的自由與突虛

在美學世界中，人不再落入因人而有物的片面表達及其視域中，亦不爲人之所創物所役，於此人的心靈將獲得一種「觀念的自由」（又叫做「美學的自由」），這是超越形式的層域而不再受制於形式而有的一種原創的自由。關於此種自由的觀念，史氏認爲：

所謂觀念的自由，就是從形式之關係概念中尋得掙脫而來，但真正的掙脫，一如「超越」的意義，卽瞭解、通過，並不為其所拘的意思。（頁四七）

不過這種自由和莊子的「逍遙」是不同的，莊子的「逍遙」是精神上的絕對自由之境，「觀念的自由」則實質上仍非「絕對自由」，史氏於此兩種自由之間屢有分辨。「絕對的自由」是一種徹知徹解而有的自由狀態，這只能是人類的一種嚮往，或者說是人類的一種設想，依史氏「人必有所不知」及「實體不可卽得」的原則，這種自由其實非人所能獲致。在人之超越形式而曠觀人類文明之際，雖然一時享有超脫形式層的片面存在之激越之情，但卻並未因此卽獲得生命存在之終極解決，反而只在美學世界的初始，展望絕對，絕對未臨，於單純面對人自身之整體存在之際，擁有一種存在性的焦慮之情，史氏說：

這種美學的自由給人帶來的，却是一種不可遏抑之存在性的焦慮之情。（註一一）

假如說，現在我們可以超越形式的現實世界，而來臨到美學世界的面前，那麼所謂美學的自由實際上已失去了它原本相對於形式束縛的意義，而成為一種單純之生命或存在之新的開始罷了，但是就在這生命業已真實開始之美學世界中，假如我們所設想之絶對自由並非一卽得之物，那麼我們設想看，就在這美學業已起始的世界中，我們將面臨一種如何窘迫而難堪的境況。(註一二)

這種焦慮之情何以產生？這種問題其實不難索解。人一旦超越於現實世界或超越於形式，暫時在掙脫束縛之際享有了自由的感覺，但這種自由之境並未能終極地解決存在的問題，反而因爲現實與形式的熟悉方式不再可依傍，而不知如何重新對待生命，這時人落在舊的方式已去，新的方式未立的虛無深淵中，充滿著驚懼之情，這是美學世界起始的狀況，而其眞正能有所定的精神歸趨則在道德上。

(五)指向道德的終極

史氏在《形上美學導言》中曾質詢一個重要的問題：爲何美學一定要指向道德的終極？在前一義中，我所看到在以美學自由而存在的世界中，人雖然超越形式而面臨眞實的自我，卻因無所依傍而面臨空虛，顯示出生命存在之無所歸宿的驚懼徬徨，從此可說美學世界仍不具有一種生命的貞定性。但這種境遇只是人活在形上美學世界的起始的情況，如果人在此世界中仍保持其對於絶對、實體之不息止的追求，終必在美學世界中產生一種存在性的終極信念，此卽史氏所謂的「道德信念」。美學之所以必指向道德的終極，實因生命在美學初始的不定中求定而來。

史氏曾在其各種著作中作出各種道德的界定，如說「所謂道德，卽一種美學性之空虛中的信念」(註一三)，或說「所謂道德，就是從純眞的心性而指向於絕對之信心的建立」(註一四)。這種道德之說，大異一般學者的看法，令人驚異，但其實亦沒有什麼值得驚異之處，反而是更符全人類存在狀況的一種說法。我們可以設想孔子提出「仁」的情況作爲參照性的了解，孔子之仁不是維持社會秩序的外在規範，而是作爲一切道德實踐根據之內在根源性的道德意識，但是這一根源意識的產生，把它放在人的存在過程中了解，則必然是在超越一切外在規範的美學層域才得以出現，換言之，孔子若未掙脫禮樂之外在形式的束縛，亦必不能產生內在眞實自我的面對，若未面對內在眞實的自我，自亦沒有內在眞實自我存在於天地間的一種信念、態度的決定與堅持。故道德是在美學世界中建立一種獨立不倚的態度，生命到達道德的領域，其美學的驚擾之情才能獲得一種靜定。雖然道德仍非那絕對的實體本身，如史氏所說「只是一種不休止之美學性之反躬與抉擇的努力罷了」，換言之，亦卽「不休止地追求，不休止地獲得，並將所有屬於人的限制瞭解擴大以至於其極」(註一五)，然人類存在的最大可能，實以道德爲其終極。

四、形上美學在哲學或學術上的重要性

通過以上五義的說明，假定我們對史作檉形上美學已有了解，那麼進一步我們可以問：這樣的一

種美學在今日哲學或學術上有何重要性？針對這個問題，我想提出其三個重要意義。

㈠喚醒哲學研究者的原創意識

哲學雖爲最高的學術，但在今日學術界的時風中，哲學研究者大抵以東西方古典的客觀詮釋爲已足，而這種客觀詮釋的工作，對史作檉而言卻是一種文字延伸性的工作，亦即順著東西方哲學的理論體系進行觀念的界定和主從觀念間的關係說明，很少人能突破此一學術界的軌範，深入文字背後之原創基礎的了解，以開啓自身的原創心靈，故今日哲學界充滿了因襲，不是因襲東方哲學家的說法，就是因襲西方哲學家的說法，致使今日中國哲學無以卓爾自立。所以有人戲稱今日的哲學研究者都成了古典知識的販賣者，你要一套孔子哲學，他就從口袋拿出一套孔子哲學給你，你要一套黑格爾哲學，他又從口袋拿出一套黑格爾哲學給你，任何一套都有，就是沒有自己的一套。在這個戲言裏，我們可以發現，許多研究者一直停止在客觀研究上，因爲學術界的視觀、要求、軌範就是如此。然我們之所以只會順從軌範，其中很重要的一點卻是：我們落入「以知識爲目的」的境遇，而忘卻了「以存在爲目的」的追求，是以無法開啓靈慧，藉人類文明的探索以開拓自身的原創心靈。史作檉之形上美學立足原創，正好可以喚醒我們這一時代哲學研究者的靈魂，使其通過客觀研究，躍昇到生命之原創層域的探索，獲取再創新哲學的能力。

史作檉的形上美學指出內存的原創意識爲人類文明的基礎，故形上美學基本上就是文明的基礎之學，以形上美學爲一種方法來看人類文明，那麼這種方法就是尋求基礎之法，史作檉稱之爲「導源法」。

(二)建立「導源法」以了解人類文明

人類文明的表達，必在「存在的遞減原則」(註一六)下進行，如以符號表達存在，又以符號解釋符號。在以符號表達存在中，已蘊藏著存在的不可表達性和符號表達的缺欠性，因此這些符號的了解，必然不能以「符號解釋符號」的方式進行，而必須尋求符號表達之時人類心靈的存在設想，以此方能補足符號表達的不完整性。換句話說，對於人類文明的了解，我們必須回到其存在性的原創基礎上了解才行。

史氏曾舉哲學的了解爲例，說明眞實的了解乃進入哲學之存在基礎的了解，而要了解他人哲學的存在基礎，自身亦須具有相同高度的存在基礎方可。

任何一種深刻的哲學，都必有其在先的存在基礎。所以說，假如我們閱讀一種哲學，果能就其文字而同時得其基礎，那當然最好不過。否則，卽等於從文字得文字，其實這就是去其基礎，而達文字亦不能實得。反之，人在哲學中真得其文字，往往就是我們深深感覺到從文字得其基礎之困難，乃從自身就文字所得之形式了解，推之於自身得此形式了解背後屬於自身的存在基

礎，然後再從自身之存在基礎，推而至於原哲學之存在基礎，才算是獲得了一種哲學之基礎性的了解。(註一七)

今日學術了解人類文明的方式，莫不以「符號解釋符號」的方式進行，史作檉以形上美學建立「導源法」，正可使我們看到學術方法的莫大缺陷。

㈢提示文明前瞻與開拓的可能

今日學術界，無人能為我們解答創造的可能性問題，在史作檉的形上美學中，我們卻看到涵蓋既有文明而更能有所前瞻與開拓的原創心靈。

人類文明為何仍有其創造的可能性存在？此中原因在於人類文明未能眞知徹解終極的絕對或本體。關於此點，史氏有兩句簡要的話表示之，即「所求唯絕對，所得唯形式」。形式不能眞正表出絕對，所以人類在不同的時代一直找尋表達絕對之新形式的可能。形上美學企圖通過既有文明之存在基礎的了解，開拓自身成為一涵蓋既有文明的深刻心靈，在此，我們已看到新文明表達產生的可能。

今日學術界之缺乏創造性，其關鍵在不知開拓自身成為一涵蓋既有文明的深刻心靈，以故在「以知識為目的」的客觀研究下，以符號解符號，看不到創造的可能性，而史作檉「形上美學」的提出，則為我們啓示了開創新文明的可能性。

五、結 語

眞正的哲學不是一種知識，而是一種生命的追求和一種形上觀看的洞見，雖然其本身不可避免地仍須寄意於文字，而具有知識之相，但是「意」的了解卻須回到其深刻的存在基礎上。

史作檉形上美學的提出，基本上不是爲了成立一套理論、一套知識，而是爲了使生命能脫離各種表達的束縛，開拓心靈的形上層域，使我們能以一種基礎性的原創方式曠觀人類文明，而不致發生各種表達之間的斷裂、對立及衝突。

史氏的形上美學，概括言之，是通過以上所述的五義而顯。這種形上觀看的方式，是在使自身成爲一美學的自我而解之。對於我們生命的自身，或對於今日學術的研究，這種說法實足以喚醒我們所遺忘的徹知徹解生命的初衷，並使我們看到新文明表達誕生的可能。

【註 釋】

註一 其哲學的主要著作爲《存在的絕對與眞實》四部、《哲學人類學序說》及《社會人類學》。

註二 古典詮釋卽以東西方古代的哲學典籍爲對象，對其內部概念作客觀性的研究或詮釋工作。這種工作乃以達至客觀性的詮釋成果爲目的，很難因此建立起自身的一套哲學。如依康德所說「哲學」和「哲學史」的區別來說，乃屬於「哲學史」者。

註　三　《憂鬱是中國人之宗教》，頁七七，博學出版社。
註　四　《哲學人類學序說》，自序，仰哲出版社。
註　五　《憂鬱是中國人之宗教》，頁二一〇。
註　六　《形上美學導言》，頁六，仰哲出版社。
註　七　前揭書，頁十九。
註　八　前揭書，頁三一。
註　九　前揭書，頁四五。
註一〇　前揭書，頁十五。
註一一　前揭書，頁四九。
註一二　前揭書，頁五三。
註一三　前揭書，頁五四。
註一四　《存在的絕對與眞實》第二部，頁三五六，楓城出版社。
註一五　均見《形上美學導言》，頁五六。
註一六　所謂「存在的遞減原則」，史氏的解釋是「卽當人以任何方式想將存在加以表達或說明時，實際上他是在走一條存在之遞減的路線，或以一種低於存在的層次來說明存在。這樣以此類推，以至於無所窮盡之地步。」見《存在的絕對與眞實》第二部，頁三六四。
註一七　《憂鬱是中國人之宗教》，頁四七。

黑格爾論希臘的悲劇藝術

張炳陽

一、引言

悲劇作爲一種文學的體裁，哲學家對它的興趣不亞於文學家和文學批評家。在西方，從亞里斯多德開始就已對悲劇做過理論的探討，在他的《詩學》中他對悲劇下了本質的定義：「悲劇，是對一件重要、完整、頗有規模的行爲的摹擬，它使用美化的語言，分用各種藻飾於劇中各部，它以行爲的人來表演而不作敍事，並憑借激發憐憫與恐懼以促使此類情緒的淨化。」（註一）其中「表演」而非「敍事」，主要是指出悲劇不同於史詩之處，而更重要的是「憐憫」、「恐懼」和「淨化」三個概念，亞氏以後的思想家無不環繞著它們做出不同程度的回應，黑格爾也是其中的一個，而且更廣泛而深入地加以考查。

黑格爾的《美學講演錄》（註二）把西洋古今所有重要的藝術類型、類門和藝術作品貫連起來，做一種歷史的考查，也就是將藝術做了一個系統的說明——藝術的辯證發展，因此，很明顯地，黑格爾的《美學》是和他的辯證法不可分的。因此有些學者就指摘黑格爾，說他用辯證法套用在藝術上的這種做法太過獨斷。例如朱光潛先生就是其中之一，他認爲黑格爾「採用一種很不好的方法，卽從一個預想的玄學體系中先驗地推演出一套悲劇理論來，而不是把悲劇理論建立在仔細分析古代和近代悲劇傑作的基礎之上。」（註三）又說：「我們絕大部分普通人可能從來沒有聽說過、更沒有懂得黑格爾的『永恒正義』觀念，但照樣能欣賞索福克勒斯或莎士比亞的作品。對於一般人說來，悲劇快感往往是卽刻產生的，它不期而至，並非是理智認識到道德意義的結果。而當他眞正考慮一部悲劇的道德意義時，他常常是在冷靜地思考，不再體驗到眞正的悲劇快感。」（註四）朱先生的批評是有其道理的，他認爲悲劇是要放在心理層面來考量的，悲劇是一種心理上的快感，正如他的書名所指的，但是如果只站在他的心理學角度來論悲劇，那麼，悲劇中的非心理學成分自然就不值得去擁護它了，而事實上悲劇是容許不同角度的探討，僅執著其一而排斥其他，只能得到片面的結論。

我們比較重視的是朱先生的另一個批評，也就是黑格爾是先用辯證法套用在悲劇理論上的這個問題，這涉及到黑格爾如何來看待希臘悲劇的誕生，本文就想以朱先生的這個批評引入黑格爾的希臘悲劇思想，在考查黑格爾的希臘悲劇思想的同時，我們要特別注意黑格爾是否把辯證法套在悲劇上。雖然我們的重心放在黑格爾本身，但是對於朱先生的批評，我們暫時引用和他剛好相反意見的威廉揚（William Young）來解消這個批評，威廉揚認爲：「伊狄帕斯的悲劇，對〔黑格爾的〕辯證運動的否定性提供了實質的說明，在黑格爾的形上學觀點中，這個辯證運動把作爲基礎的『命運』概念表現出來。」（註五）「克羅克納（Glockner）把整個黑格爾的哲學詮釋爲，根本上是泛悲劇論，而不是泛邏輯論。」(註六)上面的相反意見認爲黑格爾的悲劇理論是先於辯證法，而且是構成辯證法的一個核心根源。

事實上黑格爾處在德國浪漫時期對希臘的異教世界始終是心嚮往之，在高中時期他就熟讀了希臘的文學作品，尤其喜愛悲劇，他經常將這些作品從希臘文譯成德文，一次用韻文，一次用散文，他對希臘悲劇的熱中由此可見一斑。黑格爾第一部具體表現辯證法結構的大作《精神現象學》(註七)完成於一八〇六年，於一八〇七年出版，此時他已卅七歲。對希臘悲劇的種種看法就體現在本書的一些章節中(尤其集中在藝術宗教)，成爲《精神現象學》辯證結構的一個展示。

如果說構成辯證法基礎的是希臘悲劇，那麼構成悲劇的核心便是命運。古代希臘人認爲神和人都受命運支配，因此命運是一種必然性。黑格爾認爲必然性就是「命運的合理性(儘管這種合理性還沒顯現爲自覺的神旨，神對世界及個別人物所預定的終極目的對神和人都還沒顯現出來)，這種合理性就在個別的神和人之上還有一種最高的權力。」(註八)這個最高的權力就是指衆神之神宙斯。黑格爾在別處又說：「古希臘人的神靈雖說被認作有人格的，但宙斯及阿波羅諸神的人格並不是眞實的人格，而只是一種想像的人格，換言之，這些神靈只是些人格化的產物，這樣的產物自身並不自覺，只是被意識到而已。這種古典的神靈之缺陷所在和薄弱無力，可以在當時希臘人的宗教信仰中尋出證據。依照他們的信仰，不僅是人，甚至於神也認作同樣受命運的支配，這種命運我們必須認爲是一種未揭發的必然性。」(註九)由此可見，希臘悲劇是和希臘人及其諸神中的命運有著極密切的關係。如果威廉揚的看法正確，那麼，悲劇本身就蘊藏著辯證法，而且兩者是緊密結合在一起的，如果悲劇中的命運是指內容而辯證法是指形式的話，那麼，內容和形式是結合不可分的，沒有沒形式的內容，也沒有沒內容的形式，喪失其一，另一也必然不存在了，事實上這也就是辯證邏輯與形式邏輯最根本的差異，形式邏輯把內容剔除掉而只保留形式。

希臘悲劇最初是和酒神祭有關的，然而後來却產生了具有文藝性質的戲劇。希臘是盛產葡萄的國家，每年葡萄收成釀酒時都要與行酒神祭，並且狂歡慶祝。相傳酒神曾被天后希拉放逐，因此只有四處流浪。祂的傍邊經常跟隨著一些半人半獸的怪物，酒神在流浪中學會了釀酒，並且到處把釀酒法傳授給人。如此一來，跟隨祂的人和神也就愈來愈多了，而且各個都打扮得怪模怪樣，他們頭戴常春藤冠，邊喝葡萄酒邊狂歌亂舞，因此希臘人在祭祀酒神時也是模仿那些半人半獸的行徑。後來逐漸發展出合唱隊的讚頌酒神表演，然後又加上演員的演出，由於合唱隊邊唱邊舞時是模仿半人半羊的神沙特(Satyrs)，他們身披羊皮，穿戴羊角、羊耳、羊蹄和羊尾，因此這種演出就被稱為山羊歌（tragoidia），山羊歌就是英文字悲劇（tragedy）的字源。起初悲劇只是酒神祭，後來文學、戲劇家的創作，他們從神話、歷史、民間傳說中取材，因此就豐富了悲劇的內容。

二、希臘悲劇精神的誕生

這裏所謂的「誕生」並非指歷史上的開始，而是指黑格爾本人所理解的希臘悲劇而言。如果我們模倣尼采的名著《誕生於音樂精神的悲劇》（一般簡稱《悲劇的誕生》），那麼把黑格爾所理解的希臘悲劇訂爲「誕生於宗教精神的悲劇」是很恰當的。希臘宗教是多神的世界，但是神和人的關係是互涉不可分的，諸神之間的關係也和人與人之間的關係不可分的，因此這個宗教世界同時也是倫理世界，人與神之間有著互動與辯證的關係。

在《精神現象學》中，黑格爾將藝術放在宗教中來討論，在宗教中，黑格爾區分爲三種宗教：自然宗教、藝術宗教、天啓宗教，對悲劇的討論是在藝術宗教裏的。黑格爾在藝術宗教中同時處理希臘的藝術和宗教，這在希臘文化史上除了此二者的產生有其同時性外，更重要的是在人類精神的發展上，此二者的關係有其內在的親密性。諸神的世界和人的世界是同一個世界，宗教世界和倫理世界也是同一個世界。對於宗教意識和藝術創作之間的同源性，我們必須先行對宗教意識的本質有些許的陳述，如此方不致茫然無措。

黑格爾認爲，宗教是一種意識形態，而這種意識形態也是在精神的發展中出現的，宗教意識的重要先行意識是苦惱意識，亦即，宗教意識是經由苦惱意識進一步發展而來的。苦惱意識是由兩個對立意識（主人和奴隸）集中在一個人身上，因此在這個人自身中就有了二元分裂或對立，而所謂苦惱意識就是意識到自身是二元的、分裂的、矛盾的意識。（註一〇）因此苦惱意識自身是集分裂於一身的一個意識，每當其中一方獲勝達到安靜的統一時，這一方就會被驅逐出這個統一體外。（註一一）意識就像蹺蹺板的兩端，一上一下永遠沒辦法達到平衡。黑格爾說：「意識一方面雖努力要達到本質，但只抓住了自己分裂了的現實狀態，所以另一方面它就不能夠掌握住對方〔卽本質〕作爲個別的東西或現實的東西。它在哪裏去尋求本質，本質就不能夠在那裏被它找到；因爲本質已經被認作彼岸，被認作不能夠找到的東西。」(註一二)意識在自己的對立中不惟無法捉住本質，却始終只能抓住非本質的東西，因此這種意識就陷於苦惱之中，它只知道自己不斷地勞動著、欲求著，但却是無法達到客觀化的痛苦。黑格爾說：「那在苦惱意識的形態中得到它的完成的自我意識，也只是精神再次努力企求客觀化其自身但又未能達到自身的客觀化而感到的痛苦。個別自我意識在這階段與其不變的本質的統一，因此對它來說仍然是達不到的彼岸。」(註一三)宗教意識就是精神力求在自己分裂的對方中尋同自己的一種生活，它從自身分裂爲二，精神的特性在苦惱意識中達到一種更深刻的表現。宗教意識依然是自我意識本身的一種分裂，透過這種分裂，精神在自己的對方中看到自己，這個過程就是一般所謂的異化，精神經由自己的異化，把自己表象給自己觀看、思索、追求，因此宗教意識是一種異化了的意識。宗教意識本身亦表現爲一個整體的過程，黑格爾認爲：「通過這一過程達到這樣一種形態，在這種形態裏，它表現爲它自己的意識的對象，它完全與它的本質相等同，並且直觀到它自己的本來面目。」(註一四)依黑格爾之意，宗教意識的發展可分爲三個階段，第一階段，精神最初的實現是宗教本身的概念，卽直接的或自然的宗教。第二階段是，精神作爲自己的對象，它認識自己是在一種被揚棄了的自然形態內，就是藝術宗教。第三個階段就是前二階段片面性的揚棄，是前二階段的統一，就是天啓宗教。(註一五)本文主要考查藝術宗教，因爲這個宗教意識是對前一種自然宗教的揚棄，因此同時也保存了自然宗教中的物質成分，精神就是透過自然的物質成分才能表象給自己，藝術創作正是意識對物質的加工和改造，黑格爾總結藝術宗教的特質是：「這個形態由於意識的創造活動而提高到自我的形式，於是意識就可以在它的對象中直觀到它自己的活動或者自我。」（註一六）藝術的創作和宗教的需要都是自我意識（人）自身的異化，自我意識想要在所異化的對象中看到自己、理解自己，這就是藝術和宗教的共同根源，黑格爾正是從這個共同根源來處理藝術宗教的，因此藝術、諸神的眞正中心是人。

在自然宗教中，自我意識透過工匠的勞動，替藝術創作舖路，工匠創作了金字塔、方尖石柱等，但是黑格爾認爲這些成果「還沒有把握住它自己的思想，所以它的行爲乃是一種本能式的勞動，就像蜜蜂構築牠們的蜂房那樣。」（註一七）工匠在這個營建的勞動上是缺乏有意識的自覺性，他並不自覺是在從事一項建築藝術的雕琢，他只彷彿感覺到他是在替死人的宗教儀式做永恒的安排，而黑格爾正是在其中看到藝術的萌芽。在藝術宗教階段，宗教和藝術之間的關係更具體地表現出來了。古希臘所描繪的諸神皆具人形，而且也有人的七情六欲，希臘人就用雕刻將諸神塑造出來，就連「美神」也不例外，希臘人透過諸神的神和力也看到了自己的美和力，因此宗教和藝術透過希臘人自己的想像和創作，具體而微地表現在藝術品上。

希臘諸神是人的自我意識所異化產生的，而諸神之間的戰爭和關係亦猶如人世間的戰爭和關係，而且兩者經常有互涉交往，這又猶如一個完整的世界。實際上人是代表個別性的意識，而諸神是代表普遍性的意識，人與神之間的關係正是個別性與普遍性的關係。我們可以說，諸神是代表普遍化了的具體個人，祂們代表普遍人性。因此諸神之間的戰爭只是虛假的，祂們誰也傷害不了誰。諸神的存在基礎在於具體的個人，或者具體的個人普遍化成具有神性的諸神，事實上人與神是二而一、一而二的東西。因此，我們也可以說，史詩和戲劇中角色間的鬪爭，其實是諸神間的鬪爭，諸神（普遍性）也具體化爲角色（個別性）來表現祂們之間所代表的眞理的衝突，但實則諸神又是人所異化（對象化）的普遍性，故其中的鬪爭又是人的各種意識形態的鬪爭。

因此，史詩中的英雄人物對實體大地（普遍性）的破壞，一方面是以他的個體行動爲之，而從另一方面看，英雄人物此時却是代表另一種普遍性，這個普遍性向這個實體大地的普遍性挑戰。此外，史詩英雄的普遍性卽是神的普遍力量，這個普遍力量是要透過英雄人物的個體行動才能施展祂的威力，黑格爾在《精神現象學》中對神和人之間的關係有一段精彩又深入的辯證分析，他說：「各種普遍的力量採取個體性（個人）的形式，從而這些力量就具有行動的原則；因此當它們要完成任何事情的時候，它們似乎像一般人一樣，完全由它們自己去做，而是自由地做出來的。因此神靈和人們所作的乃是同樣的事情。那些神聖的力量像煞有介事地進行活動的嚴肅態度，實際上是可笑而無必要的，因爲事實上神聖的力量是行動著的個人的推動力量。而個人的緊張和勞作也同樣是無用的努力，因爲神聖的力量在支配主宰一切。——那些過分緊張努力的、注定要死的凡人，雖說算不得什麼東西，但同時都是堅強有力的自我，能够制服那普遍的本質、冒犯那些神靈，並且使得神靈好像具有現實性並有所作爲。正與此相反，那些沒有力量的普遍性、神靈，要依賴人們的獻禮來養活自己，並且要通過人們才有事可做。」（註一八）後來在《美學》中，黑格爾也指出：「原始悲劇的眞正題旨是神性的東西，這裏指的不是單純宗教意識中那種神性的東西，而是在塵世間個別人物行動上體現出來的那種神性的東西。」（註一九）

在史詩和悲劇中，諸神和英雄人物顯現了以下的特質：第一，他們都表現了希臘文化中的普遍成分。在悲劇方面，往往是個體性與個體性（其實是代表了普遍性）之間的鬬爭；而史詩却較鬆散地表現了個體性和普遍性之間的戰鬬，在透過對立雙方的鬬爭之後，雙方都屈服於所謂命運的安排，也就是人和神都服從的這個必然性，這個必然性也就是宙斯或永恒的正義。第二，在史詩中，這個普遍性即是倫理的實體大地，而個體性是史詩英雄。黑格爾說：「這個倫理實體的安靜大地乃是一座墳墓，而史詩式的英雄人物對它的破壞，正是一種掘墓行動。這墳墓由於活生生的掘墓人物的犧牲和破壞行動而灑上了鮮血，從而有了生氣，喚醒著那業已死去的，而渴望著重獲生命的精靈，使他們在自我意識的行動裏獲得了生命。」（註二〇）史詩英雄以其抽象的普遍性向倫理實體（舊世界）戰鬬，因此不免遭受喪失自我的命運，然而安靜的實體大地也是一抽象的普遍性，由於英雄人物用其鮮血的灌漑，因此也重獲新生。史詩英雄就像革命烈士一樣拋頭顱、灑熱血，他對舊世界的破壞正是拯救了這個世界、重建了這個世界。第三，關於悲劇中的英雄人物在命運之下遭受苦難或毀滅，黑格爾說：「精神的實體只表現爲分裂成它的兩個極端的力量。這些基本的普遍的本質同時是一些有自我意識的個體性

——英雄，這些英雄把他們的意識投進這兩個力量中的一個，就在這個力量中找到他們的性格的規定性（或局限性）並且使得他們發揮作用和得到實現。」(註二一)黑格爾在《大邏輯》中曾借斯賓若莎(Spinoza)的話：「規定性就是否定性」。(註二二) 因此英雄人物不論在兩個力量中的任何一個力量，對自己做出規定時只是對自己做出了否定。這兩種不同的力量是由倫理實體中分裂出來的，黑格爾稱這兩個力量爲神的法則和人的法則。(註二三)宙斯在神話史中不僅是最高神，更重要的是，祂也是一個生殖神，如果去掉神話的含意成分，那麼宙斯就可以說是個自我分裂的實體。黑格爾在這裏是說，具體的普遍性(精神的實體)透過自我分裂，並且表現爲兩個抽象的普遍性(悲劇英雄)的對抗，但是由於這兩股力量都是片面性的限定，因此對自身就有了否定，因而喪失了整體的知見，悲劇之所以產生就是起於這種一偏之見而造成的自我毀滅。

黑格爾說：「意識(亦卽悲劇英雄)所聽從的只是它自己固有的知識，反而把那啓示出來的東西掩蔽住了。但是內容與意識這兩種互相反對力量的眞理性是這樣的結果：卽兩者都同樣是正當的；而在由行動所產生的它們的對立中，兩者都同樣是錯誤的。」(註二四)這種悲劇的產生之所以是一種必然性，是因爲悲劇英雄是永恒或普遍實體所分裂出來的一個角色，普遍實體透過這些角色的彼此鬪爭而彰顯出自己是最高、最有力的力量，這個普遍實體就是宙斯，悲劇英雄只是諸神所代表的抽象普遍性，所以他們必須在命運(永恒正義)下屈服，猶如諸神必須在宙斯(天道)下屈服一樣。黑格爾說：「悲劇裏所表現的自我意識，因而只知道並且只承認一個最高的力量——宙斯，而且只知道、只承認這個宙斯是支配國家或家庭的力量，而且從知識的對立上來看，自我意識只知道並且只承認這最高力量是正在形成中的知識，關於特殊的東西的知識之父，——而且同時它又承認這最高力量是宣誓和復仇所呼籲的宙斯，是普遍的東西或潛藏於內心中的東西的宙斯。」(註二五)

復仇女神正是宙斯對這種持片面性的普遍力量（悲劇英雄）所施的一種懲罰力量，她是宙斯所潛藏的另一面，隨時隨地都準備給悲劇英雄致命的一擊以作爲懲罰。黑格爾認爲，復仇女神所施予的懲罰並非來自外在的，而是出自悲劇英雄的自身行爲，黑格爾在這裏又做了精彩的辯證分析，從這方面說，英雄所遭受的災難或毁滅，可以說是咎由自取的，英雄人物由於他對知見的限定性即轉爲對自己的否定，因而打擊了英雄自身，因此英雄所蒙受的苦難和毁滅是來自他自己，黑格爾在此認爲悲劇英雄的「行爲自身就是一種轉化的過程，把它主觀知道的東西轉變成它的對方，轉化爲客觀的存在，把性格和知識上的正義轉化爲相反的客觀的正義，卽轉化到與倫理實體的本質相聯繫的正義，轉化成另外一個激動的、滿懷敵意的力量和性格——復仇女神。」(註二六)因此，復仇女神在宙斯方面而言，是宙斯懲罰任何抽象片面性的力量，而在悲劇英雄方面而言，却是他自身的自我否定力量。黑格爾認爲，神聖本質（宙斯）或者命運自身是「與自我意識（悲劇英雄）相反，這種必然性具有所出現的各個形態的否定力量的特性，在這個力量裏，這些形態不唯不能認識自己，反而在其中毁滅了自己。」(註二七)英雄毁滅了；抽象的片面性就消失了，代表永恒正義的天道和宙斯勝利了，希臘悲劇就誕生了。

三、論悲劇中的倫理實體性

由以上對希臘悲劇中普遍性和個體性，以及諸神和英雄之間關係的闡述，我們可以知道，在《精神現象學》中，黑格爾將希臘的藝術和宗教一併處理是有其理由的，第一，此二者是透過自我意識的異化和對象化而獲取了共同的根源，第二，普遍性和個體性之間的辯證和過渡，使得諸神和英雄也取得同等的地位，亦即同樣具有抽象的普遍性，在《精神現象學》中的「藝術宗教」這種關係是很明顯的。我們知道個體性是指一個具體的角色，如諸神、英雄，祂(他)們同時也代表一抽象普遍性的具體化。普遍性在英雄的行動中顯出來，他的一舉一動都對另一普遍性——倫理實體——(也可說是抽象的普遍性)造成衝擊，這個倫理的實體是個安靜的大地、穩定的世界，現在英雄人物却驚擾了它、搖晃了它，更且破壞了它。

黑格爾這裏所說的倫理比一般所說的倫理有著更廣泛的含意，所謂倫理實體性的力量「首先是夫妻、父母、兒女、兄弟姊妹之間的親屬愛；其次是國家政治生活，公民的愛國心，以及統治者的意志；第三是宗教生活。」(註二八)這些倫理實體性是「形成悲劇動作情節的眞正內容意蘊，即決定悲劇人物去追求什麼目的的出發點。」(註二九)倫理實體是推動悲劇發展的力量，因此英雄人物對它的破壞就必然引發悲劇，英雄人物在倫理實體中仍不免要陷入他所採取的片面之見中，而與另一端發生衝突，因此整個倫理大地就騷動起來了，而原先在奧林匹亞山上享受寧靜清福的諸神，也受到激盪而對立起來，挑起了諸神間的戰爭，由於人間對立的兩股力量都彼此相當（都具普遍性），因此，彼此之間都造成了傷害，但是天上的諸神却「只是一個偶然的，虛假的耀武揚威，這種虛假的威武誇耀也隨卽化爲烏有，而且行爲上僞裝的嚴肅性立卽轉化爲毫無危險的、自身確信的遊戲。」（註三〇）但是在人間的悲劇英雄却遭受大災難似的傷害，這種由寧靜大地的統一體轉化成戰鬪的倫理實體，其實其內部是含有各種對立和矛盾的，悲劇英雄只是以其個體的普遍力量擅擊它，揭示出這種內部的不安，並使其具體化，故這種衝突的揭示是必然的，悲劇英雄之所以偉大就是他敢於面對這種必然性，並勇於接受這個命運。黑格爾說：「倫理性的實體是由各種不同的關係和力量所形成的整體，而這些不同的關係和力量還只是處於寂然不動的狀態，作爲有福的神們，在享受平靜生活中完成精神的工作。但是另一方面，也正是這種整體概念本身要求這些不同的力量由抽象概念轉化爲具體現實和人世間的現象。由於這些因素的性質，個別人物在具體情況下所理解的各有不同。這就必然要導致對立和衝突。」（註三一）

這種對立、衝突隨著悲劇英雄的毁滅，倫理實體大地中的各種普遍力量又達到平衡，因此大地又趨平靜，這彷彿是因風起波，現在風停波又止，天上的諸神的戰鬪遊戲也暫告終止，祂們又再度屈服在宙斯的力量之下，都從戰場上退出返回自己的住所休息，奧林匹亞山又復歸寧靜。這種對立、衝突的解消，黑格爾稱之爲「永恒正義的勝利」，我們也可以說是宙斯或天道的勝利，這整個過程就是一種必然性，就是命運，命運就是倫理實體的統一再度恢復。黑格爾說：「這就是說，通過這種衝突，永恆的正義利用悲劇的人物，及其目的來顯示出他們的個別特殊性（片面性）破壞了倫理的實體和統一的平靜狀態；隨著這種個別特殊性的毀滅，永恆正義就把倫理的實體恢復過來了。」（註三二）

在引言中，我們曾提到亞里斯多德對悲劇下的定義，其中「恐懼」、「憐憫」、「淨化」這幾個概念，我們擬放在倫理實體的普遍性下來討論，其中涉及到合唱隊的功能和表現，對於合唱隊我們將對黑格爾做進一步的發揮。關於恐懼，黑格爾說：「人應該感到恐懼的並不是外界的威力及其壓迫，而是倫理的力量，這是人自己的自由理性中的一種規定，同時也是永恆的、顛撲不破的眞理，如果人要違反它那就無異於違反他自己。」（註三三）關於憐憫，他說：「憐憫，就是對受災禍者所持的倫理理由的同情，也就是對他所必然顯現的那種正面有實體性的因素的同情。」（註三四）關於淨化，黑格爾認爲卽是調節（和解），也就是永恆正義（宙斯）對抽象普遍性（片面性）所給予的合理處置，使這個片面性消失了，悲劇中的人物也因此能坦然接受命運，簡言之，淨化就是衝突的調解，是永恆正義或命運的勝利。黑格爾說：「因此在單純的恐懼和悲劇的同情〔憐憫〕之上還有調解的感覺。這是悲劇通過揭示永恆正義所引起的，永恆正義憑它的絕對威力，對那些各執一端的目的，和情欲的片面理由採取了斷然的處置，因爲它不容許按照概念原是統一的那些倫理力量之間的衝突和矛盾在眞正的實在界中得到實現。」（註三五）

悲劇中的合唱隊可能源自打扮成半人半羊的人民，後來有些戲劇化，合唱隊又稱爲羊人劇（Satyr-play），偉大的悲劇作家愛斯吉勒斯（Aeschylus）將山羊合唱隊改成由人組成的合唱隊，在羊人劇時已經增加了一位演員，愛斯吉勒斯時增加爲二位，到索福克利斯（Sophocles）時更增加爲三位，因此對話性大增，合唱隊則漸淪爲陪襯，合唱隊和演員都戴面具，一人可以演多種角色。由於演員的重要性大增，合唱隊則淪爲背景，當合唱隊地位消失時，希臘悲劇就走上衰亡的道路了。由此可見合唱隊並不是悲劇可有可無的附帶品，而是構成悲劇的重要一環，合唱隊是代表人民的普遍心聲，它是一種普遍的實體性。黑格爾說：「合唱隊的這種表現方式是抒情的，因爲他們既不發出動作，又不像史詩敍述事蹟，但是他們同時在內容上也還保持史詩的一種性質，卽實體的普遍性，所以他們的抒情方式不同於眞正的頌歌而往往較近似凱歌和酒神讚歌。合唱隊在希臘悲劇中這樣的地位是應該特別強調的。就像劇場本身有它的外在場所、布景和環境一樣，合唱隊實際上就是人民。」（註三六）「合唱隊的任務就是對悲劇整體進行冷靜的玩索」（註三七）「合唱隊所代表的就是帶有倫理性的英雄們的生活和動作中的眞正實體性。」（註三八）黑格爾在這裏顯然把合唱隊、人民、酒神讚歌、實體的普遍性結合起來考查，但是，由於合唱隊在悲劇中已淪爲背景地位，所以他們不能像劇中的角色表現出雄渾的氣魄，對英雄人物的壯烈行爲只能表現出唉聲嘆氣，時而震驚，時而恐懼，時而憐憫的消極行爲。黑格爾認爲合唱隊雖然代表人民的普遍性，但是這種普遍性却是缺乏否定力量的軟弱表現。黑格爾說：「普通人民卽以此軟弱無力的合唱隊爲其代表」「缺乏否定的力量，普遍人民就不能够把神聖生活的豐富性和多樣性的內容保持住並聯結起來。」（註三九）由於合唱隊的這種抽象性格，普通人民在世界精神的前進之中，只能擔當一種無能和無力的角色，他們非但不能像悲劇英雄一樣向堅固的倫理實體挑戰，反而把自己所有的懦弱在英雄人物的偉大行動中暴露出來。黑格爾說：「由於對那些作爲實體的直接助手之較高力量的恐懼，對這些力量間相互鬪爭的恐懼，以及對必然性的簡單自我（這必然性的簡單自我不僅摧毀那些與較高力量結合著的活生生的人，而且也摧毀那些較高力量本身）的恐懼；又由於對這些活生生的人（因爲同時知道他們也是同自己一樣是人）的同情，所以，就普通人民來說，面對著這種過程，所感到的就只能首先是目瞪口呆的震驚，然後是無可奈何的憐憫，最後是空虛的平靜，卽聽命於〔命運〕必然性擺佈的平靜。」(註四〇)

從悲劇的劇場表演形式來看，合唱隊是演出的一部分，然而他們卻又是代表普通人民，而臺下的觀衆就是人民，觀衆可以在臺上的合唱隊上看到自己的行爲，希臘悲劇的這種安排是很高超的，也是很深刻的。觀衆（卽人民）在臺下觀看悲劇英雄和合唱隊（人民自己）的表演，觀衆透過合唱隊使自己成爲既是表演者又是觀看者，既是悲劇的投入者又是疏離者，據說希臘悲劇是全民參與的，而且合唱隊和觀衆的角色並非固定不變的，觀衆之中有許多人曾經參加過合唱隊，所以觀衆的欣賞能力很敏銳，(註四一)這種臺上臺下全民打成一片的戲劇是融合了投入劇場和疏離劇場效果的整體性。因此，合唱隊雖然不必像英雄人物一樣突出，但卻也是悲劇表現中的重要一環，合唱隊把人民和英雄人物連結起來了。此外，我們也可以從這個角度來重新理解（或詮釋）亞里斯多德對悲劇所下的定義。「憐憫」、「恐懼」、「淨化」可以用來指涉合唱隊和觀衆（他們都代表人民），觀衆透過自己的代表——合唱隊——看到自己的一舉一動。如果從觀衆觀看的側面而言，我們可以說希臘民族是個很理論

（靜觀）的民族，這彷彿是尼采所謂的造形藝術精神（阿波羅）；但是若從臺上人民的參與者的合唱隊側面而言，希臘民族却也是個很實踐（動感）的民族，這又彷彿是尼采所謂的音樂藝術精神（狄俄尼索斯）。實則從全體而言，希臘民族是兼具這兩個側面的，希臘悲劇結合這兩個側面透過表演而顯現出這個具體性。合唱隊正是代表人民自己的普遍心聲，並且做爲人民自己觀看自己的對象，因此，悲劇中合唱隊的消失表示這種普遍性的喪失，倫理的實體性也就徹底解體，代表諸神沒落的黃昏來臨了，而希臘悲劇就註定要走上衰亡的道路。

四、悲劇語言的特質

藝術語言的發展是和藝術形式的發展有密切的關係，在《精神現象學》中，黑格爾在論宗教的章節中考查藝術發展的同時，也對語言在藝術形式中的使用做了一些陳述，其中可以顯示出藝術語言是和宗教的發展不可分的。

黑格爾認爲悲劇語言已經取得概念的形式，換言之，悲劇語言的語言性和前此的語言，如音樂似的聲響（如果可以算是語言的話）、雙關語、讚美歌、神諭、史詩（在《精神現象學》中黑格爾沒討論抒情詩）等比較，悲劇語言是語言中的語言，也就是精神在語言中得到徹底形式的語言，黑格爾稱之「不復是「史詩式的」敍說故事，這由於它已進入了內容，正如悲劇的內容不復是一種想像的東西了。」（註四二）黑格爾所謂的內容就是指概念，也就是達到具體共相的程度，所以能夠集中、精緻地傳達精神的普遍性，而不再像前面幾種語言的抽象、曖昧、渙散。亦卽，就語言的特質而論，語言藝術與其他藝術（如雕刻、繪畫、音樂等）是有根本的差異；而就語言本身而論，它自己也要取得自己最完美的藝術形式，因此它就必須歷經一個發展的過程，亦卽藝術語言本身也是從抽象發展到具體。黑格爾在《精神現象學》中雖然賦予工匠爲前藝術家的地位，但是他的作品（金字塔、方尖石柱等）離眞正的藝術品仍然很遙遠，其中主要的因素是，這類作品缺乏語言。黑格爾說：「這種作品還缺乏在它自身內表達出它自身——卽包含著一種內在意義——的東西；這就是說，它缺乏語言，而語言是足以表達它本身所包含的意義的一種因素。」（註四三）在西方思想中，語言的地位是極爲重要的，語言和自我意識（人）的關係可以視爲一體的兩面，喪失了一面卽喪失了另一面，這種關係也表現在藝術的發展上。

就語言藝術和非語言藝術而言，前者是較能表達自我意識本身，黑格爾認爲：「語言是一種特定存在、一種具有直接自我意識的實際存在，正如個別的自我意識只是存在語言裏面，同樣它也直接是一種普遍性的感染。〔在語言裏〕自爲存在的完全特殊化，同時卽是衆多自我的流通性和普遍傳達的統一性；語言就是作爲靈魂而存在的靈魂。所以，以語言作爲表達神的形態的媒介就是自身具有生命的藝術品。」（註四四）自我意識在表現自己的過程中，只有在使用語言時才算是充分表現自己、認識自己。語言的藝術品卽是有生命的藝術品，因爲它比非語言的藝術品更能展現概念的普遍性，這種普遍性是內在於自我意識中的生命。

黑格爾認爲藝術語言的發展過程是這樣的：最初是一種非語言的聲響，這種聲響就像音樂一樣，但是又不是純粹的音樂，黑格爾稱之爲：「它所表示的只是一種外在的自我，而不是內心的自我。」(註四五)這是說，這種聲響完全和自我意識相外在的，完全是偶然的。接著語言就發展成一種曖昧不明的、帶有雙關語的語言，「這種意思雙關的、自身帶有神謎性的本質：有意識的一面與無意識的一面相掙扎、簡單的內在本質與多種形態外在表現相伴隨、思想的暗昧性與表現的明晰性相並行，所有這些情況都迸發在一種深刻的、難於理解的智慧之語言裏。」(註四六)這種難於理解的語言是指埃及的獅身人面像(Sphinx)，也就是自我意識(人)仍然陷於自然對象物之中而混合在一起，而無法分辨出來。以上這兩種語言都不能算是眞正的語言，第一次取得語言地位的是讚美歌，黑格爾說：「自我意識在它的本質變爲客觀對象的過程中，正是直接地和自身相同一。當自我意識在它的本質裏和自身相同一時，它就是純思維或默禱，它的內在性同時便在讚美歌裏面有其具體表現。讚美歌內保持著自我意識的個別性，而同時這種個別性又在那裏作爲普遍的東西被感知。」(註四七)讚美歌中對語言的使用表面上是讚美神，實質上是自我意識進一步的發展，語言形式的表現使人脫離純粹表象而進入普遍概念的領域。語言的這種普遍性達到了自我流通性和普遍傳達的統一性，這種特性語言進入心靈之內而將心靈的普遍心聲表達出來。黑格爾稱讚美歌具有普遍性的感染，這主要指讚美歌的普遍性本質能夠在羣衆之中很快地獲得共鳴。由於羣衆對神的默禱和讚美，因此就有另一種語言與之對立，這種語言是神的最初語言，黑格爾認爲神諭是代表倫理的民族精神，亦即它將倫理民族的普遍性說了出來，黑格爾說：「在藝術宗教裏，因爲神的形象曾經採取了意識的形式，從而亦即採取了一般的個體性的形式，那代表倫理的民族精神之神所特有的語言就是神諭，神諭知道這民族的特殊事件，並且宣示出對這些事件有用的話。」（註四八）

語言的節節發展，不斷地取得它自己的具體存在，語言的這種具體化實際上是精神的具體化表現，精神在發展中不斷地取得適合它自己的表達形式，所謂《精神現象學》就是精神自己歷經一連串的分裂而又回歸自己的具體化過程，而精神的這個過程是要表現在各種歷史的具體事實上（如宗教、藝術等），自然也要表現在語言上。黑格爾認爲讚美歌已經是較爲明晰而確定的語言，而由讚美歌和神諭的語言藝術就進一步發展到史詩的語言，黑格爾認爲這種語言「既不是其內容極其偶然和個別的神諭式的語言，也不是出於情感的、只是歌頌個別神靈的讚歌那樣的語言，更不是那狂熱的酒神崇拜中內容模糊不清的語言，而乃是贏得了清楚的普遍的內容的語言；這種語言之所以有清楚的內容是因爲藝術家已經從前一種實體性的狂歡熱情裏超拔出來把自己創造成〔明晰的〕形象。」（註四九）這裏所指的藝術家是指史詩的吟唱者，他沉浸在自己民族的倫理宗教精神中，用言語把在精神中的普遍性敍說出來，黑格爾認爲史詩吟唱者本人是無足輕重的，他是透過英雄人物（作爲推論中項）將普遍性（諸神世界）表達出來。（註五〇）史詩英雄所面臨的是整個自然和倫理世界，這個世界和英雄的互動關係就由吟唱者用帶有表象的語言舖陳出來，雖然這種語言不具思想的普遍性，但是却具有以世界爲表象內容的普遍性。（註五一）

史詩的語言雖然已經表達了普遍性，然而它的語言仍然是鬆散的，而另有一種更高、更精密的語言能够表現語言藝術的具體普遍性，它就是悲劇。悲劇語言具有如下的特質：第一、悲劇語言把本質的、行動的世界中分裂了或分散了的環節更密切地結合起來。(註五二)史詩雖然表達了倫理世界的普遍性，但這種停留在對表象的描述僅能算是一種抽象的普遍性，英雄人物在這裏只是零散的，但是悲劇的語言對英雄的表達却是具有典型意義的——寓普遍於個體，它是精煉地、集中地把這些散落的抽象環節結合起來。第二、神聖的東西的實體按照概念的本性分化成它的各個形態，而這些形態的運動也同樣是依照概念進行的。(註五三)所謂神聖的東西的實體是指具體的普遍性(宙斯)。祂分化成悲劇中的各種抽象的普遍性(諸神或英雄人物)，這些普遍性(皆具個體性)的行動是依照概念的必然性——命運——進行，這種動作就是戲劇的情節本身，而這種情節應盡量集中在具體的衝突和爭鬭上。(註五四)而達到解決的那些目的一定要對人類具有普遍意義的旨趣。(註五五)而且在發展到結局的過程中要顯出絕對理性和眞理的實現。(註五六)這就是所謂的依照概念進行，而詩(悲劇)的語言在動作方面始終是起決定作用的統治力量。(註五七)第三，就形式來看，悲劇的語言不復是史詩式地敍說故事，而是由具有自我意識的人表演給具有自我意識的人觀看。(註五八)在這裏悲劇人物彷彿親自上臺現身，透過自己的語言和行動來顯示自己的命運。

黑格爾在這裏指出，悲劇語言是語言藝術和造形藝術的具體統一，希臘的雕像是一種偉大的靜止，黑格爾在論讚美歌時已經提到，讚美歌是流動的，它是時間藝術，而雕像是靜止的，它是空間藝術，此兩者是對立的，(註五九)而悲劇透過演員的言行把這兩種藝術結合在一起了。悲劇演員都戴有面具，面具是沒有表情變化的，故一個演員宛如一尊雕像，而且是會語言和行動的雕像，悲劇使面具（雕像）背後的東西有了具體的生命，黑格爾說：「具體體現在這些悲劇裏的英雄人物的乃是現實的人，這些人扮演悲劇英雄，正如人們的雙手塑造對雕像來說是主要的，同樣，演員對於他的假面具來說也是主要的，從藝術觀點看來，演員並不是一個可以抽掉的外在的條件；或者說，如果演員的作用可以從藝術中抽掉的話，那麼我們可以說，這藝術還沒有在它裏面包含著眞正的固有的自我或主體。」(註六〇)黑格爾後來在《美學》中談戲劇時就很强調演員的造形性格，他把演員視爲一尊一尊的雕像，(註六一)這些可以說都根植於希臘倫理宗教世界的普遍性，悲劇演員在外表上是一尊神像（戴有面具），而其動作和語言却是集中在這個個體性的命運上。

五、結　語

一般討論黑格爾的悲劇理論往往只取材自《美學》一書，但是此書只是學生的筆記（有些可能不是黑格爾自己的觀點），因此本文在闡述希臘悲劇思想時，就先從他親自出版的《精神現象學》取材，此書出版於一八〇七年，距離黑格爾第一次講授美學課程（一八一七年）相距有十年，與最後一次講授美學課程（一八二九年）則相距二十二年之久，在這一、二十年中，相信黑格爾的美學思想應有所進步和轉變，因此《美學》也是值得參考的，更何況此書在藝術材料的收集上超出《精神現象學》太多了，但是，在藝術辯證方面，《精神現象學》似乎比較周密、比較容易看出其中的辯證成分和線索，而《美學》在這方面則較爲鬆散。

本文旨在陳述和分析希臘悲劇中的一些辯證要素（如普遍性、個體性、諸神、英雄、命運、倫理實體等）。在陳述時是將希臘悲劇放在《精神現象學》的藝術宗教的脈絡中來理解，也就是不脫離整個宗教的辯證運動過程。因此，對於悲劇的戲劇效果和技巧、悲劇的類型、以及悲劇的具體情節和內容等都沒有涉及。我們相信，辯證法是悲劇中最重要的、最具深度的主題，因此把悲劇中的辯證結構揭示出來是本文最主要的目的。辯證結構是悲劇的內在生命，不了解它就無法深刻體會悲劇的眞正精神。

希臘悲劇在今日雖然無法復活，但是希臘悲劇仍然會打動我們的心靈，而眞正感動我們的的確不是那些個別的英雄人物，而是他們所代表的普遍性，以及他們擇善固執的高尚心靈，而這些却被認爲是英雄們的片面之見，所以他們要受復仇女神的懲罰，因此儘管他們是兩股善的力量，最後也要在對立和衝突中毀滅。老子說：「天道無親，常與善人。」而悲劇中古希臘的天道（宙斯）不唯不助善人，反而令其毀滅，彷佛置之死地而後快，中西古代的天道觀的差異竟如此之大，此誠令人感嘆。

【附　註】

註一　亞里斯多德，《詩學》，繆靈珠譯，《繆靈珠美學譯文集》第一册，頁一〇，北京中國人民大學出版社，一九八七。

註　二　《美學講演錄》（以下簡稱《美學》）是黑格爾的學生 Hotho，將黑格爾五次講授的美學整理後所出的書，而非黑格爾在世時親寫的著作。中譯本共四冊，朱光潛譯，臺北里仁書局翻印，本文僅引用第四冊，民國七十二年出版。

註　三　朱光潛，《悲劇心理學》，收集在《朱光潛全集》第二卷，頁三二八，安徽教育出版社，一九八七。

註　四　同前，頁三二九。

註　五　William Young, Hegel's Dialectical Method, The Craig Press, 1972, P. 43.

註　六　ibid., P. 25.

註　七　《精神現象學》，賀自昭譯，上下二冊，新竹仰哲出版社翻印，民國七十一年。

註　八　《美學》，頁三一七。

註　九　《小邏輯》，頁二四八，新竹仰哲出版社翻印，民國七〇年。

註一〇　《精神現象學》上冊，頁一五四。

註一一　同上。

註一二　同上，頁一六〇。

註一三　《精神現象學》下冊，頁一九九。

註一四　同上，頁二〇三。

註一五　同上，頁二〇六。

註一六　同上。

註一七　同上，頁二一三。

註一八　同上，頁二三九～二四〇。

註一九　《美學》第四冊，頁二九四。

註二〇　《精神現象學》下冊，頁二三九。

註二一　同上，頁二四四。

註二二　《大邏輯》，德文本下冊，頁一二一。

註二三　《精神現象學》下冊，頁二四四。

註二四　同上，頁二四八。

註二五　同上，頁二四九。

註二六　同上，頁二四六。

註二七　同上，頁二四九。

註二八　《美學》第四冊，頁二九三。

註二九　同上。

註三〇　《精神現象學》下冊，頁二四〇～二四一。

註三一　《美學》第四冊，頁二九五。

註三二　同上，頁二九六。

註三三　同上，頁二九七。

註三四　同上。

註三五　同上，頁二九八。

註三六　同上，頁三一一。

註三七　同上，頁三一〇。

註三八　同上，頁三一一。

註三九　《精神現象學》下册，頁二四三。

註四〇　同上，頁二四三～二四四。

註四一　王錫苣〈希臘悲劇概說〉收於葉泰北主編之《希臘的悲劇—伊狄帕斯王及其他》頁一七三，香港九龍第六共同藝術協進社出版，民國七十一年。

註四二　同上，頁二四二。

註四三　同上，頁二一五。

註四四　同上，頁二三四

註四五　同上，頁二一五。

註四六　同上，頁二一六。

註四七　同上，頁二三四。

註四八　同上，頁二三六。

註四九　同上，頁二三六。

註五〇　同上，頁二三八。
註五一　同上。
註五二　同上，頁二四二。
註五三　同上。
註五四　《美學》第四冊，頁二七六。
註五五　同上，頁二七三。
註五六　同上，頁二七七。
註五七　同上，頁二八〇。
註五八　《精神現象學》下冊，頁二四二。
註五九　同上，頁二二七。
註六〇　同上，頁二四二～二四三。
註六一　《美學》第四冊，頁二九四。

論象徵主義的美學特徵*

王念恩

「象徵主義」是個難纏的詞，法國象徵派鉅子梵樂希（P. VAléry, 1871-1945）早就說過：「象徵（symbol）這個蹩腳的詞，你要它有什麼意思。它就有什麼意思。如果有誰想把自己的願望托付給象徵這個詞，它准能滿足願望。」他又說，「象徵主義（symbolisme），對於許多人早已成了不可解的謎。這個詞似乎是專門造出來折磨人的。」（註一）雷內・韋勒克對象徵主義的含義進行了一番歷史的分析，認爲可用四個同心圓歸納出這個詞的使用範圍。中心的第一個圓，指活躍於十九世紀八、九十年代法國的一個詩羣，他們於一八八六年稱自己爲象徵主義派。這是該詞最狹隘的意思。其次，指法詩壇從波德萊爾（C. Baudelaire, 1821-67）到梵樂希較爲寬泛的詩歌運動。更外面的一個圓指一八八五年到一九一四年間發源於法國而蓬勃於整個歐美的一個國際文學運動。最外面的一個圓代表一切文學、一切時代使用象徵手法的象徵主義。（註二）

雖然象徵主義這個詞最早由十九世紀末一對撮法國詩人鬧出名，專門用在這批人身上，正如波瓦拉（C. M. Bowra）指出的，卻並不十分安切。（註三）法列（W. Fowlie）更對是否有過象徵派存在表示懷疑。（註四）

第二個範圍也規定得未必妥當。波德萊爾雖然給後來的象徵主義者馬拉美等以巨大影響，本人卻是浪漫主義詩人。如果把他算作象徵主義運動成員，與他同時期的許多浪漫主義詩人自應包括在內。何況象徵主義的許多思想並非在法國本土自產，而是由德國、英國和美國傳入。把象徵主義局限於法國，顯然失之片面。

第三種規定把象徵主義看作一個短時期的國際文學運動，固然可以說明世界文學在象徵主義旗號下的一個歷史浪潮，但象徵主義實在源遠流長，決非區區二十五年的歷史能夠統包。

至於最後一種規定，又顯得過份空洞。象徵在文學中的運用，固然自古已然，但「自覺地運用象徵，是從十九世紀才日見其多的。」(註五) 運用象徵表達詩人的情感，深入研究象徵主義的理論，是浪漫主義詩人和思想家出現後才有的事。

以中國古老的「比興」說作參照，我認爲，與其把象徵主義看作個別國家或一些國家在較短歷史時期內進行的文學運動，不如把它看作在相當長的歷史時期內形成的一些文學傾向的總名。它集中反映了人們對文學創作和文學欣賞的一些重要看法。這樣的看法，比較明顯的是從浪漫主義開始的。「韋勒克和威爾遜 (E. Wilson) 均認爲象徵主義是浪漫主義復興的第二個階段。梭里 (G. Thurley) 認爲象徵主義的傾向是浪漫主義所固有的，而「浪漫主義詩歌的最重要的特徵恰恰就是用意象作象徵……」(註六)

因此，我們或許應該把象徵主義放在整個浪漫主義的大傳統裏進行考察。近代關於象徵主義理論的探討，正是由浪漫主義的思想巨人所推動的。韋勒克尚追究文學中象徵主義的歷史，他首推德國哲學家康德・歌德和謝林等人。

康德在哲學領域發動「哥白尼革命」，宣佈想像爲人類認知的兩大枝幹——理解與感覺的共同的「未知的根」。在《判斷力批判》（一七九〇年）中，康德首先把象徵稱爲一個「美學的觀念」，從而在美學的領域內賦予象徵較爲準確的意義：象徵是「通過類比的手段簡接地再現概念。」他並指出，「象徵的再現也是一種直覺的再現。」把象徵與直覺掛上了鉤。在同書第五十九節，他更具體地提出並闡明了「美就是道德的象徵」這一命題。他反對笛卡兒把心物打成兩截的二元論，認爲心智並非一塊白板，任外物塗抹其印象。心智是一種積極的力，它憑藉自己的形式，塑造我們對現實的概念。（註七）

歌德的象徵理論出於他泛神論的和反牛頓機械論的自然觀。他認爲上帝，或曰「太一」(the great One）與自然等同。人的心智要認識他，只有在瞬息中通過具體自然物或事的啓示。他說：「不要到現象的背面去尋找什麼，現象本身就是喻示。」（註八）這樣，在歌德看來，自然界的一切事物都可以是象徵，都可以啓示所謂的「太一」。歌德並認爲詩歌如同一切藝術，決不是簡單的模倣或反映，而是活生生的事物，它與啓示宇宙的自然物一樣，具有象徵的能力。同時，歌德還第一個通過與寓托（Allegory）的比較來闡明他的象徵理論。（註九）歌德說：

詩人是以一般的觀念開頭，然後去尋找適當的特殊，還是在特殊中看到一般，這裏面差別很

> 大。前者產生的是寓托，其中的特殊只充當一般的例證（卽「類型」）。相反，後者卻揭示了詩歌的眞的本質。它只道出了特殊，沒有專門去想或者去指一般，但由於在活生生的狀態中抓住了特殊，它連同也含蓄地抓住了一般。（註一〇）

在另一個場合，歌德把寓托比作夢和影，以區別於眞正的象徵主義。他說，「眞正的象徵主義出現在特殊代表一般的地方，不是象夢和影，而是對深不可測的奧秘活生生的片刻的啓示。」（註一一）歌德再三強調「活生生」(living) 這個詞，是因爲他反對十八世紀理性時代把世界看作一部大機器的觀點。他對世界的看法是有機的。他對象徵和寓托大分軒輊，也是從這個基本觀點出發的。歌德以特殊和一般的關係來描述象徵主義，並區別象徵與寓托，這在當時得到了席勒、許萊格爾兄弟等浪漫主義思想家的贊同。

深受德國思想家影響的英國大批評家柯勒律治 (S. T. Coleridge, 1772-1834) 全盤接受了這種「有機理論」(Or-ganic concept)。在一八一八年的莎士比亞講座中他說：

> 如果把某種預定的形式强加於現成的素材上，而不根據素材的性質決定形式，這種形式就是機械的——猶如將一團泥揑成我們所希望的形狀。而有機的形式則不然，它是內在的，是從內部發展成形的，其發展的圓足與其完美的外部形成渾然一體。生命如斯，形式亦如斯。（註一二）

這裏所說的「機械的」形式，指的是寓托；而「有機的」形式則指象徵。這種看法與歌德的意見相一致。柯勒律治並與歌德一樣，將寓托和象徵進行比較，並加以價值的判斷：

象徵最好通過與寓托的比較來界定。象徵總是它所代表的事物的一部分。「帆來了——（這是一艘船）是象徵的表達。我們在說到某位勇士時說，「看我們的雄獅！」這是寓托。就我們目前的題目來說，最要緊的是這一點：後者（寓托）必須有意識地講話，——而前者（象徵），很可能，在作者的心裏構成象徵時，一般的道理仍處於無意識狀態，它的顯示只是通過作者的心靈產生出來——猶如唐。吉訶德從塞萬提斯完全健全的心靈裏產生出來一般，而非通過外在的觀察或歷史地產生。象徵的作品比起寓托來，好處在於它沒有脫離感官，而只是簡單的（心靈的）支配。（註一三）

這裏，柯勃律治把象徵和寓托分別說成舉隅和比喻。這個象徵是在對船的感知中直接產生的。所以象徵是不經過思索的直觀，由心靈支配感官，直接感知到事物的理性秩序，不對物質世界的種種現象作邏輯推論。而寓托，則對事物進行邏輯的安排和歸類在先，然後再舉例加以說明。就這樣，柯勒律治在創作方式和美學效果的層面，對象徵和寓托進行了比較，並明確地作出判斷：象徵高於寓托，象徵的美學意義大於寓托。他因此說，「觀念，就其最高意義而言，唯有藉象徵才能表達。」（註一四）

比柯勒律治小二十多歲，同樣受到德國思想家深刻影響的卡利爾（T. Carlyle, 1795-1881），在其完成於一八三三年的奇書「補丁裁縫」（Sator Resartus）（註一五）中，專闢一章，討論了象徵的問題。

與歌德一樣，卡利爾認爲整個宇宙不過是上帝的一個象徵，甚至連人也不過是上帝的象徵。因此人碰來碰去的都是象徵，「他所做的一切都具有象徵性；都是神秘的神賦予他的力量的感性顯示。」象徵「不是他蓋的草屋而是思想的可感知的體現；帶着無形事物的有形的印記。就其超驗的意義來講，它既不象徵性的，又是眞實的。」(註一六)「人正是在象徵裏，或通過象徵，有意識無意識地生活，作工，存在着：過去的時代，以最能認識象徵的價值，並最珍貴象徵者，最爲輝煌。」(頁一七七)

在卡利爾看來，象徵是種種矛盾對立因素的結合。首先，它是隱瞞和表露的結合。它既隱瞞、掩蓋思想，卻又表露、顯示思想。其次，象徵是言語和靜默的結合。卡利爾說，「瑞士諺云，言語是銀，靜默是金；或者依我說，言語是時間的，靜默是永恒的。」「靜默是偉大事物構成之要素。」(頁一七四)象徵既是在瞬間中得到之感受，卻又包孕着永恒的含義。就其所顯示的而言，它是時間的；就其所蘊含的而言，它是永恒的。所以，象徵又是有限和無限的結合。它是有限的，可捫及、可感知的，卻又是無形的，幽秘的。(頁一七五)

卡利爾又指出，象徵具有兩種不同的價值或意義，外在的和內在的。就其外在的意義來說，它是一定的，有限的。譬如一個人的服飾象徵着他的身份，服飾就是一個有外在意義的象徵。就其內在的意義而言，象徵是通過感覺體現神靈，通過時間體現永恒。眞正的藝術都具有這樣的特點。「當藝術家或者詩人上升到先知時，象徵就達到了最高的水準。」卡利爾認爲最高的象徵是宗教象徵。「一些象徵只具有瞬息卽逝的內在價值，還有許多只有外在的價值。」(頁一七八)「具有持久性、無限性的象徵要求不斷地進行新的探究、新的啓示。」「我們把詩人，把具有靈感的創造者稱爲首領，稱爲世界的教主。他能夠創作新的象徵，像普魯米修斯，從太上盜來新的火種並使之永遠燃燒。」不僅如此，這樣的詩人還「居然知道一個象徵什麼時候變得衰老，並把它輕輕拿掉。」（頁一七九）

常與卡利爾通訊切磋，並深受柯勒律治和德國思想家影響的，是美國批評家愛默生（R. W. Emerson, 1803-82）。他是最早提出「文學就是象徵的形式」這一概念的批評家之一。（註一七）

愛默生把科學家研究的自然變成精神的象徵。他說，「宇宙是靈魂的外化。」（註一八）「事物可以用來作象徵，因爲自然就是象徵，不論就其整體來說，還是就其部份來說都如此。我們在沙子上劃出的每一條線都能達意，無一物不具精神和風情。」（頁三七八）一件事物無論如何卑微，都可以用作偉大的象徵，「其揭示規律所取用的類別愈下，就愈有感發力，留在人們的記憶中愈長久。……」「最貧乏的經歷也足以滿足任何表達思想的目的。」（頁三八〇）

因此，尋找象徵不必老盯住稀奇的事物。所謂日月常見，終古常新。「日、夜、房舍園林、幾本書、幾個動作、各行各業、各種景象，都可以爲我所用。」原有的象徵也可以再用，它們的「含義遠未用盡。」「詩不必長，每一個詞都曾經是一首詩，每一種新的關係都是一個新詞。」（頁三八一）

使用象徵的人，也不必局限於詩人和哲學家。「我們都是象徵，並寓於象徵；工人、作工、工具、話語和事物，生與死，統統都是象徵。」常人與詩人也有所不同，常人不會創造性地運用象徵。「我們了解象徵，但由於熱衷於簡單地使用事物，我們卻不知道它們還是思想。而詩人，由於具備較爲深刻的理性感知，能賦予事物一種力，使其老舊的用法忘卻，使每一個不會說話不會動彈的死物會看會說。他能察覺到獨立於象徵的思想，思想的穩定，以及象徵的偶然性和短暫性。林咯斯（Lync-aeus）的眼力據說能穿透地球，詩人能把世界變成玻璃，向我們展示一切正常運行着的事物。因爲他有較好的洞察力，他站得離事物更近一步，並看到其流動和轉化。他領悟到思想是可以多形式的，在每一事物的形式中都存在着一種力，不斷鼓動它登上更高的形式。跟着眼睛而來的是生命，他用形式來表現這生命。於是他的語言便如自然本身的流動一樣流動。動物界的一切，性、食物、妊娠、生殖、生長都是世界上進入人的靈魂的通道的象徵，在那裏經歷一次轉變，便以新的更高的狀態再現。」愛默生認爲這是眞正的科學。只有詩人才懂那些天文學、化學、植物學、動物學；因爲「他並不滿足於事實，而把事實用作符號。」總之，天下的萬事萬物，在詩人的眼裏，不僅是客觀存在的事實，而且是形式，是符號。通過這形式和符號，詩人可以審察這變動不居的世界，可以表現自己的思想和生命。這些形式，這些象徵的符號，自身也在不斷的變化之中，不斷地向更高的形態轉化。外物、思想、情感、語言統統融合在一起，「他每說一個字，就駕馭着他們（萬物）就像駕馭着思想的駿馬。」（頁三八一—二）象徵的意義既然是流變的，詩人就不應固守於一種意義，而應「使用同樣的事物來闡發他的新思想。」與卡利爾不同，愛默生並不認爲最高的象徵是神的象徵。他認爲詩人與神秘主義者的分歧在於「後者把象徵釘死在一種意義上。這種意義在某一時刻確曾是眞正的意義，但很快就衰老而不眞實了。」他宣告，「所有的象徵都是流變的；所有的語言都是運載的、傳動的，猶如渡船和馬匹，適於載運，而不是像農莊和屋宇那樣宜於建立家園。神秘主義的錯誤在於它把某種偶然

的、個別的象徵看作普遍的象徵。」(頁三八八－九)

愛默生的同時代人愛倫・坡 (E. A. Poe, 1809-49)，同樣受柯勒律治很大的影響。他的文學創作，無論詩歌或是小說，都已經向象徵主義發展。(註一九) 但愛倫・坡在文學批評上的興趣，並不是象徵或象徵主義，而是詩歌的一般理論，詩歌的美學特質。他的觀點極大地影響了法國象徵派，因此有必要作簡單的介紹。

坡的觀點主要見於他發表於一八四八年的論文「詩之原理」他認為「一首詩要當得起詩的名稱，只要看它能在多大程度上提升靈魂，給人以感發。」(註二〇) 從這一基本原理出發，愛倫・坡指出，詩不可能長，因為從心理上講，所有的感興都是短暫的，「詩作為詩的感興的程度不可能延續到做完一首長詩。」(頁三四六－七) 所以，「長詩」本身使是自相矛盾的說法。像彌爾頓的「失樂園」(Paradise Lost) 和荷馬的「伊利亞特」(Iliad) 這樣的長詩實際上都只是一系列短詩的聯綴，中間夾雜了許多非詩的成份。(頁三四七) 他強調抒情詩的精煉，同時也就要求抒情詩具有特殊的內容和形式。他認為詩不應該是說教的——他譏之為「說教的謬誤」。詩的內容既非真理 (truth)，亦非激情 (passion)，而是美 (beauty)「美是詩的唯一正業。」詩的形式應該是純功能性的。詩的目的就是詩。詩中必須摒棄一切教文性質的成份。(頁三五一) 詩應該給人以「趣味」(pleasure)，追求「興趣或者靈魂的興起，我們把這種狀態叫詩興 (poetic sentiment)。」(頁三五三)

要達到這個目的，詩應該向音樂看齊。「或許正是在音樂裡，在受着詩興的鼓舞時，靈魂最接近

於達到詩爲之奮鬪的偉大目標——超美的創造。」（頁三五二—三）

總起來說，愛倫・坡的詩歌理論是對抒情詩「當行本色」的探討，是追求詩的極至——純詩（pure poetry）的理論。它認爲詩的本份是美，而美是「靈魂的提升」。因此，詩要能感發人而不是對人進行說敎。它強調的是「趣」（taste）而非「智」（intellect）或道德（moral）。它要達到的是美、是興趣，這既與「理」（reason）相別，也與「情」（passion）不同。依坡的說法，詩歌裏當然也不完全排斥情、眞，甚至道德，但是它們都處於從屬的地位。（頁三五三）喚起詩的美的最好手段是不確定（indefiniteness）和簡接手法（indirection）韻律和節奏等音樂上的技巧也是有力的詩的技巧。愛倫・坡的理論實際上爲後起的法國象徵派建立了美學的典則。

首先發現愛倫・坡的美學理論的價值，並把他介紹給法國人的，是法國的浪漫主義詩人波德萊爾。波德萊爾全盤接受愛倫・坡的詩歌理倫，特別是坡關於「純詩」的理論。（註三一）由於他同時代的音樂家魏格納（R. Wagner, 1813-83）的影響，波德萊爾更進一步探討了詩的音樂性問題。但是，波德萊爾對於象徵主義的最大貢獻在於他提出了「對應理論」（Theory of Correspondence）。

波德爾萊與愛默生一樣，深受瑞典哲學斯維登堡（E. Swedenberg, 1688-1772）的影響。斯維登堡相信有兩個世界，一個是精神世界——他管它叫做耶路撒冷，另一個是自然世界。兩個世界同源於上帝，互爲因果。「耶路撒冷」存在着自然世界中一切事物的象徵對應物。波德萊爾接受了這一理論，認爲「一切事物，無論形式、運動、名數、色彩、香味，無論在精神界或自然界，都是充滿意義的，相互影響的，可逆的，相對應的。」（註二三）他用一首題為「對應」的十四行詩中，表達了這一思想：

Correspondences

La Nature est un temple oú de vivants piliers
Laissent parfois sortir de confuses paroles;
L'homme y passe à travers des forêts de symboles
Qui l'observent avec des regards familiers.

Comme de longs échos qui de loin se confondent
Dans une ténébreuse et profonde unité,
Vaste comme la nuit et comme la clarté
Les parfums, les couleurs et les sons se répondent.

Il est de parfums frais comme des chairs d'enfants,
Doux comme les hautbois, verts comme les prairies,
-Et d'autres, corrompus, riches et triomphants,

Ayant l'expansion des choses infinies,
Comme l'ambre, le muse le benjoin et l'encens,
Qui chantent les transports de l'esprit et des sens.

（自然是一座殿堂，從它活的柱子裏／不時發出含混的話語／有人走過這象徵的森林／它便以親暱的目光看着他∥像拉長的回聲在遠處滙合／成朦朧而深邃的整體／廣袤如夜亦如清光／香味、顏色和聲音彼此呼應。∥有香味清新如嬰兒的肌膚／甜如歐巴，綠如草茵／——還有的，是腐敗、是富貴、是勝利∥有無窮的事物充斥空間／如龍涎、如麝香、如安息、如天竺／歌着靈魂與感官的激情∥）

第一句裏的「活的柱子」，若與下文「象徵的森林」聯係起來看，很明顯指的是樹木。風吹過樹林，發出一陣亂響，引起詩人的奇想，以爲是自然物向人們發出的「含混的話語」。

浪漫主義的詩人也常常描寫自然，也常常把自然描寫得很美麗。但他們筆下的自然，卻總是被動的，是沉思冥想、趾高氣揚、自我脹膨的詩人任意馳騁的場地。然而，在波德萊爾的筆下，自然是主動的、活生生的原動力。這裏，主、客觀的作用似乎作了調換。「象徵的森林」，也就是「活的柱子」，向人發出會意的「親暱的目光」，而人卻似乎處在被動的位置。

象徵主義的一個基本思想是「萬物一也」。「一切活着，一切動着，一切彼此對應着，」（註二三）象徵派的一個先驅就這樣說過。既然萬物都是「太一」的一部份，在某種意義上萬物之間都互相對應。物質和精神可以相互對應：「感官的感覺並非僅僅是感覺，它能夠傳達思想和感情。所以，香味也會使人有『腐敗』『富貴』『勝利』的感覺。」「物也並非只是簡單的物，而且是藏在背後的理想形式的象徵。」（註二四）物與物之間，物質世界的各個部份之間，也可相互對應。因此，香味這屬於嗅覺的現象和屬於視覺的顏色以及聽覺的聲音都可以互相對應，像遙遠的回聲，滙合成「朦朧而深邃的整體」。這裏我們也可以約略體會到波德萊爾繼承愛倫·坡的衣缽，提倡詩向音樂看齊的苦心。音樂不就是用一種感覺代替一切感覺嗎？

這樣，到了波德萊爾，原來似乎是啞巴的自然物，突然一個個都張開了口，爭着訴說衷情。當然，這情仍不外是詩人之情。各種的感覺似乎發出七嘴八舌的聲音來，卻又能滙成一片深沉的回聲。各門感覺的打通，給詩人體會和表達各種精細的感受和情感，甚至思想，開闢了一條新的通路。這通路一打開，天地間的詩就在刹那間「摩登」起來了。

但是，波德萊爾的詩不算「摩登」，梵爾來（P. Verlaine, 1842-96）的詩也不夠「摩登」。眞正開始寫「摩登」詩的人，是馬拉梅（S. Mallarmé, 1842-98）。

自波德業爾開始，法國象徵主義就常被人指責爲神秘主義。神秘的傾向是有的，象徵主義者自己也直言不諱。但這種神秘卻多半是 occultism 而非 thesophy。用中國的習語來說，這神秘大概有兩層意思，一是妙不可言；二是曲盡其妙。「妙不可言」是指詩人對事物的體會，對生活的感受，對宇宙的思考在可言不可言、可解不可解之間。「曲盡其妙」是指對這些體會，感受和思想的表達或顯現，在若離若卽、冥漠恍惚之中。話不得不分兩句說，其實是一回事。分成兩句說，就顯得平凡；看作一回事，就覺得神秘。

「有人描述馬拉梅典型的詩歌創作，說他試圖提悚和純化一切物或事，使它們達到物或事的、柏拉圖式的理念。」他總有一股衝動，要去掉意外偶然的成份而歸結到本質。」（註二五）馬拉梅的詩作，尤其是早期的作品，傾向於所謂「超驗象徵主義」(symbolisme transcendental) 題材多爲理念、靜默、「虛無的無限」(l'anfini du néant) 等等精微而帶神秘的思想。

在表達這些思想時，他從不直接描寫存在於詩歌之外的現實，而是充分發揮語言的作用，憑空創造構築一個從未存在過的「現實」。而此種虛構的「現實」與所要表達的思想情感的關係，也不是直接的對應的關係，而是啓發與暗示的關係。他在一八九一年說過：

> 我以為事物應以影射的方式呈現。詩存在於（詩人）對事物的觀照中，存在於我們受事物的感發而產生的幻想所形成的意象。巴納辛 (Parnassians) 派把事物整個兒搬來，簡單地陳列。這樣一來，他們就缺乏神秘性。他們不能給我們的心靈以奇妙的歡欣，使我們相信我們正在創造着事物。

下面的話不能不用錢鍾書先生的妙譯：

> 詩之佳趣全在供人優柔玩索，苟指事物而直道其名，則風味減去太半。隱約示其機，魂夢斯縈。（註二六）

他強調的是暗示 (suggestion)、影射 (allusion) 和喚起 (évocation) 他的「暗示」和「喚起」與浪漫主義稍有區別。浪漫主義主張通過對客觀事物的描寫來暗示人的心境 (state of mind)，喚起人的情感 (emotions)。馬拉梅被人稱爲「最純粹的詩人」，受現實生活的感發而產生的情，與他的創作不相干，他起的情是一種「純粹的、超然的，專屬於審美欣賞的情感。」（註二七）他用一「花」字，並不指現實生活中的花，而是經過一番抽象，「任何花束中找不到的那種花」。這樣的好處是，一個詞不只是引起一種事物，通過想象的作用，它可能引起一千種不同的事物。

具體來講，暗示的運作又有兩個層面：一是不直說某物，而用一些能引起聯想，含義豐富的詞來暗指某事物或該事物的屬性。這要求詩人巧妙地運用詞彙，使其發揮最大程度的感發力，取得詞彙所積澱的氣氛效果；一是這些效果的取得，目的又在於暗示和啓發某種隱蔽的情感或玄妙的思想。例如，恰德維克指出，在馬拉梅的一首詩裏（La cheveleure vol d'une flamme à l'extrême）詩人窮極句法變換之能事，塞進了多得驚人的詞語，都引人聯想到光亮和溫暖——"flamme"（火焰）、"occident"（西方）、"diadème"（冠冕）、"couronne"（王冠）、"foyer"（火爐）、"or"（黃金）、"ignition"（點火）、"feu"（火）、"yoyau"（珠寶）、"astres"（星星）、"ofeux"（火）、"fulgurante"（燃燒）、"rubis"（紅寶石）、"écorche"（擦去、擦傷、燒灼）。他這樣大量使用能引起相近聯想的詞語，目的是通過對梅莉・勞倫火焰般美髮的視覺形象的啓廸，讓讀者得以再創造一種舒適感和幸福感。這種感覺是他在這位女郎陪伴時產生的。（註二八）在馬拉梅另一首詩（Ses purs ongles）的結末，詩人寫道：「（鏡子裏）頃刻出現了閃爍的七重奏」。他指的是大熊星座，但並未直說，僅以暗示出之。同時，通過這橫亘於天際的巨大星座，又浮起一個意指「無限」的象徵，留下了不盡的言外之意，眞是「篇終接混茫」了。（註二九）

馬拉梅晚年的入室弟子梵樂希早期也是象徵主義的活躍成員，後來離開詩壇二十年，潛心研究哲學、心理學和數學等學科，從事科學方法的探索。二十年後他重新拿起詩筆，已經「用過去時態談論象徵主義」了（註三〇）。他受馬拉梅的影響很大，並智過其師，在象徵主義理論上有多數建樹，正如愛略特所說，他是「法國象徵主義的『集大成』和『闡釋』。」（註三一）法列曾給象徵主義作過一個總結性的描述：

> （象徵派的）每個詩人發展了並代表着一種美學理論的某個方面。這一理想涉及甚廣，或許也難由一個歷史團體來統括，……不過，比起其它種種理論文章來，象徵主義者更贊同馬拉梅關於詩歌語言的論述。語辭的暗示性理論來自這樣的信念，卽每個人身上都存在着一種半已忘却、半仍活着的原始語言。這種語言與音樂和夢有着不尋常的關係。（註三二）

如果象徵主義詩人的作品都帶有這樣的語言特徵的話，這種特徵在梵樂希的作品裏表現得更爲突出。梵樂希那首稱爲「最晦澀的法語詩」（註三三）的「年輕的芭克」（La Veune Parque），就充滿了那種「是邪？非邪？」「夢乎？眞乎？」的語言。非但其意指不可確定，連詩中的說話人（speaker），似乎也游移不定：上句還好像是命運女神的話，下句又似乎轉入了詩人的自白。它所傳達的，更是介於夢與醒之間的一種精神狀態。鮮明的、帶有特殊含義的意象會突然融化列朦朧的、迷迷忽忽的背景裏去。有時候讀者會覺得似乎抓到了什麼重要含義，卻又會馬上被帶回半清醒的夢境中去。

然而他的語言卻是來自感覺世界——眞實的物質世界。比起馬拉梅，梵樂希後期的詩更向現實走近了許多。他在詩中融進了很多普通的經驗。在一首十四行詩（L'Abeille）中，他寫到一位婦女請求黃蜂去螫她。這一意象自然使人想到男女的私情。但透過這層意思，它又指創作過程中，詩人必須去接受感性世界的刺激，不然的話，就如「愛情會死亡或痲木」一樣，詩人的創造力會日趨枯竭。梵樂希的詩就這樣轉輾於可見可觸的感性世界和理的抽象之間。這兩個世界的沖實和糾葛也正是他創作的主題。而外在世界也總是影影綽綽在那裏作爲他內心理念的象徵。不過這一理念，在他詩裏，是與情感交融在一起了，而理念與情感又都深深地埋藏在外景之中（註三四）。

因此在梵樂希的詩裏，情感、理念和外在世界三者已經做到合而爲一，不像馬拉梅，要末外物與情感結合，成爲人情的象徵主義；要末物外與理念相結合，成爲超驗的象徵主義。

當象徵主義運動在法國詩壇蓬勃興起時，英國也有她自己的象徵主義運動，卽前拉斐爾派（The Pre-Raphaelite Poets）和爲藝術而藝術的唯美主義運動（The Aesthetie Movement）；也有她自己的理論家，卽佩特（W. Pater, 1839-94）和比德斯利（A. Beardsley, 1872-98）（註三五）。不過，象徵主義在英國的主要代表，正如西蒙斯所說，是愛爾蘭詩人葉芝（W. B. Yeats, 1865-1939）（註三六）。

由於語文能力的限制，葉芝的了解法國象徵主義主要通過其好友西蒙斯的翻譯和介紹（註三七）。他的詩作，基本上還是遵循英國詩人自布萊克、雪萊、羅塞蒂以來的傳統，與法國詩人的路數不同。

不過，他的詩風在上世紀末有一次很大的轉變。他的象徵主義的理論也大致是從馬拉梅等人那裏學來的。

葉芝認爲象徵是藝術的要素，「一切藝術，只要不單純是講故事或描述，都是象徵的。」藝術有着神奇的效用，像「那些象徵性的護符，中世紀的魔術師用複雜的色彩和形狀做成，叫病人對着天天沉思默想，並以神聖的秘密來衞護。因爲在它繁複的色彩和形狀中，纏繞着神靈的一部份。」（註三八）。正如波瓦拉指出的，葉芝把詩看作「交通存在於可見世界之外的神靈世界的工具。」（註三九）詩人本身也就成了媒體，負責解釋看不見的世界，而詩就是他受到啓示的記錄。

馬拉梅地象徵分成人情象徵和超驗象徵兩種。葉芝把這個觀點接過來，把象徵分爲情感的象徵和觀念的象徵。前者通過存有世界的色相刺激感發人的情感：

一切聲音、一切色彩、一切形狀，或是由於它們本身具有的能量，或是由於一長串的聯想，引起不可言狀却又準確無誤的情感，或者這樣說更好一點：它們在我們中間喚起某種游離的力，踏在我們心上，我們就稱之謂情感，而當聲音、色彩、和形狀結成音樂般的關係、相互間一種美的關係時，他們似乎就合成了一個音、一個色彩、一個形式，引起了這種由清晰的感發所造成的情感，一種情感。（註四〇）

這裏，葉芝似乎要告訴我們四點意見：一、象徵來自可聽可見可觸的實在世界；二、象徵的作用是喚起情感；三、象徵能喚起情感是依靠其聯想的啓發；四、象徵本象是一個和諧的美的整體。

另一種是智性的象徵，「單是引起觀念的象徵，或是觀念混雜情感的象徵。」葉芝說，

大多數事物不屬於這一類，就屬於那一類，要視我們表達和配搭的方式而定。與某種觀念聯系在一起的象徵，如果這種觀念不只是引發的情感投射在理智上的零星陰影，那就是寓托主義者或說教者的玩意兒，瞬息卽逝。如果我在一行普通的詩裏說「白」或「紫」，由於它們只是引起情感我就說不出它們為何打動我。但如果它們和十字架、刺冠這些明顯是智性的象徵放在同一句句子裏，我就會想到聖潔或太上的含意。再進一步說，由於暗示的作用而附著在「白」或「紫」上的無數意義，在情感上也在理智上，或者以可見的形象經過我的心靈，或者無形地進入華胥國中，把不可言喻的智慧的光和影投射在原先看來或許不會有什麼結果的地方和嘈雜的激情裏。（頁二〇）

話雖說得玄妙，意思卻是清楚的。葉芝既肯定象徵既因情感的引發而生，又不排斥觀念的作用。他認爲象徵可以代表觀念，可以在詩中扮演「對應」的角色。然而，這種觀念如果不只是情感在理智上的零星投影，那造成的只是沒有長久價值的寓托。他不贊成觀念的作用過大的象徵，而主張能喚起許多聯想，產生許多言義，像夢一般迷離惝恍的象徵。

葉芝的詩中常常借用愛爾蘭的神話和傳說中的材料，用其中的材料作爲象徵表達心境。他也常把當時發生的事件與很遙遠的傳說聯系起來，把詩人的愛情放在一個擺脫了時間的傳說世界裏描繪。他的詩，正如波瓦拉指出的，「根子在浪漫主義的傳統裡裏，但他改變了這種詩的整個目的，把它用來

象徵他自己和別人。」(註四一)

盡管愛略特聲稱自己在詩歌上是古典主義者，他受到象徵主義的影響是毋庸置疑的。跟葉芝一樣，他早期對法國象徵主義的了解，是通過西蒙斯的介紹：「如果不是他的詩，我在一九〇八年不會聽說拉福格（Laforgue）和蘭波特（Rimbaud）。或許我也不會去讀梵來爾（Verlaine）。如果不讀梵來爾，我當不知柯皮耶爾（Cobière）。如此，則西蒙斯的詩實在是影響我一生進程的一本書。」(註四二)

愛略特（T. S. Eliot, 1888-1965）在象徵主義理論上的最大貢獻，是他提出的「事物當對」的理論。愛略特寫道：

> 以藝術形式表達情感的唯一方式是尋找「事物當對」；換言之，卽以一整套事物、情景、一連串事件作為某種特定情感的公式。這樣做，當我們羅列了必定以感性經驗為終結的事實時，情感馬上就會被引發出來。(註四三)

愛略特認爲詩歌的基本功能是情感的而不是理智的。但丁和莎士比亞的任務是「表達他們時代的激情。」(註四四)但是，表達情感不應該象浪漫派詩人那樣用含糊、一般的語言直接說出來，而應該由鮮明、準確、生動的意象來喚起。這種意象來自於外在世界的事物或人的活動。因爲，詩人的情感本身並不很重要，「不是我們的情感，而是我們表達情感的方式，才是價值的中心。」(註四五)他這裏談到的兩個方面都來自法國象徵派的理論和實踐，也受到了英國玄學詩派的啓發。象徵派，特別是馬拉梅，早就說過情感不能直說，只能靠喚起。波德業爾認爲每一種色彩、聲音、氣味、每一個概念化的情感，每一個視覺的意象，互相間都有「對應」。馬拉梅也一再強調，詩不是由意（idees）組成的，而是由字（mots）組成的，是由看作姿勢或暗示情感的字所組成的。從這個意義上來說，愛略特的理論與法國象徵派是一脈相承的。但是，波德業爾說事物與情感間存在着對應關係，是說明外物可以引發情感的原因，並不主張用外物來表達已知的確定的情感。愛略特的立場似乎後退了一大步，回到古典主義的觀點，主張詩人是有了某種強烈的確定的感情，再去「尋找『事物當對』」來表達這種感情。他認爲，「漢姆萊特（Hamlet）由於缺乏等同於他的感情的客觀事物而感到的困惑，也就是創造漢姆萊特的詩人在面對他的藝術問題時所感到的困惑的延長。」（註四六）但是，正如維弗斯所指出的，詩人「能眞正感到的只能在詩裏，或通過詩才能精確地表達，也就是說，詩人必須通過作詩這一行動來發現情感。」（註四七）簡單地說，詩人並不是有了現成、明確的情感才去設法尋找與其情感等同的外界事物來表達其情感，詩人的情感恰恰是在做詩的過程中才逐漸明確的。這本來已由象徵派揭示的重要規律，到了愛略特那裏卻反而糊塗起來了。

另外，愛略特的理論不夠精密的另一點是，外界事物並不是由詩人「找」來後就能作爲「某種特定情感的公式」的。其情感意義和情感效應，必然有待於詩人處理這些外界事物的方式。（註四八）

但是，盡管愛略特的理論存在着一些不容忽視的缺陷，「事物當對」是象徵主義的一種有力形式。它把象徵的含義擴大了。象徵不再只是一個事物、一個意象，而可以是人和他的活動。象徵也不再只是用來顯現詩人本人的情感，而是用來表現詩人眼裏的一個世界。從這個意義上說，「事物當對」可以稱爲戲劇象徵主義。明確了這一點就可以知道爲什麼愛略特提倡詩的非人格化，以及熱衷於戲劇詩的創作了。愛略特在自己的詩中大量運用這種手法，取得了明顯的效果。例如，他的名句：

I have measured out my life with coffee spoons.

（我用咖啡匙酌量了我的一生。）

卽用一個小小的動作的敍述，表現了說話人百般無聊的生活和空虛寂寞的心靈。他在「序曲」（Preludes）的第一段描寫了一個城市貧民區黃昏六點鐘的情景：

The burnt-out ends of smoky days.

（煙霧沉沉的白日快要燃盡的尾梢。）

卽用一個常見的外物（burnt-out ends使人想起煙屁股）象徵「一個時代的黃昏」（註四九）。

以上我們把近代詩歌中象徵主義的主要理論奠基人和主要代表人物的思想作了一個粗略的敍述。由於篇幅的限制和知識的欠缺，這樣的敍述必然是不充分的，甚至是掛一漏萬的。但是，就從這樣一個簡單的敍述裏，我們也可以看到，從浪漫派到法國象徵派到意象派等現代派，象徵主義盡管有有種種側重點的不同和具體做法上的分歧，法國象徵派和現代派在某種程度上甚至是反浪漫主義的，他們卻實際上在朝着一個方向思考，卽詩之本質如何，詩怎樣才叫詩，才能成爲好詩。在這種思考的過程中，他們得出了許多共同的或相似的結論。他們不僅提出了一些寫詩的具體方式、方法，更就詩提出了一些美學上的要求和主張。這些要求和主張，有的已在他們的創作中實踐了，有的在他們的批評中貫徹了，有的卻只是他們所信奉的理想，這些要求和主張集中反映了象徵主義的美學特徵。

象徵主義打破了傳統的「內容——形式」「主體——客體」這種二元論的思維模式。他們努力縮短，甚至消除，內容與形式，主觀與客觀之間的距離。上文所引柯勒律治的話，說在象徵裏，「有機的形式」是內在的，從內部發展成型，並與其完美的外在形式渾然一體。在這樣的「有機形式」裏，已難以看到內容與形式的區別。卡利爾論語言之本質，說「語言被人稱爲思想之服裝；其實，正確的說法應是，語言爲思想之肉裝（Flesh-Garment），思想之軀體。（the Body, of Thought）」（註五〇）卡利爾從象徵主義的角度來談語言的本質，破除了語言作爲外在於思想的表達工具的俗見，同樣主張內容與形式不可分裂。象徵主義者更進一步指出所謂藝術的內容究竟是什麼。佩特說：「（藝術之）目的不是經驗的成果，而是經驗本身。」（註五一）把經驗本身融入詩中，它就既是詩的形式，也是詩的內容了。勃雷列頓（G. Brereton）明確指出「象徵主義取消了主體和客體的隔裂，內外世界的隔裂。」（註五二）卡西瑞（E. Cassirer）也認爲在象徵中，主體和客體達到完全的泯合。（註五三）好的象徵總是現實的本身，但不是脫離主體的現實，而是主體活動着的現實，貫注了主體精神的現實。我們知道馬拉梅不僅躲進了象牙塔，而且正是從詩裏面討生活的人，就不難理解，詩對於他，詩就是現實了。

打破了「形式與內容」、「主體與客體」間的壁壘，象徵主義便設法尋求創造「純詩」的途徑。

既然象徵本身就是現實，形式就是內容，詩歌也就沒有必要作爲工具去反映現實。既然經驗本身就是目的，詩歌也不必再去擔負載道的使命。既然象徵本身就是主、客體的融合，再提以詩歌去表達游離於詩歌之外的主體情感就顯得多餘。表達情感，毋寧說，是散文的任務。象徵主義就是要清除散文的雜質，去掉非詩的成份，非詩的功能。經過這樣一番提煉，所剩下的便是詩的精華，或曰「詩醇」。因此，照象徵主義看來，詩歌自身就是圓足的整體。詩可以獨立存在。詩的目的就是詩。麥克萊希（A.Macleish）說：「詩應該是（詩），而不應該意（mean）。」（註五四）

要創作這樣的「純詩」，象徵主義受到了音樂的啓示。所以，從愛倫・坡、佩特、波德業爾到馬拉梅和梵樂希都認爲詩應該向音樂看齊。坡說，「或許在音樂裏，靈魂才最接近達到了它奮鬪的偉大目標——超美的創造。」（註五五）佩特說，「一切藝術都在不斷地努力向音樂看齊。」（註五六）梵樂希說，「象徵主義的主要任務是把詩人丟給音樂的東西拿回來。」（註五七）提倡向音樂看齊，並不是簡單地要求詩具有音樂的韻律和節奏，而是要象音樂一樣，形式和內容不可分。音樂的效果完全是通過聲音刺激感官實現的。如果它在創造美以外還表達一點什麼的話，它也是通過暗示、喚起的方式，而不是直言明說的。詩人應該象音樂家運用音符那樣運用語言。

但是，語言與音符畢竟不同。音符可說全無意義，而語言總是有意義的，而且總是要頑強地表現其意義。不過，語言要能表情達意，必須符合一定的邏輯，根據一定的語法，使用必要的連詞，語言各部份之間的搭配也要符合一定的通例或成規。所以，要使有意義的語言變成象音符那樣沒有意義，就只有打破其邏輯的鐵律，違背其語法的規則，去掉使意義通暢的連接詞，使用異乎尋常的搭配……這樣的詩，可感覺而難以指實，與音樂相仿；其錯雜紛亂，又與夢境彷彿。故象徵主義在音樂之外，又提倡作詩要像做夢。這就是馬拉梅做詩的秘訣。人人都道馬拉梅的詩難懂，以爲定有深不可測的含意。其實，他是「無聲的音樂家」，他的詩是「閃爍的七重奏」（註五八），哪裏有什麼確定的意思？實在不過是一堆精緻的胡說而已！一般抱着詩必有含義的成見的人來看他的詩，一定看不懂。看不懂便反複諷頌涵咏。其音節的甘美，意象的詭奇，便會通過感性的共鳴，使人興奮，使人痴迷。諷咏既久便感到「若有所悟」，於是意義油然而生——而這意義，其實是讀者附會的。因爲他的詩本沒有確定的含義，所以不同的讀者便會得到不同的意義，越發使人覺得它含不盡之意見於言外了。」

綜觀象徵主義的理論主張與創作實踐，我們可以看到它有以下主要的美學特徵：

一、提倡引起、感發、暗示，反對直言其事，直抒其情

波瓦拉尚總結馬拉梅的詩論，說「他的理論，簡言之，便是詩不應直告而應暗示和感發，不應直道事物之名稱，而應創造其氣氛。」（註五九）

這「引起」、「感發」和「暗示」有幾層意思。第一，詩中所涉及的事物不能直說，要一點一點地揭示；第二，詩人的感覺不能直說，要調動聯想來暗示。第三，詩中意象之間的關係，不能用連詞或關係詞來加以明確，而應由讀者自己來發現。因此，象徵主義，特別是意象派，極重視意象的並置

(juxtaposition)的運用。第四，詩人的情感不能直說，而應由與這種情感有關聯的經驗本身來引起。經驗本身可以是虛構的，但引起的情感都眞實不虛。第五，詩可能具有的思想和其它超乎感覺之上的精神效應，只能通過暗示和啓發產生，詩人不應該把自己的意思直接說出來。正如李可爾（P. Ricoeur）指出的，與其說「象徵產生思想」，不如說「象徵產生思想的材料、思想的對象。」（註六〇）於是第六，象徵主義是反對把詩看作交際工具的，但如果說詩要對讀者起作用，也只能靠感發和引起。詩能夠感動人是依靠其音韵、意象在感官上的刺激，引發讀者的聯想和想象，產生情感，產生思想。

重暗示、重感發是區別象徵主義和一些浪漫派詩人的重要特徵。現代詩人常常批評浪漫派有時流於直言其情。如雪萊在「印度小夜曲」（India Serenade）一詩中寫道：「Idie, Ifaint, Ifail.」（我死了、我暈了、我完了。）及濟慈的名詩「夜鶯頌」(Ode to a Nightingale)第一句便道：「My heart aches, and a drowsy numbness pains」（我心傷悲，一種睏倦的痲木在作痛。）既直述，也嫌籠統。類似的情感，波德萊爾在「夜的和諧」（Harmoniedu Soir）一詩中的處理就不同：

Le violon frémit comme un coeur gu'on afflige

……

Le soleils'estnoyé dans son sang qui sefige.

（小提琴顫抖着像一顆破碎的心，／……／太陽浸沒在它自己凝結的血泊裏。）

他只是用意象來刺激，一味的啓發和暗示。

二、含蓄、晦澀、曲折、多指、含意不盡

象徵主義既然不贊成直言其事、直抒其情，主張暗示和感發，則詩中所涉及的事，所關聯的情，和詩外所可見之意，就必定不會顯豁，必定是晦澀的。

讀象徵派的詩，首先會對其表面的晦澀感到頭痛，又會覺得這晦澀的後面蘊藏着深刻豐富的含義。有時候，讀者似乎已經抓住其中的含義了，可要說又說不清楚。就象「愛麗絲漫游記」中的愛麗絲，在讀了一首詩後發表感想說「它看起來很美，可不太好懂吶。」「不知怎麼的，它似乎在我的頭腦裏裝進了許多的意思——只是我不知道它們究竟是什麼意思！」惠特曼（W. Whitman）曾把詩歌的語言比作黑暗中聽到的對話，「說話人遠遠的藏着，我們只斷斷續續地聽到一些含糊的話語，沒有聽到的要多得多——或許還是主要的。」梵樂希指出：美，歸根結柢是不可表達的。美隱指一種不可言傳性，不可描述性，它意味着「不可表達性」。「文學企圖用文字去創造無文字的境界。」「清楚的、可以理解的、與某個明確的意思相對應的，都不能產生神奇的效果。」「一切美麗的、慷慨的、英雄的，其本質上都是隱晦的，不可理解的……。誰要發誓忠於清晰就必定與英雄無緣。」這簡直是說美等於矇矓的、晦澀的，而不是說矇矓和晦澀也是一種美。（註六一）其實，鮑姆加滕（A. G.

Baumgarten）早就從詩的特性出發，說出了大致相同的意見：

> 可以清晰地構想的意思，充分的、完備的意思，都不能激發美觀，因此也不是詩意的。……只有混淆不清的（亦卽美感的）但又生動的意思才是詩意的。（註六二）

錢鍾書先生在論及中國典籍中關於隱秀含蓄的理論時指出：

> 至在西洋，希臘人 Theophrastus 早道此理。爾後二千年間繼響無人。……以余管窺，則十九世紀作者，始複發明隱秀含蓄、不落言筌之旨。如卡萊爾論象徵曰，語言與靜默協力。裴德論文曰，須留與讀者思量。及象徵派詩，而此義闡揚無遺蘊，足與吾國談藝之說頡頏。故馬拉梅反複致意無言之詩、無聲勝有聲，暗示在篇終言外著眼也。（註六三）

錢先生扼要地總結了這一理論在西方發展的歷史，指出象徵派在這方面的突出成就。

當然，同是象徵主義的詩，其含蓄的程度也有不同。有的雖然含蓄，詩中所表現的情感和意義，經分析還能體會和理解。有的內涵的感情比較顯豁，但含義卻難以揭示，就像莎士比亞筆下的苔絲德夢娜對盛怒的奧塞羅說：「我能感覺你話中的怒氣，卻不明白你話中的意思。」（註六四）還有的，其情則低徊要眇，其意則撲朔迷離，可喻而不可喻，歸趣難窮。遇到此類情況，便只好「反覆咏歎，以俟人之自得」了。（註六五）勃萊克的名詩，「病玫瑰」（The Sick Rose）就是一例：

O Rose, thou art sick!
The invisible worm,

That flies in the night.
In the howling storm,
Has found out thy bed
of crimsonjoy;
And his dark secret love
Does thy life destroy.

（啊，玫瑰，你病了！／那無形的蟲子，／飛在黑夜裏，／在呼嘯的風暴中，／／發現了你的床，／血紅的歡樂之床；／而他黑暗的秘情／把你的生命摧毀。／／）

它表達什麼感情？悲傷乎？憐憫乎？憤怒乎？惋惜乎？……它表達什麼含義？玫瑰之可惜被蟲蛀乎？愛情之不幸被人糟蹋乎？生命之無可奈何地被浪費、被作踐乎？抑或如朗格夫人（S. Langer）很自信地解釋的：「在一切歡樂中，萌芽着悲傷；在一切生命中，暗伏着死亡」（註六六）？我們不能給以肯定的答案。能夠肯定的，只是它留下了一些象徵，如卡利爾說的，「具有持久性、無限性的象徵，」需要「不斷地進行新的探究、新的顯示」的象徵（註六七）。

三、以個別寓一般，以瞬間寓永恆

象徵主義要求詩「超越語言」，要通過詩去達到神秘的「絕對」（the Absolute）。說得通俗一點，它要使含有不盡之意。這種效果的實現，主要靠舉隅法（synecdoche）。

一般的舉隅，是修辭手法之一種，即以部份代全體，例如以帆代船、以干戈指軍隊等。象徵主義的舉隅，意義大爲擴大，可以理解爲以小喻大、以具體指抽象、以有限寓無限、以瞬間含永恆。勃萊克的詩說：

To see a World in a Grain of Sand,
And a Heaven in a Wild Flower,
Hold Infinity in the palm of your hand,
And Eternity in an hour.
……

W. Blake: Auguries of Innocence

（從沙粒看到世界，／從野花看到天國，／掌中握住無限，／瞬間抓着永恆。／）

勃萊克的這一思想，後來被愛默生接過去，闡釋得更加清楚。他在「自然」（Nature）一文中說：

一張葉子，一滴水、一塊水晶、一個片斷的時刻，都關聯着全體，都帶有完美的全體的性質。每一個粒子都是一個小宇宙，並且忠實地充當了大宇宙的寫真。

上文已經說過，歌德認爲現象本身可以喻示「太一」。他通過寓托與象徵的比較，彰示象徵的美學價值。他認爲寓托以一般的概念開頭，以特殊作爲例子，是夢或者影子；與此相反，象徵則以特殊顯示一般，因此「揭示了詩歌的本質。」柯勃律治直說象徵就是舉隅，並同歌德一樣區分象徵與寓托，強調象徵高於寓托。他說：

> 寓托只是把抽象的意思變成圖畫般的語言。這種語言本身也只是從可感知的外物抽象得到：……。而象徵的特徵是個別中的特殊，是特殊中的一般，是一般中的普遍，而首先是瞬間中的永恆。它總是帶有它所表明的現實的特性。當它說明全體時，它總是作為它所代表的整體中的活生生的一部分存在。（註六八）

柯勃律治實際上說，象徵係直覺的產物，是心靈直接感知事物的規律，用不着從物質世界的現象加以邏輯的推論。哈特曼（G. Hartman）稱這種方式爲「未經調解的想象」。同時，從有機理論出發，普遍性只有通過個別的自然物才能顯現。反過來說，自然物也就有了顯現普遍性的潛在象徵能力。因此，詩人不應該從觀念出發，而應該從具體事物出發，這樣的事物，通過詩人想象的作用，既具有高度的特殊性，又具有高度的普遍性。

凱勃（Erich Kahler）說，「象徵是某種具體的和特殊的東西用來傳達精神的或普遍的東西，或者作爲一種指示性的符號，亦即指示的動作；或者作爲一種實際的再現，在這種再現中，符號的分工已被取消：指示物、指示的對象、以及指示的動作，三者渾然一體。」（註六九）指示物是物質的、具體的，指示對象是精神的、抽象的；指示物是時間的、有限的，指示對象是永恆的（或至少是持久的）、無限的，指示的動作則引導着指示對象的方向。在註釋中，我們憑藉指示的動作去尋找指示的對象。這三者在詩歌的象徵裏渾爲一體。

發現、創造這樣的象徵是詩人的任務，也是具有豐富想象能力的詩人的特長。以感知經驗表達不可感覺甚至不可思議的東西，只有詩人才能做到；而且他們，依波德萊爾的說法，還必須處於「超自然的精神狀態」：

> 在幾近於超自然的精神狀態中，生活之底蘊完全展現其壯麗的景觀，盡管這種生活可能就象我們眼皮底下發生的事情那樣平庸無奇。它成了象徵。（註七〇）

以勃萊克的另一首名詩「老虎」（The Tiger）爲例：

Tiger, tiger, burning bright
In the forests of the night,
What immortal hand or eye
Cauld frame thy fearful symmetry?

……

When the stars threw down their spears
And watered Heaven with their tears,
Did he smile his work to see?

Did he who made the Lamb make thee?

（老虎，老虎，燃燒般明言／在黑夜的森林裏／是怎樣不朽的手和眼／能塑造你可怖的對稱美？／／當星星擲下投槍／讓上天浸潤了眼淚／他可曾微笑着看他的杰作？／是不是創造羊羔的他創造了你？／／

豈不都是平平常常的自然物所組成？而這些平常的自然物經過了詩人瑰麗的想象，竟然表現出驚人的壯美來。而且，這些自然物，這些老虎、羊羔、星星、……難道仍然是我們習見的個別的零星的老虎、羊羔和星星麼？詩人把它們放在一起，難道沒有表現出宇宙的壯嚴和崇高？難道沒有表現出一種深深的宗教感？宇宙感？難道沒表現出一種「生活的底蘊」？

象徵主義的美學特徵當然不止是這些。但是，我認爲，以上三條是最重要的，是從浪漫主義、法國象徵派到西方現代派都具有的共同特點。這些特徵，在我們聽慣了「言外之意」、「象外之象」、「鏡花水月」、「不落言筌」的中國人看來，是一點也不稀奇的。第一，它們其實是一切「好」的抒情詩的共同特徵；第二，我們中國古老的「比興」說，尤其是關於「興」的理論，與象徵主義是有許多暗合之處的。我們要建立東、西方的「共同詩學」（common poetics）不是可以從這裏得到一點啓發嗎？

一九九〇年四月於厄斯屯

★ 本文作者願借此機會感謝摯友蔡英俊先生。是他的情誼促成了這篇小文章。

【附　註】

註　一　引自 A. Balakian, ed. *The Symbolist Movement In The Literature of European Languages*, Budapest, 1984, p.94)

註　二　見 P. P. Wiener, ed., *Dictionary of the History of Ideas*, New York, 1973, pp. 344-5

註　三　C. M. Bowra, *The Heritage of Symbolism*, New York, 1967, p.1

註　四　W. Fowlie, *Mallarmé*, Chicago, 1953, p.264.

註　五　N. Fry, et al, ed. The Harper Handbook to Literature, New York, 1985, p.453

註　六　見 G. E. Bigelow, The Poet's Third Eye, New York, 1976, p.33; G. Thurley, The Romantic Predicament, New York, 1983, p.59

註　七　參見 W. K. Wimsatt, Jr. and C. Brooks, *Literary Criticism: A Short History*, New York, 1964, pp.585-6

註　八　引自 Karl Viëtor, *Goethe the Thinker*, trans. by B. Morgan, Cambridge, Mass., 1950, p.14

註　九　參見 R. Wellek, "What is Symbolism", in A. Balakian, p.19

註一〇　引自 P. Wheelwright, *The Burning Fountain*, Rev. ed. Bloomington, Ind., 1968, p.54

註一一　引自 E. Heller, *The Disinherited Mind* New York, 1959, p.161

註一二　S. T. Coleridge, *Essays and Lectures on Shakespeare*, London, 1907, p.46

註一三 S. T. Coleridge, *Miscellaneous Criticism*, ed. T. M. Raysor, London, 1936, p.29

註一四 T. S. Coleridge, *Biographia Literaria*, Chapt. IX. 按：現代批評家並不完全贊成歌德，柯勃律治等人對寓托和象徵的比較和軒輊，始作俑者卻是象徵主義的前驅波德萊爾，他爲寓托恢復名譽。參見：H. R. Jauss, *Toward an Aesthetic of Reception*, p.175, 及 A. Fletcher, *Allegory, the Theory of Symbolic Mode*, 和 G. Clifford, *The Transformation of Allegory* 等。

註一五 根據 A. Fowler 的解釋，*Sartor Resartus*, 意爲 "the Tailor patched", 見其*A History of English Literature*, Oxford, 1989, p.299

註一六 T. Carlyle, *Sator Resartus*, London, 1897, p.175 下引該書只註頁碼。

註一七 見 C. Feidlson, Jr., *Symbolism and American Literature*, Chicago, 1953, pp.119-35

註一八 R. W. Emerson, "The Poets", in G. Allen and H. H. Clark, ed. *Liferary Criticism: Pope to Croce*, Detroit, 1962, p.379. 以下凡引自此書只註頁碼。

註一九 E. Wilson, *Axel's Castle*, New York, 1936, p.12

註二〇 E. A. Poe, "The Poetic Principle", in G. W. Allen and H. H. Clark, p.346 以下只註頁碼。原文中「提升」爲 elevating,「感發」爲 excite, 均使我們想到中國古代文論中的「興」。

註二一 波德萊爾論詩的有些文章，讀來猶如愛倫・坡的「詩之原理」的翻譯。其概念大量搬用坡的。如 "Théophile Gantier"。

註二二 引自 M. H. Abrams, *The Mirror and the Lamp* Oxford, 1953, p.198

註二三　Gérard de Nerval, Aurélia, ou le Rêveet la vie, in *Oeuvres*, ed. A. Béguin and J. Richer, Paris, 1952-56, I., p.403

註二四　C. Chadwick, *Symbolism*, London, 1971, p.8

註二五　參見 W. K. Wimsatt and C. Brooks, p.592

註二六　S. Mallarmé, Résponse à une Euquête, 1891, 引自 *La Docfrine Symboliste*: *Documents*. 錢鍾書譯文見其也是集，香港，1985, p.116

註二七　見 R. Fry, trans. *Stéphane Mallarmé*: *Poems*, London, 1938, p.304

註二八　C. Chadwick, p.40

註二九　杜甫詩「寄高適岑參三十韻」。

註三〇　A. Balakian, p.272

註三一　T. S. Eliof, "Brief Introduction to the Method of Paul Valéry" 1924

註三二　W. Fowlie, p.264

註三三　C. M. Bowra, p.21

註三四　參見 E. Wilson, pp.75-6

註三五　參見 Lothar Honnighaus, The Symbolist Tradition in English Literature, trans. Gisela Honnighausen, Cumbridge, 1988

註三六　參見 A. Symons, The Symbolist Movement: Introduction, New York, 1971

註三七　W. Y. Tindall, "The Symbolism of W. B. Yeats", in *Yeats*, ed. by J. Unterecker New Jersey, 1963, p.45

註三八　引自 A. C. Bowra, p.185

註三九　A. C. Bowra, p.185

註四〇　W. B. Yeats, "The Symbolism of Poetry", in *Symbolism: An Anthology*, ed. by T. G. West, London, 1980, p.17 以下僅註頁碼

註四一　C. M. Bowra, pp.188-95

註四二　F. O. Matthiessen, The Achievement of T. S. Eliot, Oxford, 1947, pp.27-8, 註一一

註四三　T. S. Eliot, "Hamlet", in *Selected Essays*, London, 1932, p.145

註四四　F. O. Mattbiessen, p.56

註四五　同上，p.58

註四六　同註四三。

註四七　E. Vivas, "The Objective Correlative of T. S. Eliot," 引自 W. K. Wimsatt, p.668

註四八　M. H. Abrams, A. *Glossary of Literary Terms*, New York, 1981, p.124

註四九　E. Drew, *T. S. Eliot: The Design of His Poetry*, New York, 1949, p.33

註五〇　T. Carlyle, Sartor Resartus, p.57

註五一　引自 W. K. Wimsatt, p.486

註五二 引自 *Cassell's Encyclopedia of World Literature* 2nd. ed. 1973

註五三 E. Cassirer, Language and Myth, trans. S. Langer, New York, 1946, p.88

註五四 引自 M. H. Abrams, p.283

註五五 E. A. Poe, The Poetic Principle, in Allen and Clark, pp.352-3

註五六 引自 W. K. Wimsatt, p.282

註五七 見 C. M. Bowra, p.9

註五八 "Musicienne du Silence" 是其詩 "Sainte" 的末一行，見 R. Fry, p.128

W. Stevens 說過，「詩不必有意義，而且像大多數自然物一樣，也常常沒有意義。」見其 *Opus Posthumous*, p.177; D. H. Lawrence 也曾說：「你不能給偉大的象徵一個意義，就如你不能給猫一個意義。」見其 "The Dragon of the Apocalypse" in his *Selected Literary Criticism*; 錢鍾書說：「樂無意，故能涵一切意。」《談藝錄》，p348

註五九 C. M. Bowra, p.9

註六〇 P. Ricoeur, *The Rule of Metaphor*, trans, C. Toronto, 1977, p.288

註六一 R. Wellek, *Four Critics*, London, 1981, p.31

註六二 A. G. Baumgarten, *Philosaphies of Beauty*, trans. Carvitt, p.82

註六三 錢鍾書，談藝錄，香港，1979, p.379

註六四 W. Shakespeare, *Othello*, Act IV, Act II.

註六五　方東樹語，見其《昭昧詹言》。

註六六　S. Langer, *Feeling and Form*, New York, p.256

註六七　T. Carlyle, p.179

註六八　T. S. Coleridge, *The Statesman's Manual*, ed. W. G. T. Shedd, New York, 1875, pp.437-8

註六九　E. Kahler, "The Nature of the Symbol," in Rollo May, ed. *Symbolism in Religion and Literature*, New York, 1960, p.70

註七〇　C. Baudel aire, *Oeuvres Completes*, ed. Y. G. Le Dante rev. ed. Paris, 1961, p.17

非人性化藝術的美學觀

蔡英俊

所謂「藝術的非人性化」，旨在強調現代藝術應該是一種「藝術的藝術」（an artistic art），而不需要考量藝術作品中有關「人」的各項要素。這是西班牙哲學家奧特嘉在一九二五年提出來的論點。隨著現代語言學的興起，以及當代思潮中「剝除主體」或「移心化」的發展，法國的文學批評家羅蘭・巴特揭示了「作者死亡」的概念與隨之而來的「文本」理論。這是「非人性化」的美學的最高點與極端。本文便是從理論論述的層面探討當代藝術（尤其是文學）「非人性化」的趨向。當然，如果從文學現象本身進行考察的話，或許可以有不同的解說方式，甚至也可以補足或修正本論文的論點。

一九二五年，西班牙哲學家奧特嘉發表了「藝術的非人性化」一文。（註一）在這篇論文中，奧嘉特以一種樂觀的筆調寫出他對當代藝術的遠景的期待。他的出發點是以定義非常模糊的「社會學」的角度討論傳統與現代音樂所形成的兩種風格。根據奧特嘉的論點，人們所以喜歡藝術作品，主要是因爲藝術作品揭示人的意象與人的欲情，從而讓欣賞者能夠透過作品理解人類自身的處境與人類共通的命運。然而，現代音樂與現代藝術卻有意剝除這種「參與感」（involvement），因此，現代藝術在現代社會顯示了不受歡迎和不普遍的現象——祇是就奧特嘉而言，這種現象並不意謂著現代藝術的局限性；相反的，這種現象正標示一種新的藝術風格的開始，奥特嘉舉了一個有趣的譬喩：當我們透過玻璃窗去領受花園的景緻時，如果我們把注意力完全放在花園，便看不到玻璃窗的存在，而且，玻璃窗越是清晰透明，我們越不注意到它；如果我們把注意力放在玻璃窗，花園就從我們的視界消失，我們注意到的是玻璃窗本身煥現的各種光影。注視花園與注視玻璃窗，因此是兩種互不相容的活動，各自需要不同的焦點（頁六八）。且不論這個譬況是否合宜，奥特嘉認爲眞正的藝術作品應該是被大多數人忽略的玻璃窗，而傳統藝術藉以吸引人們注意的人性要素是無當於「藝術的喜悅或滿足」。如果我們不想鎗殺所有的現代藝術家，奥特嘉打趣的說，我們就只有試著調整我們的視覺角度，並且培養一種新的「藝術感受力」。

奥特嘉要求的新的藝術感受力，是一種對於藝術形式的知覺，也就是對於「風格」的知覺感受：「風格化就是扭曲眞實的形貌，並且建構非眞實的(the unreal)；風格化隱示藝術的非人性化」（頁七三）。簡單說，現代藝術應該是一種純粹的藝術，一種藝術的藝術，它具有下列的特質：避免一切有生命的形體，也就是眞實的世界；藝術是一種遊戲，除外無它；本質上是反諷的；避免一切的僞裝與假飾，哭泣與歡笑祇是美感上的造假；藝術是「物」，所以不應有任何精神上的或超越的訴求——最重要的，現代藝術是一種非人性化的藝術。在這種理念的引導下，奥特嘉相信「生活、生命是一回事，而藝術是另一回事」：藝術家應該創造不曾存在的事物，也就是爲眞實的事物添注非眞實的面相（頁七五）。奥特嘉揭示的非人性化或風格化的論點，根源上是來自他對於清明理性的追求：藝術應該是全然明晰的，是理性思維的最高表現。同時，這種清明理性的需求，又來自於奥特嘉一貫的主張：人類追求的是年青活力所具現的一種「運動與遊戲」的精神，而現代藝術與理論科學正是運動與遊戲精神的顯證——兩者都是最爲自由的活動，也最不需要仰賴外在的社會條件(頁七七)。因此，儘管奥特嘉以「非人性化」一詞描述現代藝術的美學特質，他的用意並不在於低貶現代藝術的價值；相反的，他認爲藝術不能走回頭路，現代藝術當下雖未創造可觀的成果，現代藝術仍是值得期待的(頁八三)。

當然，奥特嘉立論的著眼點比較偏向現代音樂與現代畫這類非文字的藝術的創作特質（雖然他也強調他的論點同樣適用於文學的藝術）；當他以「藝術的藝術」界定現代藝術時，我們知道他強調的是以「形式」（而不是「內容」）爲重心的藝術創作。祇是，我們總不免想起龐德的猶疑。龐德在一九一二年的一篇文章中討論到以「藝術的」一語界定詩的特質的策略時，認爲「藝術的」一語實在是「不精確的」，因爲我們是「以一種我們不知道的事物界定另一種我們同樣不知道的事物」。(註二) 再說，就文學創作而言，「形式」與「內容」的二分法是不周延的，而且也有它的局限性——這個論題，威立克與華倫的《文學理論》一書早有說明，而晚近美國的作家與批評家 G. Thurley 的《現代文學理論中的反現代主義》（一九八三年）更有詳盡的論評。因此，我們或許可以說奥特嘉對現代藝術的考察，在涵蓋面上有所不足，有時也失之武斷：譬如他說傳統的抒情詩祇是詩人的自傳或懺悔錄，而貝多芬與華格納的音樂則因爲表現強烈的個人情感而祇是另一種通俗劇（頁七三）。儘管如此，奥特嘉提出的「非人性化」的概念，雖然在文學研究領域內鮮少廻響，卻也可以提供我們考察現代文學理論發展時一個很好的解釋觀點。另外，值得一提的，奧特嘉的論述方式也預示了現代文學研究領域中理論反省與創作實踐之間複雜的分合的問題。

在進行討論「藝術的非人性化」這個概念之前，我們先說明「人性」一詞在文學研究領域內所具現的義涵。一般而言，文學研究關涉到人性的範疇時，不是指稱做爲創作主體的作家個人的生命情態，就是指稱文學作品所反映或展示的人的情境（包括人的欲情、人的行動及其置身的世界等）。當然，進一步說，人性的範疇也可以延伸到閱讀文學作品的讀者身上，如同晚近有一些批評家一再強調的，祇有透過讀者個人的閱讀活動，文學作品才得以如實存在；也就是說，唯有在閱讀活動開始的那一刻，文學作品才具有意義。然而，讀者這個角色的可變性很大，除非我們能對讀者進行全面的民意測驗，否則所謂的讀者反應充其量只是批評家個人幻化出來的讀者反應（這裏，必須說明的是，德國康玆坦斯學派提出的接受美學，是文學史研究的一個範疇，所以另當別論）。因此，就本文考量的角度而言，「非人性化」的概念是具體表現在對於「創作主體」與「創作內容」這兩個命題的質疑或否定，而本文也就集中討論「非人性化」的概念在這兩個命題上開展出的美學論點。

在藝術創作的領域裏，任何新的嘗試都是值得期待，畢竟，探索與實驗是藝術創作的主要驅策力量。然而，沒有一個時代像二十世紀初期的藝術家那樣渴求「新」與「變化」；不論是音樂、繪畫與文學，都從根本上反省藝術的基本理念，譬如創作的題材、創作的媒介，甚至創作家自我的定位等問題，都有不同的考量角度。「現代主義」在歐洲社會的興起與發展，便清楚的刻畫出這個轉變的歷程。根據 Bradbury 與 McFarlane 兩人的解釋，從十九世紀後期開始，歐洲面臨一個舊紀元的結束與新世紀的開始，而這個卽將到來的新世紀又標示著一個千年的結束與另一個千年的開始：在這種情況下，轉移交替帶來了深沉的焦慮不安，使得西方文化中特有的「千福年」的效應顯得更加的突出；最重要的，這種末世情懷強化了「斷裂」問題的嚴重性與迫切感。(註三) 不確定的處境與游移的心態，似乎激烈的改變了人對世界原有的看法，也明顯的改變了人對自我的看法，於是「被剝奪繼承權的心靈」就成爲這個時代的寫照，而斷裂的人性觀所展現的各種可能的生活樣態也就成爲現代主義的一項重要美學特徵。(註四) 不論是在現代主義剛萌芽的十九世紀晚期，瑞典劇作家史特林堡就在「茱莉小姐」一劇的序言中強調：生活在劇變的轉型期的現代角色是「不可預測的、支離破碎的」；或是在現代主義的高峯的一九二〇年代，維琴妮亞・吳爾夫的「論現代小說」一文也有相同的說法：面對生命形態的改變，小說家的工作應該重在「傳達這種變化多端、不爲我們所知、也不受限制的心靈，不論它是多麼的複雜與脫離常軌」。(註五) 簡單說，現代主義觀照下的人性是難以捉摸的、多重的、也是不能被化約的，而這種獨特的人性觀及其顯現的不同的生活樣態，是截然有異於寫實主義與自然主義作家筆下的人性與生活樣態。因此，「非人性化」的概念對於傳統藝術的創作內容的質疑，就是顯現在這種對於人性的理解與呈現方式上。

然而，我們必須注意的是，現代主義作家筆下的人性觀是有著明顯的改變，但是小說家的工作仍然像吳爾夫說的一樣，嘗試以一種新的角度去捕捉、模寫複雜與難以測度的人性。實際上，現代作家確實依據不同的人性觀與不同的生活樣態而創造出獨特的文學風貌。新的題材是塑造了新的文學風格，但是這種具有現代屬性的文學風格是否就是奧特嘉極力想加以界定的藝術的非人性化？顯然的，現代主義作家本身的實踐，在無形中就否定了奧特嘉的論斷：現代作家「斷然的」棄絕人的意象，把人的形像非人性化（頁七一）；同樣的，我們也難以接受奧特嘉提出的全稱命題：所有偉大的藝術都避免讓人性的要素成爲藝術作品的重心（頁七二）。

至於「非人性化」的概念指涉做爲創作主體的藝術家時，是展示怎樣的理論內容呢？奧特嘉認爲現代詩人應該「消失、蒸發，然後轉化成一道純粹的、無名的聲音，只說出不具任何實質內容的文字」；詩人祇是詩篇在音效上的傳送者，而現代詩應該成爲隱喩的一種「高等代數」：因爲唯有隱喩可以避離現實而創造純粹想像的事物，所以是藝術非人性化最激進、最直接的手段（頁七五——七七）。在這個論題上，奧特嘉提出的「非人性化」的概念，似乎非常接近艾略特一九一九年揭示的詩的「無個性」的論點。就艾略特而言，成爲一個藝術家的過程，是一個不斷自我犧牲、不斷泯除自己個性的過程：因爲在詩的傳統裏，判斷一個詩人的成就並不是取決於詩人的個性，而是詩人能否成爲一種完美的創作媒介，讓特殊的與變化多端的情感能自然形成新的組合。（註六）從這個角度看，艾略特與奧特嘉顯然都反對浪漫主義以降的創作理念。然而，艾略特所以認爲詩人應該不斷的消除自我的個性，主要是想強調詩的創作過程也就是如何表現的問題，所以在理論上又與他提出的「傳統」與「客觀相關物」等概念相互結合：重要的是創作過程中融鑄情感的強度與力度，而不是詩人的個性或情感的性質（頁四一）。至於奧特嘉，雖然也主張詩人應該把作品與個人的要素完全隔開，但是非人性化概念的用意是要徹底否定創作活動中的人性要素（不論是個人情感或是外在世界）：文學創作就像音樂或繪畫一樣，純粹是文字聲音的一種構築活動，而作家與讀者就在這種形式的構築活動中尋得「美感的愉悅與滿足」。當然，在藝術創作的領域裏是否眞有所謂的純粹的形式構築，這是一個值得辯析的論題。不過，就目前我們考量的重點而言，奧特嘉的立論前提是放在「形式」與「內容」的對立關係，強調「對具體世界的知覺感受與對藝術形式的知覺感受是截然不能並存的，因爲各自需要不同的視觀」（頁七二），然後透過非人性化的程序把形式的意義和重要性推到極致。因此，儘管奧特嘉的理論讓創作主體消失掉了，但在某種程度上，藝術創作的意義或價值仍然保留在語言文字（形式）的構築活動當中，而創作主體仍然是這個語言形式構築活動的主動者，因此並沒有完全喪失他獨特的創造力。一旦創作主體被進一步剝除他與語言運作活動之間的因依關係，語言活動自成一個獨立自足的體系，創作主體所擁有的創造能力以及藝術創作本身的意義與價值也就被徹底解消掉了。就這個問題而言，結構主義語言學對語言現象的研究無疑是扮演著一個非常的角色，因爲近代語言學的研究是在理論上填補了「藝術的非人性化」概念發展的最後一道程序。

本文所以首先引介現代主義的某些（基本的）創作理念，主要是因爲筆者認爲結構主義以降的文學理論在某種程度上是一種語言學的現代主義的翻版。而這種理論正充分反映「藝術的非人性化」所代表的思維方式與美學觀：一方面是在創作內容的層面上反對寫實主義的「模擬」理念，另一方面是在創作主體的層面上反對浪漫主義的「作者」理念；更重要的，這兩個問題又可以歸結到語言做為一種表達媒介這個根本的論題上。就奧特嘉而言，就像德布西開始把音樂非人性化，馬拉美是第一個把詩歌非人性化的詩人（頁七五——七六）；同樣的，羅蘭·巴特在建構他的「作者死亡」的理念時，也認為馬拉美是第一個主張以語言或書寫本身來代替主體的詩人。然而，如同我們前面提過的，做為一個創作者，語言無論如何是他必須憑藉的唯一媒介，他不能完全脫離與語言運作之間的互動性，否則就祇有「沈默」。因此，儘管馬拉美的創作理念可以影響到往後的理論的建構與發展，我們卻祇有從純粹理論思考的層面才得以深入問題的核心，而近代語言學研究對語言活動的基本論說便是我們討論的第一個步驟：因為結構主義的發展是以語言學為起點的。

論及近代語言學研究的發展，索緒爾是最主要的代表人物。以最簡單的方式說，索緒爾的基本論點認為語言是一種符號系統，而符號的構成方式是任意的、僅僅表示差異性質的，因此，語言的組合是純粹形式的，不具有任何實體：「以所指或能指來說，語言決不可能有先於語言系統而存在的觀念或聲音，而祇有從這個系統導出的概念差異或聲音差異。一個符號所包含的觀念或聲音的實體，比起這個符號外圍的其它符號，是更不重要。」（註七）在這種論點的規範下，索緒爾有意將「語言的世界」與「具體的世界」區分開來，並且強調語言世界的優位性：離開了文字的表達，思想祇是一團沒有固定形狀、而且模糊不清的「星雲」；並沒有所謂預先存在的觀念，在語言沒有出現之前，一切事物都是渾然無別的（頁一一二）。儘管索緒爾個人不曾使用過「結構」一詞，而且他提示的論點所涉及的範圍也非常廣泛，但是以索緒爾的語言學模式爲基礎而展開的結構主義，無疑的具有下述的一些特點：探討系統的共時語言學應該比研究變化的歷時語言學更有意義；在語言系統裏，祇有相互依存的關係；由於語言形成一個獨立自足的符號系統，語言文字的意義因此不需仰賴符號系統外的眞實世界。根據這些原則，結構主義同時排除了個別而具體的說話行動、歷史、語言的原意或目的（傳達與溝通）等三項要素；另外，因應不同學科的規範，結構主義所代表的分析方法也有著不同的影響力。如果就文學研究的範疇而言，結構主義的語言學模式是透過布拉格學派的推展而與俄國形式主義滙合，由是而開展出對文學語言的具體研究；關於索緒爾語言學模式的發展及其對應的研究方法，philip Pettit 的《結構主義的概念》一書有詳細的解說。（註八）目前我們考量的重點是放在這種語言學模式所反映出的理論視觀：既然語言做爲一種符號系統是獨立自足的，語言的運作活動自然不具有任何的指涉作用，而語言符號與具體的眞實世界也就截然分立、互不關涉；同時，既然意義的產生並不得自於說話者的主觀意願，而祇是語言系統本身運作的結果，那麼，語言活動與說話（創作）的主體之間也就沒有什麼必然的關係了。這種語言學模式所蘊涵的反主體與反意義的哲學思辨，可以說是從根源上質疑西方文化傳統對於「主體」的界說方式，因而引發了福寇所謂的思想上的「徹底的決裂」；現代人「發現了另一種事物，另一種熱情，卽對概念和對我願稱之爲系統的那種事物的熱情；……我們不是用人，而是用無名的思想、無主體知識、無同一性理論來代替神的位置」（註九）。

就理論的層面看，從索緒爾提示的語言學研究模式到後現代「剝除主體」的批評理論的發展過程，我們仍然必須討論兩位法國學者先後提出來的共通的論題：主體的建構與語言活動之間的離合。一是語言學家班維尼斯特 (E. Benveniste, 1902-76)，一是精神分析學家拉康 (J. Lacan, 1901-82)。

在「語言中的主體性」（一九五八年）一文，班維尼斯特首先提出下述的說法：由於我們無法追索沒有語言時人的情態爲何，也無法得知人是如何創造語言的；我們看見的已經是一個會說話的人向另一個人說話，因此，語言提供了「人」的定義。（註一〇）從這個論點出發，班維尼斯特認爲我們不能把人與語言對立來看，或者把語言的特性與人相互隔開：在語言中，而且透過語言，人才能把自己建構成一個主體；所謂的自我，就是一個正「說出」自我的人。簡單說，唯有語言才能確立所謂的主體性，不論這個主體性是屬於語言的範疇或是屬於具體世界中的「人」。然而，何以相同的一個「我」字可以指涉全然不同的個體、而且可以同時確認不同個體所具的個別性？

> 「我」到底指什麼而言？「我」關係到個別的言說行動，指的是言說行動中的那個說話者。除非是在一個言說的實例 (an instance of discourse)、而且是在一種具有時間性的指涉活動，否則我們無法辨識「我」的身份為何。（同上，頁二二六）

在這種情況下，所謂的自我或主體性，其實都是語言活動的產物，每一個說話者都可以在「言說的實例」中把自己看成是主體。更重要的，既然「主體」是在個別的言說行動中具顯出來，那麼，傳統觀念中對「我」、「你」或「他」的界說方式就完全解體了。在稍早的另一篇論文中（「代名詞的性質」)，班維尼斯特就認爲「你」、「我」的概念都是屬於語言的範疇，因此，代名詞的形式運作並不涉及現實的世界，也不指涉具體時空中的客觀的位置：

> 語言創造了一個「空洞(沒有具體內容)」的符號的整體，在這個整體中的符號都是沒有指涉作用的，不與現實的世界相掛搭。這些符號，祇有等到一位說話者把它們納入他的言說行動之後，才會被「填滿」而真正發揮作用。(註一一)

儘管班維尼斯特的研究步驟是採用結構分析的方法(他是索緒爾的再傳弟子)，他在文獻學上的訓練與博通讓他得以避免結構主義論者「充滿奇想與過於武斷的面相」(註一五)。因此，當班維尼斯特把研究的焦點放在「說話」的具體活動而強調個別的說話語句的重要性時，他並不把語言看成是絕對抽象的與純粹形式的符號系統：現代語言學家分析的對象不祇是語言的形式，或語言形式的結構，同時也是語言的作用。(註一六)更進一步說，當班維尼斯特透過個別的「言說實例」而重新界定「主體」的意義時，他的用意是想在語言中重建一個眞實世界，藉此安頓「語言何以是主體際(intersubjectivity)的溝通工具」以及「語言何以是人的象徵化能力的最高形態」等近乎哲學的問題(同註一六，頁二二—二七)。這也就是爲什麼保羅・呂格爾認爲班維尼斯特有關主體的論說是走向探索主體哲學的一個「序言」。(註一二)總結來說，當班維尼斯特把主體移位後，主體的意義與價值並沒有完全被否定或撤消；相反的，在語言重建的眞實世界中，主體的虛位化是爲了讓不同的個體得以進入相互對話、溝通的領域，而意義的指涉活動與理解的可能性才得以確立：因爲只有透過語言的活動，人才可能創造、理解文化。對觀之下，羅蘭・巴特在引述班維尼斯特的論題以建立他的「文本」理論時，顯然忽略了班氏論題所涉及的這個深廣的面相。

至於拉康提示的主體的概念，則是從精神分析與語言活動這兩個層面否定西方傳統所建立的主體的概念。就拉康而言。笛卡兒觀念中的完全透明的「我」（也就是全然自覺與自知的「我」）是一種虛假的建構，實際上，所謂的自我是完全決定於不透明的能指；簡單說，主體化過程所建構的自我是得自於能指的「指涉活動」。（註一三）然而，能指與所指之間並不是彼此對應的，而且一個能指是替主體呈現另一個能指（頁三一六），因此，在能指形成的鎖鏈中，主體只是不斷移位的，也是破裂的。從這種立場出發，拉康又依次提出「無意識」、「言說的結構與語言秩序」、「他者（the Other）」等相關的概念。由於拉康提出的主體概念是落實到心理分析的範疇，牽涉的問題過於專門也過份複雜，自然不是這篇論文能完全解釋清楚，而且這也不是我們討論的重點。不過，我們並不完全同意 J. G. Merquior 的嘲弄：在一九八二年拉康去逝以前，只有上帝和拉康自己知道拉康的學說在討論什麼。（註一四）就我們考慮的問題而言，拉康提出的主體的概念有一部份是放在語言與言說的範圍內討論的，我們無法略而不談。

前面提過，拉康提出的主體的概念是與能指的指涉活動有密切的關係：主體是語言或能指的一種結果（effect），能指的指涉活動的過程卽是主體的顯現過程。然而，任何一個能指又必然指向另一個能指，我們祇能透過能指與能指所形成的鎖鏈關係來了解指涉活動的內容或意義：這種指涉鎖鏈的結構顯示「我」有運用這種鎖鏈以指稱「某些與能指所說的完全不一樣的事情」的可能性。(註一五)因此說來，能指總是指向一種難以具體掌握的開放的上下文脈絡，而語句的意義是無可決定的，至少不是「我」所擁有的語言能力所能決定的。另外，在「言說與語言的作用與領域」的論文中，拉康曾比較具體的討論到索緒爾提出的「語言」與「言說」之間的關係，祇是，我們必須了解拉康的理論建構仍然是以精神分析爲指歸：由於精神分析活動是以具體的言說爲研究對象，它必然牽涉到語言本身的各種問題，因此精神分析學家慣於發展一套有別於日常語言的語言系統——這就是爲什麼拉康會把「無意識」等同於語言結構或「他者的語句(discourse of the Other)」(頁三一二)。簡單說，在「言說與語言的作用」一文中，拉康雖然強調語言的價值唯有透過言說活動才得以彰顯開來，然而在言說活動具實的語句中，主體不是「在說話」而是「被說出來」(頁六九)。因此，主體在某方面說來是文化賦形的，唯有借助於口口相傳與約定俗成的語言符號，主體才能逐漸「現形」；其次，語言符號本身在語意層面上是複雜多義的，這使得主體的言說活動受到極大的扭曲——在此，拉康同意佛洛伊德的說法：象徵語言仍是現代文明人的苦難；再者，主體不免在語句的客觀化過程中喪失他的意義，主體必然與自我或外界疏離，這也是爲什麼拉康曾在別處把主體界定爲「一個失落的客體」。(註一六)透過這種論證，拉康宣布：「對能指(符號)的熱愛，成爲人的情境的一個新面相，不祇是人說出符號，而且是符號透過人說話；人性是由語言結構的各種要素交織成的」。(註一七)這段宣言不但提供了福寇與李維史陀倡議的「人的消失或解體」的理論基礎，更明確的預示了羅蘭·巴特以「作者死亡」爲起點而建構出的「文本」理論。如果允許我再重述一下前面提過的論點，那麼，總結說來，當代思潮中的主體不再是意義的創造者，而是符號之間的交互運作的產物；經由指涉活動所建構的主體，就像福寇在《知識考古學》書中所提示的一樣，在心理學的領域是欲望的法則，在語言學是語言的形式，而在人種學裏則是行動規則或是神話與傳說的表述遊戲（註一八）；至於在文學研究領域，這種視觀就具結成羅蘭・巴特的「文本」理論。（註一九）

在「從作品到文本」這篇論文中，羅蘭・巴特論及當代人文學發展的一個意義重大的轉移：首先是語言觀念的轉變，然後影響到傳統的「文學作品」的界說方式。由於這種轉移深深牽涉到一種認識論上的改變，我們需要的不祇是以新的研究進路去探索一個舊的事物（就是所謂的文學作品），而是研究新事物（就是文本）的一種新科學；這種新科學就是文本理論。當然，就像我們前面提過的，而巴特也一再強調，這種新科學是得力於六十年代的語言學的發展，然而，如果我們從巴特自身的理論建構過程來看的話，他亟於辯說的「文本」觀念是他探索「書寫」觀念而來的自然結果。根據巴特的論點，書寫是當代文學演進過程中不可避免的現象。早在一九五三年，巴特就開始探索什麼是「寫作」的根本問題，因此他尋問做爲寫作媒介的語言的特質，以及語言與書寫活動之間的關係。這個問題便是《寫作的零起點》一書的基本架構。在此，巴特以「書寫」指稱「獨立於語言與風格之外的一種形式上的實相」（頁五），而把書寫、語言與風格看成是形式的三個面相。實際上，這個階段的巴特是薩特的信徒，他不但把文學看成是一種有政治訴求的寫作模式而暢論作家的責任，同時也試著以馬克思主義的觀點思考法國當代文學應該是有怎樣的風貌。弔詭的是，巴特本質上應該是「語言形式」的倡議者，他一面談「權力」與「衝突」的觀念，又一面宣稱作家總是被全能的符號系統逼到一個被動的位置（頁二〇，頁八六）。在這個問題上，巴特自己在晚年的最後一篇訪問稿中提出他的解釋：儘管他曾著迷於薩特的「介入」理論，然而他自己對語言的態度使他無法成為一位急進份子，他也不能相信所謂戰鬥氣息的語言（頁三六二）。

到了六十年代，巴特不可避免也受到語言學的影響，他認為語言與文學已經進入一個相互認可的階段，因而想為文學與語言學尋求一個合宜的會合點。收錄在《批評文選》（一九六四）一書中的文章，如「今日的文學」、「文學與意指活動」、「何謂批評？」與「結構主義的活動」，便清楚刻劃出這種轉變的過程。這時候，「意指活動」一詞便是巴特常用的語彙，而文學被看成是一種「書寫」的活動，祇能在語言中展現自身的可能性：文學的實體，就像服飾、時尚或食物一樣，只具顯在意指活動中，而不是在「所指」；簡單說，文學並不承載實相世界或傳統所謂的內容。因此，當巴特以語言或意指活動來界定文學的本質時，他也同時否定了意義在文學研究領域內的地位；就像他在「何謂批評？」一文中說的：批評的對象不是「實相世界」，而是「語句（表述）」；批評是「第二種語言」(a second language) 或「後設語言」，是建立在別人語句上的語句。同時，批評家所關心的課題，不在解開作品的意義，而是重建「意義得以展現的規則與條例」，也就是說，「形式的運作活動」（《批評文選》，頁二五九）。在這種前提之下，巴特的工作是建構一套新的「文本」理論，用以取代舊有的「作品」理論，而他的第一個步驟就是重新界定「書寫」的概念：書寫，不再是一種及物動詞，而是不及物動詞。在「書寫：一個不及物動詞？」（一九六六年）一文中，巴特就根據班維尼斯特提出的「主體」與「言說實例」的概念而展開他自己的論辯：寫作的主體是當下由具體的書寫活動構築的，主體既受書寫活動影響，也是書寫活動的結果。做爲不及物動詞的書寫一詞，意謂著書寫本身的重要性：書寫活動本身就是目的，而不是媒介或工具；作者只是在「寫」，而不是在「寫些什麼」。就巴特而言，文學就是科學，而具有不及物意義的書寫觀念就是朝向這種新科學的主要程序；最主要的，書寫觀念的轉變預示著「人類心智的一項重要轉移」，並足以改變我們對於「寫作」與「作者」所持的固定的理解方式。

巴特最具有影響力的一篇論文，要算「作者的死亡」（一九六八年）。在這篇論文裏，巴特強烈的質疑傳統的文學理念：他一方面宣稱書寫活動的功能祇是符號本身的一種運作，因此書寫活動滅絕了各種「聲音」、割斷了作品的「起源」；另一方面又進一步剝除作者的創造機能，這裏，巴特除了引述馬拉美、梵樂希與普魯斯特等人的創作理念來烘襯他的論點之外，他更具象的喻示：作家的手是在語言的領域裏「遊走」（trace，原意是追踪或踪迹，後來德律達採用這個語彙來建構他的書寫語言學，它的作用其實就是拉康界說的能指的鎖鏈，詳上文），沒有激情，更不傳達任何感情思想，祇是無止盡的從無量的字典中抽取片斷。簡單說，生命僅是模擬「書本」，而這本書祇是各種符號的組織（a tissue of signs）。既然書寫活動是一連串無止盡的字與句的排列組合，作家的工作充其量是把自己投身於語言符號的遊戲場，並且讓自己化身爲一個遊盪的「能指」。在這種情況下，書寫活動不斷的提出意義，卻又不斷的加以銷毀；它追尋的是如何有系統的廢除意義（頁五三—五四）。至此，我們可以說，巴特提出書寫的概念是爲了建立新的作者的概念，或者，作者死己的概念，而書寫與作者的概念，又是爲了進一步建構他的「文本」理論，三者之間形成一個緊密的環扣；同時，這個環扣的成形又得自於巴特念念不忘的語言與意指作用等相關的論點——這種環狀的論證方式，正是典型巴特的思維方式。換句話說，「文本」的出現是爲了讓作者的角色完全消失，而一旦作者消失或死亡，「解開意義」的工作也完全喪失它的立足點。就這一點而言，巴特可以輕而易舉的拋開許多困擾文學研究者的難題，譬如傳記資料的運用、作者意旨的有效度、作品意義的詮釋問題以及帶有些神秘色彩的創造力的本質等。或許，平面化的思考方式是六十年代以後的當代思潮的一項主要特徵。

儘管在「作者的死亡」一文中，巴特就已經簡單的呈示「文本」概念的內容：文本是由無數得自於文化源頭的「引句」交織成的一種紋理構造（頁五三），然而，文本理論的體系建構，是各別在「從作品到文本」（一九七一年）與「文本理論」（一九七三年）兩篇論文中提出完整的說明。巴特首先認爲「文本」不能被看成是一種具體的、可以計數的「對象」，而是一種「方法論上的領域」，也就是說，文本祇能在活動中、在製造過程中體會出來。循此，文本不是意義的依存或結合；相反的，它是完全由各種引句交織的，必須與各種不同的文本相互參看：在這一點上，巴特一再強調，「紋理構造或組識」最能顯現「文本」的字源意義，而結構主義論者偏愛的「互文」（intertext）也是這樣產生的。然而，以「互文」或「紋理構造」來界定文本，並不意謂文學研究工作可以集中討論文本的「起源」與「影響」，一方面是因爲這樣處理的話，我們仍落入傳統的窠臼而把作者看成是文本的擁有人；另一方面則是因爲所有的文本都是「無名的、無法追索的，而且是已經讀過的」，探尋起源或影響顯然徒勞而沒有意義的。另外，本文的概念也廢除了傳統對於「寫作」與「閱讀」的區分方式，因爲兩者都屬於相同的意指活動；引申來說，既然閱讀也像寫作一樣是一種意指活動，而所有的意指活動都可以產生新的文本，那麼，讀者也可以書寫他自己的閱讀而成爲另一個作者。在此，書寫與閱讀都是「語言的一種性愛的實踐」：兼具讀者與作者身份的主體，就在文本所提供的活動空間中經驗到一種既堅持自我、卻又喪失自我的精神狀態。就巴特而言，這種「意識的喪失」祇有性愛的歡愉差可比擬，而文本理論卽是一種「歡愉的科學」。

乍看之下，巴特的論點似乎是極力彰顯讀者在文學活動中的主動地位，就像巴特在「作者的死亡」結尾時說的，作者的死亡是爲著讀者的誕生。實際上，巴特並沒有賦予讀者主動掌握作品（文本）的能力：儘管讀者可以自由擺弄作品，讀者所能做的事也祇是「穿越、通過、整理或發表」，而不是「解釋」（《S/Z》，頁一一）。簡單說，祇要讀者仍然置身在一個封閉的符號系統裏，他就無法跳脫語言規則的束縛與支配：讀者是一個沒有歷史、沒有傳記、沒有心理活動的人；他也祇是構成書寫的「蹤跡」中的一部份（「作者的死亡」，頁五四），或者是一個早由其它文本組合成的「複合體」（《S/Z》，頁一〇）。在巴特的理論裏，文學的世界是一個主體全然無法掌握、也不能理解的語言世界，而讀者與作者則完全是由個別的言說活動構築的，既不能擁有意義，也無法創造意義。循此而言，巴特雖然引述班維尼斯特的論點：主體的基礎是在語言的活動（前引書，頁二二六），但他顯然忽略了班維尼斯特所強調的「主體際的溝通」這項旨趣：

語言重新建構實在世界，這也就是說，實在世界是透過語言而產生新的面相。……由語言的實踐而彰顯的「交換訊息」與「對話」的情境，是因著語句言說活動的兩項作用：就說話者而言，他再現實在世界；就受話者而言，他重新創造那個實在世界。這種作用使得語言成為主體之間相互溝通的主要憑藉。（「語言學的發展」，同上引書，頁二二）

對觀之下，巴特的論點有更強烈的反人文主義或非人性化的傾向。或許，如柯勒說的，以巴特爲代表的結構主義所以嘗試描述文學語句的各種符碼，主要是想進一步探索前衛作家的作品如何諷擬、背違既有的文學成規（註二〇）。然而，前面我們一再提示，不管一個作家怎樣否定語言、質疑意義，甚至諷擬成規，作家的工作仍是在具體的創作活動中進行「文字與意義之間的抗衡」。因此，當巴特以洋葱爲例說明文學作品祇有形式而沒有內容的論點時（「風格及其意象」，頁九九），我們祇能說這是一種純粹理論上的假說；他的解說文字儘管壯觀華美，他的論點與論證方式正是像一顆洋葱，一層一層剝下來以後，什麼都沒有。再進一步說，當巴特建構他的文本理論時，我們可以從他一再出現與一再重複的論證形式中看出他的論點是從一個預先設定的前提一步一步推衍出來的。簡單說，巴特在呈現他的論點所使用的概念語彙與描述語句，通常是假設的與過度抽象的，因而無法有效的處理構成一件作品的特殊屬性，也無法有效的區分不同作品之間各具的美學特質。最重要的，既然一切都是意指活動，一切都是語言，巴特的理論顯然不能解釋一件成功的（或好的）作品與一件失敗的（或壞的）作品之間的區別，因此也無法有效的解決美感價值的問題。這也是爲什麼米蘭・昆德拉會認爲巴特的口頭禪（「Tout est ecriture」）是一個危險的訊號，因爲這句話暗示「我們所寫的每一句話都內含著美感的價值」。（註二一）實際上，巴特運用他的理論進行具體的作品解析時，如分析巴爾札克的「薩拉辛」或愛倫坡的「瓦德瑪先生」，成效都不是很令人滿意。（註二二）如果說，二十世紀初期克羅齊提示的「直覺就是創造」是一種唯心主義的藝術觀，那麼，二十世紀後期巴特揭示的「一切都是書寫」也算得上是結構主義的一種形上美學。就克羅齊的理論說，如果我們同意卡西勒的論斷，一個呵欠、一種姿態不一定就是藝術，直覺的活動需要形式的體現過程才構成眞正的藝術作品；同樣的，如果我們無法接受一段塗鴉文字可以是一件藝術品的看法，那麼，如何從巴特揭示的複合的、離心的主體概念與文本理論推展出新的文學研究法則，從而重新處理「意義」與「詮釋」的問題，自然是理論重建的一項重要工作。目前，解決的方案或許是先從理論的層面提出系統的解析與論辯；（註二三）不然，我們也可以採取 Allan Megill 論及德律達時所用的策略，把巴特的論著視爲一種具有嬉遊性質的小說，然後像觀賞國王穿著「新衣」遊街一樣，試著去理解並享受這段表演。（註二四）

【附註】

註一　Ortega y Gasset, The Dehumanization of Art (Princeton University Press 1948;1968), 這是最通行的英譯版。不過，我採用的是Alexis Brown (London: Studio Viste, 1970), 譯文雖稍有刪減，但譯筆比較精簡。

註二　Ezra Pound, "The Wisdom of Poetry", in Ezra Pound: Selected Prose (London: Faber and Faber, 1973; 1978). 頁 329。

註三　M. Bradbury and J. McFarlane, "The Name and Nature of Modernism", in Modernism (London: Penguin Books, 1976; 1987), 頁 51。

註四　關於現代主義的美學論點，我主要是參考註三所引的論文選集，另外也參考 G. Josipovici, The Lessons of Modernism (London: Macmillan Press, 1977; 1987), 尤其是第五、第六章。

註五　Virginia Woolf, "Modern Fiction", in David Lodge ed. 20 th Century Literary Criticism: A Reader (London: Longman, 1972; 1981), pp. 88-89。

註六　T. S. Eliot, "Tradition and the Individual Talent", in Frank Kermode ed. Selected Prose of T. S. Eliot (London: Faber and Faber, 1975; 1987), pp. 40-41。

註七　Ferdinand de Saussure, Cnurse in General Linguistic, trans. Wade Bade Baskin (New York: Mc Graw-Hill, 1966) p. 120。

註　八　Philip Pettit, The Concept of Structuralism: A Critical Analysis (Berkeley: University of California Press, 1975; 1977) 這是評介結構主義最精要的論著，雖然出版的年代較早。其中第二章專門討論結構主義的研究方法，讀者可以參閱。

註　九　J. M. Broekman, Structuralism (Holland: D. Reidei, 1974) P.2。

註一〇　E. Benveniste, "Subjectivity in Language" (1958), in Problems in Gəneral Linguistics, tras. Mary E. Meek (University of Miami Press, 1971), pp. 223-224。

註一一　E. Benveniste, "The Nature of Pronouns", 頁219。

註一二　Paul Ricoeur, "The Question of the Subject" (1968), in The Conflict of Interpretations: Essays in Hermeneutics (Evanston: Northwestern University Press, 1974), p.255。

註一三　J. Lacan, "Subversion of the Subject and and Dialectic of Desire" (1960), in Écrits A Selection, tran. Alan Sheridan (London: Tavistock/Routledge, 1977; 1989) p.307。

註一四　J. G. Merquior, From Prague To Paris (London: Verso, 1986) p.149。

註一五　J. Lacan, "Agency of the Letter in the Unconscious", 同上引書，頁155。

註一六　J. Lacan, "of Structure as an Jnmixing of an Otherness" (1966), in Richard Macksey and Eugenio Donato eds. The Structuralist Controveyrs (Baltimore: The Johns Hopkins University Press, o970) p.189。

註一七　J. Lacan. "The Signification of The Phallus". inÉcrits, p.284

註一八 M. Foucault, The Archaeology of Knowledge, trans. A. M. Sheridan Smith (New York: Harper and Row, 1976) p.13°

註一九 本文引用羅蘇・巴特的論文分別是：

Writing Degree Zero, Trans. Annette Lavers and Colin Smith (New York: Hill and Wang, o967; 1986)

S/Z, trans. Richard Miller (New York: The Noonday Press, 1974; 1988)

"The Crisis of Desire" (1980), in The Grain of the Voice; Interviews, trans. Linda Coverdale (New York: Hill and Wang, 1985; 1986)

"To Write: An Intransitive Veob?" (1966);

"The Death of the Author" (1968);

"From Work to Text" (1971);

"Style and Its Image" (1969), in The Rustle of Language, trans. Richard Howaod (Oxford: Basil Blackwell, 1963)

"What is Criticism?" (1963);

"Literature and Signification" (1963);

"Literature Today" (1961), in Critical Essays, trans. Richard Howard (Evanston: Northwestern University Press, 1972; 1981)

The Pleasure of the Text, trans. Richard Miller (New York: Hill and Wang, 1975)

註二〇 J. Culler, Barthes (Fontana Paperbacks, 1983) p.88

註二一 J. Elgrablly, "Conversation with Milan Kundera", Salmagundi no. 73, 1987, p.3

註二二 筆者另有一篇英文稿，"The Emergence of the Notion of the Text"（未發表），比較詳細的討論到巴特「文本」理論的形成過程與具體內容，因此也涉及評論巴特分析「薩拉辛」與「瓦德瑪先生」的成效。本文由於是討論「非人性化」的美學觀，有關巴特的部份就祇是英文稿的部份摘錄。

註二三 這種理論層面上的辯析，最具代表性的論著是 Raymond Tallis Not Saussure: A Critique of Post-Saussurean Literary Theory (London: Mac Millan Press, 1988), In Defence of Realism (London: Edward Arnold, 1988)。有趣的是，並不是文學研究學者，而是英國利物浦大學老人醫學的高級講師，曾出版詩集；至於在文學研究領域，有系統的提出理論辯析的論著是 Tallis Geoffrey Thurley, Counter-Modernism in Current Critical Theory (London: Mac Millan Press, 1983)。上述三本論著都是全面追索當代文學理論的問題，而不祇是散篇的論文結集出版的，因此比較值得注意。

註二四 Allan Megill, review of J. Culler's On Deconstuction, in Philosophy and Literature, Fall 1984, p.286。

附錄一：辭淡江大學校長趙榮耀先生致開幕辭

各位女士、先生：

歡迎各位貴賓蒞臨本校，參加第二屆「文學與美學」學術研討會。本人謹代表全校師生，致最誠摯的歡迎之意。

文學與藝術，曾經是人類歷史上最受關注的文明重心。人類文明的展開，基本上是通過文學與藝術的表達和創造。我們不能想像整個希臘以下的西方文明，如果沒有荷馬史詩、沒有神話、沒有雕塑與建築，那會是什麼樣子。同理，如果沒有《詩經》、《楚辭》，沒有李白杜甫唐詩宋詞書法繪畫，我們中國文化恐怕也難以描述。翻開文藝復興的歷史，我們就可知道由文藝所開創的心靈智慧，如何導引了近代文明的方向，如何影響著人類的生活。我們老是覺得文學藝術虛幻浪漫，不切實際。總是把力氣集中在政治經濟層面上，考慮社會問題。卻忘了眞正在歷史中能夠留下來的，不是希臘城邦裡政客的名字，也不是那一個戰役的將軍，而是希臘的詩篇、建築和雕塑。我們往往是通過了這些，才能了解一個文明對人類的貢獻，以及它存在的價值。因此，文學與藝術的功能，是不容低估的。

工業革命以來，人類的創造力表現，逐漸從文學藝術或哲學上，轉移到科學技術及經濟活動方面。隨著世界權力爭霸的局勢發展，乃構建了一個新而特殊的社會：一個富裕、進步、便利，卻沒有花香與音樂的社會。文學與藝術，越來越寂寞；即使在學院的殿堂裡，似乎也找不到它們立足的地方。可是從另一方面看，現代人對文學藝術的渴求，彷彿又要超過從前。特別是大家都已體認到了：現代社會僵硬森冷的體制、非人性化的管理、技術性工具性的人生觀、冷漠疏離的群己關係，都需要文學藝術來調節來滋潤。或許，現代社會仍不願放棄以科技政經爲主體的結構，但至少也承認了文學藝術對現代社會與人生都是有價值的。

但是，我們要進一步指出：文學藝術可能不只有這種社會治療的意義，不只是現代人生活上的調劑；它可能又重新成爲新時代的重心了。

最近，奈思比特（Haisbitt）的《二〇〇〇年大趨勢》一書，便曾注意到這個現象。他稱之爲「二度文藝復興」，而且把這個現象放在東歐及蘇聯社會主義變質、世界文化同質化及文化民族主義與起、全球經濟民營化、亞太地區興起、生物科技革命、世紀末宗教熱、女性領導人激增等重大論題之前，視之爲最重要的未來趨勢。這個例子，便很值得我們思考。

敝校由日英語專科學校而文理學院而大學，整個建校歷程即顯示了我們是站在人文基礎上發展理工學術的。對文學與藝術的活動及學術研究，皆鼓勵不遺餘力。過去，推動校園民歌及鄉土文學運動，也薄有微勞，而我們同時又是提倡未來學的學校。現在，我們一方面延續過去的傳統，一方面展開對未來趨勢的觀察，深覺發展文學與美學的探究，正是我們的責任，也是時代的需要。這次會議，即是基於這個理由召開的。

謝謝各位遠道來此，參與我們的理想。各位的熱情與學識，對本屆大會、對本校、對中國文學與美學的研究，均將大有裨益。讓我再一次謝謝各位。祝大會成功、諸位健康愉快。

附錄二：

淡江大學研究學院院長黃天中先生致閉幕

各位女士、各位先生：

本屆文學與美學學術研討會，得到各位熱烈參與，終能圓滿閉幕，本人謹代表大會、代表淡江大學，謝謝各位。

這次大會，共發表了十七篇論文，討論的範圍，廣泛涉及了文學、戲劇、書法等各種藝術的各方面問題。對整個中國美學史的理解，或對美學理論的探討，似乎也有了許多突破，這是很值得欣慰的事。

在這次會議中，我覺得有幾件事是可以一提的。

一是大會以文學爲中心，進行對人類整體藝術的討論。本身便包含了比較藝術的趣味與可能。每種藝術，都各有其特性，其發展歷程也各不相同，但它們都屬於人類藝術活動之一環，所以觀其同、較其異，是極其必要的。唯有如此，我們才更能了解藝術之間的關聯，以及人類對藝術的整體關懷。

二是大會涉及了中國美學與西方文學藝術傳統的比較。本校提倡中外比較文學不遺餘力，現在仍出版有《淡江評論》，是中華民國唯一的專業比較文學研究刊物。本屆大會有許多論文，不但延續了這種比較文學的研究路線，而且擴大到中西文學與美學傳統的比較分析。透過這些分析，似乎我們也能發現中西文化比較的一條新途徑。

三是本屆大會表現了反省中國當代美學發展，建立中國美學新方向的企圖。中國近代美學的發展深受西方美學的影響。但直到最近，我們才能反省當代美學的研究方法，對建立中國美學的方向和體系也頗有信心了。這段期間，海峽兩岸各有不同的努力方向和成果。這次大會，邀請了大陸學者來預會，交換彼此不同的觀點；另有許多文章也回應、檢討了大陸的美學研究。這對未來中國美學的發展相信會有良好而深遠的影響。

除了以上幾點之外，站在一所中華民國大學研究學院的立場，我也覺得這次會議頗能刺激校園內部的文學與藝術研究。這在一個現代化的大學或社會中，都是非常需要的。因此，我也要特別謝謝各位的智慧與辛勞。謝謝各位。